Mania de Sofrer

Bel Cesar

Mania de Sofrer

Reflexões Inspiradas na Psicologia do Budismo Tibetano

© Isabel Villares Lenz Cesar, 2006
1ª Edição, Editora Gaia, São Paulo 2006
2ª Reimpressão, 2018

Jefferson L. Alves – diretor editorial
Richard A. Alves – diretor de marketing
Flávio Samuel – gerente de produção
Ana Cristina Teixeira – assistente editorial
Eduardo Okuno – capa
Lama Michel Rinpoche – foto de capa
Márcia Costa – edição de texto
Ana Cristina Teixeira – revisão
Cia. Editorial – editoração eletrônica

Obra atualizada conforme o
NOVO ACORDO ORTOGRÁFICO DA LÍNGUA PORTUGUESA.

Dados Internacionais de Catalogação na Publicação (CIP)
(Câmara Brasileira do Livro, SP, Brasil)

Cesar, Bel
Mania de sofrer : reflexões inspiradas na psicologia do budismo tibetano / Bel Cesar. – São Paulo : Gaia, 2006.

ISBN 978-85-7555-115-8

1. Budismo – Psicologia. 2. Budismo – Tibete. 3. Sofrimento – Aspectos religiosos – Budismo. I. Título.

06-7658   CDD-294.3923

Índice para catálogo sistemático:
1. Sofrimento : Ponto de vista budista : Budismo tibetano 294.3923

Direitos Reservados

editora gaia ltda.
Rua Pirapitingui, 111-A – Liberdade
CEP 01508-020 – São Paulo – SP
Tel.: (11) 3277-7999 – Fax: (11) 3277-8141
e-mail: gaia@editoragaia.com.br
www.editoragaia.com.br
Colabore com a produção científica e cultural.
Proibida a reprodução total ou parcial desta obra
sem a autorização do editor.
Nº de Catálogo: **2853**

Dedico toda energia positiva acumulada por meio deste livro à longa vida de meu mestre Lama Gangchen Rinpoche, e de meu filho, Lama Michel Rinpoche. Que a energia de seus ensinamentos possa manter-se pura e expandir-se em todas as direções.

Este livro também pode ser usado com um oráculo. Pense no que gostaria de saber, e, de olhos fechados, peça por inspiração e abra aleatoriamente numa página para encontrar a sua resposta.

Agradecimentos

Obrigada, Lama Gangchen Rinpoche por ser uma inesgotável fonte de inspiração para meu desenvolvimento interior. Em seus ensinamentos e exemplo de vida, encontro força e significado para seguir adiante com meus propósitos e desafios.

Obrigada, Lama Michel Rinpoche, por seu puro amor e constante dedicação que tanto me ajuda a realizar ideias com entusiasmo e alegria.

Obrigada, Fernanda, por seu brilho e doçura que fazem com que nosso dia a dia seja vivo e dinâmico!

Obrigada Pete, por ser quem você é e estar ao meu lado. Que a gente sempre possa encontrar as condições necessárias para realizar sempre juntos uma Vida de Clara Luz!

Obrigada, Sergio Scabia, por manter ativa a página *www.somostodosum.com*, pois nela muitos encontram uma base segura para poder decolar!

Obrigada, Marcello Borges, pela amizade sincera e disponibilidade incondicional em ler e cuidar dos "pequenos detalhes" de meus textos.

Obrigada, Márcia Costa, por ter encontrado força e determinação para me ajudar a editar este livro, mesmo atravessando momentos difíceis de sua vida. Que a energia positiva gerada por meio de nossos esforços, possa atingir muitas almas: estejam elas presentes ou não em nossa vida.

Obrigada a todos que me ajudam a tornar reais minhas melhores intenções: pacientes-amigos; Alessandra, Andréa, Lilia, Silvia, Dov, Márcia, Bella e Alfeu, que mantêm as atividades da Sede Vida de Clara Luz e todos aqueles que participam dos *Dias de Plantio Coletivo* no Sítio Vida de Clara Luz.

LAMA GANGCHEN RINPOCHE

Prefácio

por T.Y.S. Lama Gangchen Rinpoche

Fiquei muito feliz ao saber que minha amiga e discípula de muitos anos, Bel Cesar, produziu este livro, *Mania de sofrer*, no qual ela interpreta os ensinamentos do Buddha sobre a Roda da Vida a partir de seu próprio ponto de vista, ou seja, uma mescla entre a antiga sabedoria do Budismo Tibetano e seus estudos e experiências pessoais na psicologia ocidental.

A roda da vida foi uma imagem criada pelo Buddha Shakyamuni como presente para um amigo, que era rei. Explica claramente os principais aspectos da psicologia budista, como a origem do sofrimento, suas causas e a maneira de desenvolver gradualmente a concentração e a sabedoria, para transcendermos nossos sofrimentos psicológicos e encontrarmos a paz interior.

Espero e rezo para que o livro de Bel ajude muitas pessoas no Brasil e, quem sabe, em muitos outros países, a encontrar a paz em suas vidas.

Com meus melhores votos, T.Y.S.

Lama Gangchen Rinpoche
Albagnano, 7 de julho de 2006

LAMA MICHEL RINPOCHE E BEL CESAR

Prefácio

por Lama Michel Rinpoche

Há 2.549 anos, nasceu um homem na Índia Antiga que influenciou o mundo como poucas pessoas o fizeram na história: o príncipe Sidharta Gautama, que por meio de uma longa busca, obteve um profundo desenvolvimento interior. Ao abandonar completamente seus hábitos mentais negativos e desenvolver, ao máximo, o potencial de suas qualidades, tornou-se "O iluminado", conhecido como Buddha Shakyamuni.

Ao compartilhar a sua grande sabedoria, Buddha deixou uma enorme herança para a humanidade: ensinamentos sobre como nos relacionarmos com nós mesmos e com o mundo que nos circunda, de uma forma positiva, pacífica e construtiva.

Buddha nos lembra: "Meus ensinamentos devem ser adaptados aos tempos e lugares". Assim, durante os últimos 2.500 anos, por meio de seus praticantes e grandes mestres, essa profunda sabedoria, essa filosofia de vida, vem sendo adaptada às mais diferentes culturas, sem nunca perder sua essência e eficácia.

Bel Cesar há muitos anos tem estudado e praticado essa antiga filosofia, não apenas como um conhecimento, mas como um método para se transformar interiormente e ajudar outras pessoas a superar crises e momentos de grande dificuldade na vida.

Um conhecimento torna-se precioso quando é acessível e pode ser colocado em prática para transformar nossa vida positivamente. Em seus livros, Bel Cesar nos mostra de forma simples e direta como entrar em contato com essa sabedoria milenar e aplicá-la em nossa vida cotidiana.

Mania de sofrer: reflexões inspiradas na psicologia do Budismo Tibetano é um livro que nos ajuda a conhecer melhor tanto a nós mesmos como o mundo no qual vivemos. Ele nos ensina como abandonar a constante mania de sofrer, para desenvolvermos uma vida interior mais saudável.

Espero do fundo do coração que cada vez mais ela possa compartilhar esse precioso tesouro de conhecimento e sabedoria, por meio de suas experiências e intuições.

Com amor no Dharma,
do seu filho
Lama Michel Rinpoche
Albagnano, 4 de outubro de 2006

Sumário

Prefácio, *T. Y. S. Lama Gangchen Rinpoche*	9
Prefácio, *Lama Michel Rinpoche*	11
Introdução	19
I. A Roda da Vida	23
II. Como surgiu o primeiro sofrimento humano?	29
Os três venenos-raiz da mente: desejo, aversão e ignorância	32
Karma: o poder das marcas mentais	34
Cada um vive o mundo de acordo com sua visão kármica	37
As seis grandes visões kármicas	38
III. O Reino Humano: a ilusória busca por posse e controle	41
O Reino Humano é marcado pelo desejo ilimitado	42
Como sair deste reino	45
O controle do tempo: o maior desafio do Reino Humano	48
Liberte-se da pressão do tempo	49
IV. O Reino dos Deuses: solidão e orgulho – Experiências de autoabsorção	53
Como sair deste reino	56
V. O Reino dos Semideuses: o espírito competitivo baseado na inveja e no ciúme	61
Por que sentimos ciúme?	64
Como sair deste reino	67

VI. O Reino Animal: a preguiça e o medo de relacionar-se verdadeiramente — **75**

Medo: um sofrimento da esfera animal — 76
Como sair deste reino — 80

VII. O Reino dos Infernos: quando a mente, tomada pela raiva, não encontra saída — **83**

O Reino dos Infernos Quentes: quando o ódio e a raiva nos consomem — 84
Ter paciência não significa engolir sapos — 87
O Reino dos Infernos Frios: quando o ressentimento desencadeia a autodestruição — 90
Como sair deste reino — 92
A natureza da hostilidade — 94
Para se defender não é preciso atacar — 98
Quando o distanciamento é saudável — 99

VIII. O Reino dos Fantasmas Famintos: quando os sentimentos de insuficiência e inadequação geram constante insatisfação — **103**

Afinal, o que é a inveja? — 107
A inveja é destrutiva tanto para quem a sente quanto para quem é alvo dela — 108
Como sair deste reino — 112
Quando o esforço é excessivo — 114
Quando a calma é um sinal de confirmação — 116

IX. Os Doze Elos da Existência Interdependente: a mania de sofrer — **121**

Uma visão geral das características do Doze Elos — 123
O Primeiro Elo — 123
O Segundo Elo — 125
O Terceiro Elo — 126
O Quarto Elo — 127
O Quinto Elo — 129
O Sexto Elo — 130
O Sétimo Elo — 131
O Oitavo Elo — 131
O Nono Elo — 131

O Décimo Elo	132
O Décimo Primeiro Elo	133
O Décimo Segundo Elo	134
Compreendendo a dinâmica interdependente dos Doze Elos	134

X. Primeiro Elo Interdependente: a ignorância do apego a si mesmo — **141**

A atitude egocentrada é a causa-raiz de todo sofrimento	143
O sofrimento não existe por si mesmo	144
A ignorância da verdade absoluta e a ignorância do karma	145
A alegria diante do desconhecido nos relaxa e nos regenera	146

XI. Segundo Elo Interdependente: o condicionamento – Ações que criam renascimentos — **151**

A força dos hábitos encontra-se na motivação	152
Reclamar é uma mania que se reforça por si mesma	153

XII. Terceiro Elo Interdependente: a consciência relativa — **157**

Meditar é ensinar a nossa mente a tornar-se estável	158
A *mente-coração* pensa melhor	159
Ansiedade: a inquietação diante de um futuro ameaçador	161
Uma mente acelerada é uma mente desequilibrada	163
Meditação para romper a cadeia de pensamentos negativos	165

XIII. Quarto Elo Interdependente: nome e forma – Como nos tornamos do jeito que somos — **167**

A anatomia do corpo sutil: canais, ventos de energia, chakras e gotas	173
O Quarto Elo sob o ponto de vista da existência física	175
O Quarto Elo sob o ponto de vista da existência do processo mental	176
Nomear significa dar forma às ilusões	177
Quando não há nada a fazer, o melhor é descansar	178

XIV. Quinto Elo interdependente: o poder dos seis sentidos — **183**

A mente sob o domínio dos estímulos sensoriais	185
Escute sua música interior	186
O poder dos mantras de proteger a mente	188
Meditação simplificada de Buddha Shakyamuni	193
Alguns conselhos de Lama Gangchen	194

XV. Sexto Elo Interdependente: o contato **197**

Por que "o que é bom dura pouco" em nossa mente? 200

Desista da frustração! 202

XVI. Sétimo Elo Interdependente: sensação-sentimento **205**

Ao enfrentar situações desagradáveis, será que
precisamos inevitavelmente sofrer? 208

XVII. Oitavo Elo Interdependente: o desejo **211**

A constante expectativa de continuar vivo 212

Nossa mente não é apenas feita de desejos 213

Não ter apego aos resultados 216

XVIII. Nono Elo Interdependente: o apego **219**

Quatro tarefas para amar 220

O mito 221

A primeira tarefa para amar 223

A segunda tarefa para amar 224

A terceira tarefa para amar 226

A quarta tarefa e última tarefa para amar 227

Codependência: quando uma pessoa suporta e incentiva
a dependência do outro 228

Quando a dependência é saudável 230

Para sermos altruístas será preciso reconhecermos
nossas próprias necessidades 231

XIX. Décimo Elo Interdependente: a existência, o vir a ser **235**

Quando é o coração que compreende 238

O perigo dos pequenos pensamentos negativos 239

Como a mente grande pode cuidar da mente pequena 240

Uma meditação para abrandar a agitação interior 242

XX. Décimo Primeiro Elo Interdependente: o renascimento **243**

O que determina nossas vivências são nossos méritos 244

Quando o amor foi insuficiente 245

Quando nos afastamos de algo para vê-lo melhor 249

XXI. Décimo Segundo Elo Interdependente: o envelhecimento
e a morte — **251**

Terra Pura: a esfera de renascimento mais elevada — 253

Os ensinamentos budistas são sempre a favor da vida — 254

Aceitar a morte não significa desistir da vida — 255

Como nos separar daqueles que amamos — 257

Devemos evitar a morte, mas não rejeitá-la! — 259

Quando a dor alheia pode nos ensinar a viver melhor — 261

Abrir espaço para sentir emoções fortes — 263

Pactos: o poder das promessas secretas! — 265

O poder das rezas: como uma pessoa que já faleceu pode
se beneficiar com nossas rezas? — 267

A difícil passagem do Bardo — 267

Duas meditações para dedicar luz aos falecidos — 271

XXII. É sempre bom lembrar que é possível mudar e
seguir em frente — **275**

A solução dos conflitos começa no ato de aceitá-los — 277

Renunciar ao sofrimento é um modo direto de encará-lo — 280

Índice remissivo — **283**

Contatos — **297**

Introdução

Este livro surgiu a partir de uma coletânea de textos que escrevi durante os anos de 2004 e 2005 para o *site* de autoconhecimento *www. somostodosum.com*. Não são textos acadêmicos, e sim reflexões sobre como podemos tornar nossa vida significativa ao aplicar os princípios do Budismo Tibetano nos desafios cotidianos.

Escrever sempre me fez sentir bem. Quando termino um texto, sinto-me mais organizada emocionalmente. Estudar, relembrar e refletir sobre os ensinamentos que já recebi dos Lamas tibetanos desde 1987 me entusiasma a seguir em frente.

Desde 2003, quando Sergio Scabia convidou-me para ser uma colaboradora do seu *site*, adquiri o hábito de escrever quase semanalmente. O retorno dos leitores tem sido, sem dúvida, meu maior incentivo. Desta forma, ganhei muitos amigos a distância. Espero que você se torne mais um. Talvez não cheguemos a nos conhecer, mas, saber que este livro pôde ajudá-lo de alguma maneira, já me faz feliz. É muito bom sentirmo-nos úteis ao compartilhar nosso processo de crescimento interior com pessoas que estão caminhando na mesma direção!

Ao reler todos os textos, percebi que poderiam ser organizados em torno da iconografia do Budismo Tibetano da Roda da Vida, cujas ilustrações representam simbolicamente a dinâmica dos *Doze Elos da Existência Interdependente*, os *Seis Reinos da Existência Cíclica* e os *Três Venenos-raiz da Mente*: desejo, aversão e ignorância. Estes temas envolvem ensinamentos que nos ajudam a compreender como superar

Mania de sofrer

a cadeia de eventos mentais que sustentam em nós a *mania de sofrer*, isto é, o sentimento constante de insatisfação e inquietação diante da imperfeição, da impermanência e da insubstancialidade.

Segundo a Psicologia Budista, a mania de sofrer é um hábito humano. Todos nós sofremos dela: uns mais, outros menos. Aqueles que aprenderam a *não sofrer com o sofrimento* souberam superá-la!

O Budismo nos incentiva a ter uma percepção direta e ao mesmo tempo dinâmica da realidade. Tanto meu mestre Lama Gangchen Rinpoche, como meu filho, Lama Michel Rinpoche, são um exemplo deste modo de ver a vida. Eles nos ensinam a acolher o sofrimento com a intenção de transformá-lo em autoconhecimento e sabedoria, de forma prática, autêntica e incrivelmente simples.

O Budismo é uma filosofia que precisa ser posta em prática para ser assimilada e compreendida. Lama Gangchen me disse certa vez: "Você precisa desenvolver a sabedoria interna e não o conhecimento. Esta sabedoria irá surgir à medida que você se dedicar a colocar em prática o que lê e estuda sobre a filosofia budista".

No entanto, os ensinamentos são tão profundos que dificilmente praticamos o que compreendemos racionalmente. Mas não devemos desanimar. O começo de qualquer processo não é fácil. Tudo precisa de tempo para crescer e amadurecer. O importante é mantermos a regularidade. Como a natureza de nosso sofrimento interno é contínua, precisamos também de um método de cura que seja contínuo. Temos que adquirir a habilidade de nos auto-observar internamente.

Cuidar da mente com regularidade significa observá-la o *tempo todo* com gentileza, sem brusquidão. Caso contrário, ficaremos paralisados pela rigidez e pela autocrítica excessiva.

Ao cultivarmos um relacionamento direto com nossas dificuldades, teremos mais facilidade para ajustar nossa motivação interna, pois a força do padrão negativo que as sustenta irá gradualmente se dissolver.

Quando interpretamos a realidade, a partir de nossos condicionamentos, reproduzimos no momento presente medos, conflitos e esperanças adquiridos no passado. Por isso, na maioria das vezes, nos vemos diante dos mesmos dramas emocionais: eles mudam apenas de aparência e cenário, mas seu enredo sofrido se repete. É como se realmente não soubéssemos aprender com as experiências passadas!

Introdução

Todos nós sabemos que viver assim é frustrante, cansativo e, acima de tudo, sem sentido. Uma vida sem sentido retroalimenta a frustração e o cansaço, produzindo uma constante sensação de fome e insatisfação. Porém, quando conseguimos ver sentido em nossa evolução interna, passamos a suportar até mesmo o que considerávamos insuportável. Mas como sair desta cadeia de repetições?

Esta é a principal meta do Budismo: ensinar-nos a romper a cadeia de sofrimento por meio do desenvolvimento interior. Não precisamos mudar nossa vida para dar significado a ela. O importante é reconhecer que podemos olhá-la sob um prisma mais sutil, capaz de nos gerar um sentimento genuíno de que *vale a pena viver*.

I

A Roda da Vida

Não é preciso tornar-se budista para aplicar os ensinamentos sobre a Roda da Vida; basta vivenciá-los. Em geral, devido ao nosso condicionamento mental, somos tensos e rígidos, mas quando aprendemos a observar a interdependência dos fenômenos, percebendo como *isso* leva *àquilo*, nossa mente relaxa, pois amplia sua percepção da realidade. Mais maleáveis, somos capazes de nos abrir para o novo e evoluir.

Esta abertura da mente é imprescindível para superar a mania de sofrer, pois, como veremos mais adiante, todo sofrimento surge do hábito de interpretar a realidade como algo sólido e concreto.

A iconografia da Roda da Vida, também conhecida como Roda da Existência, foi criada pela extinta Escola Sarvastivada, precursora do Budismo Mahayana. Segundo esta tradição, a Roda da Vida foi desenhada pela primeira vez na época do Buddha Shakyamuni.

Conta-se que o rei Udayana havia presenteado o rei de Magadha, Bimbisara, com um raro manto cravejado de pedras preciosas. Sem saber como retribuir tal relíquia, Bimbisara aconselhou-se com Buddha. Este então lhe disse para fazer um desenho da existência cíclica acompanhado dos seguintes versos:

Ocupando-se disto e abandonando aquilo,
Entra-se no ensinamento do Buda.
Como um elefante numa casa de sapê,
Destroem-se as forças do Senhor da Morte.

Aqueles que com consciência perfeita
Praticarem esta doutrina disciplinar
Deixarão a roda do nascimento,
Pondo fim ao sofrimento.[1]

Conta-se ainda que quando o rei Udayana recebeu este desenho e os versos, atingiu a Iluminação.

---

1. Sua Santidade, o Dalai Lama, *O sentido da vida*, São Paulo, Martins Fontes, p. 17.

A Roda da Vida

A imagem da Roda da Vida é composta de quatro círculos concêntricos nos quais encontram-se distribuídas diversas ilustrações. Partindo do mais interno, cada um dos círculos representa respectivamente:

1. *Os Três Venenos-raiz da Mente*: desejo, aversão e ignorância.
2. Os *Dois Caminhos como causa e efeito* de pensamentos e ações positivas e negativas.
3. Os *Seis Reinos de Existência*: os seis estados psicológicos que caracterizam a existência sustentada pelo sofrimento.
4. E os *Doze Elos da Existência Interdependente*, que revelam a cadeia de ação e reação que determina nossa atual situação existencial.

No centro da Roda vemos um galo, uma cobra e um porco, um mordendo a cauda do outro. Eles representam respectivamente o desejo, a aversão e a ignorância: os três venenos-raiz da mente que originam todos os demais sofrimentos.

Ao redor desta ilustração, com os três animais, há um círculo composto por dois semicírculos que representam a virtude e a não virtude.

O semicírculo negro simboliza o karma negativo gerado por atividades contraproducentes que conduzem aos três reinos inferiores de renascimento, ou seja, representa como perdemos energia positiva. Já o semicírculo branco simboliza o karma positivo gerado por ações que levam a estados mais elevados, capazes de conduzir os seres aos três reinos superiores de renascimento, ou seja, ele representa como ganhamos energia positiva.

A seguir, temos um círculo maior dividido em seis segmentos, que simbolizam os estados mentais pelos quais passam os seres quando estão presos às esferas conhecidas como os Seis Reinos da Existência. Cada um deles é marcado pela contaminação de uma forte emoção negativa, que produz uma percepção particular da realidade.

Em outras palavras, existem seis formas de ver o mundo: cada uma delas está sustentada por um tipo de expectativa de que seria possível (e natural) suprir uma falta interna. Quando compreendemos que estas expectativas estão baseadas em carências insaciáveis, começamos a entender como entramos e saímos das tramas de nossos conflitos emocionais.

Mania de sofrer

Os reinos descritos na Roda da Vida não são apenas padrões mentais que podemos reconhecer nos estados conflituosos e tensos de nossa mente. São, também, seis esferas possíveis de morte e renascimento. Entre os Seis Reinos, temos o conhecimento direto apenas do Reino humano e do animal.

Os três segmentos inferiores representam os chamados Reinos Inferiores onde encontram-se os seres dos infernos (sânsc. *narak*); os fantasmas famintos (sânsc. *preta*) e os animais (sânsc. *Tiryak*). Os três segmentos superiores, por sua vez, ilustram os Reinos Superiores onde vemos representados os deuses (sânsc. *deva*); os Semideuses (sânsc. *asura*) e os seres humanos (sânsc. *manushya*).

O círculo mais externo representa os Elos da Existência Condicionada, conhecidos por Doze Elos da Existência Interdependente, também traduzidos na literatura brasileira como Doze Elos da Originação Dependente, Doze Elos do Surgimento Dependente, ou Doze Elos do Surgir Interdependente. Este círculo é composto por doze ilustrações, que são:

1. *Uma pessoa idosa, cega e manca, andando com uma bengala,* representando a ignorância do apego a si mesmo; o nascimento grosseiro ou o primeiro nascimento.

2. *Um oleiro fazendo potes de barro,* representando o condicionamento: ações que criam os renascimentos; o impulso ou motivação inconsciente.

3. *Um macaco pulando de galho em galho,* representando a consciência relativa ou o nascimento relativo.

4. *Dois homens num barco guiado por um barqueiro,* representando nome e forma, ou corpo e mente, ou o nascimento propriamente dito.

5. *Uma casa com seis janelas,* representando o poder dos seis sentidos.

6. *Um casal se abraçando,* representando contato dos sentidos com os objetos.

7. *Um homem dramaticamente ferido por uma flecha no olho,* representando a sensação-sentimento.

8. *Um homem bêbado satisfazendo sua sede,* representando o desejo.

9. *Um homem ou um macaco agarrando uma fruta em uma árvore,* representando o apego/aversão resultantes do desejo.

10. *Uma mulher grávida,* representando a existência, o vir a ser.
11. *Uma mulher dando à luz,* representando o nascimento de fato.
12. *Um homem velho caminhando com uma bengala ou um cadáver,* representando o envelhecimento e a morte.

Para entender a cadeia dos Doze Elos, precisamos cultivar um raciocínio circular, pois ela descreve tanto a dinâmica atual de nossa distorção energética quanto a passada e futura. Isto é, os Doze Elos revelam como se dá a interminável e involuntária sequência de mortes e renascimentos, conhecida no Budismo por *Samsara*. Samsara quer dizer o contínuo sofrimento que vivenciamos por estarmos presos na Roda da Vida.

Neste sentido, ao estudar os Três Venenos Mentais, os Seis Reinos e os Doze Elos estaremos refletindo sobre a natureza do sofrimento cotidiano de todo ser humano, independente de sua cultura, *status* social ou religião. Afinal, diante do sofrimento somos todos iguais, pois temos a mesma meta: superá-lo.

Esta sequência de círculos é sustentada pela temível figura mitológica *Yama, o Senhor da Morte,* indicando que nenhum ser vivo pode escapar de suas garras. Sua presença simboliza, portanto, a impermanência. Entretanto, no canto superior, do lado de fora da roda, a figura de um Buddha flutuando no céu e apontando para a lua cheia significa que os seus ensinamentos irão indicar o caminho para a liberação do infindável ciclo de morte e renascimentos involuntários.

II

Como surgiu o primeiro sofrimento humano?

A origem do mundo segundo o Budismo Tibetano é diversa daquela que conhecemos no Ocidente. Ao escrever sobre ela, lembrei-me de uma vivência que tive em 1989, quando dirigia um grupo de meditação para crianças no Centro de Dharma da Paz.

Lama Michel, com apenas oito anos de idade, disse-me logo no início de uma aula: "Mãe, acho que está na hora de você contar pra gente quando surgiu o primeiro sofrimento...". Surpreendida pela pergunta, não sabia o que dizer. Então, lembrei do livro *Contos populares do Tibete*[1] que contém a história da origem do mundo segundo o Budismo Tibetano.

O livro começa assim: "No princípio era a vacuidade, um intenso vazio sem causa e sem fim". Como explicar para um grupo de crianças de quatro a oito anos o principal conceito budista sobre a natureza última dos fenômenos?

O conceito de vacuidade refere-se à visão correta da realidade, isto é, que nada existe por si mesmo, tudo depende de causas e condições. A vacuidade é o espaço absoluto, a natureza última dos fenômenos que

---

1. Jayang Rinpoche, *Contos populares do Tibete*, São Paulo, Landy, p. 29.

está além da nossa costumeira percepção dual. Aquele que é capaz de meditar além da dualidade, isto é, na vacuidade dos fenômenos, vivencia um estado de completa bem-aventurança. Neste sentido, a ideia de vacuidade não está associada ao que comumente chamamos de vazio – algo sem nada –, mais sim, refere-se a um estado de paz.

Lama Gangchen nos ajuda a compreender o estado de plenitude e paz do vazio absoluto quando nos diz: "A sensação de abertura que temos quando estamos num espaço amplo é o que chamamos de vacuidade relativa. A vacuidade absoluta tem a mesma natureza da relativa: a qualidade de paz. Por exemplo, quando estamos na natureza, diante de um enorme campo aberto, 'no nada', começamos a sentir tranquilidade e paz. Esta é a qualidade de paz que o vazio nos proporciona".

Então, disse eu às crianças: "No início não havia praticamente nada, só uma coisa. Será que vocês adivinhariam?" Aos poucos, começamos por eliminar *tudo*: não existiam casas, nem chão. Não existia o mar nem as montanhas. Não havia escolas, porque não existiam pessoas. Foi quando o mascote, de quatro anos, de nosso grupo disse: "Se não tinha gente, não tinha briga, então, tudo era felicidade!". Animada, respondi: "Muito bem!!! Você acertou! No início havia só felicidade".

Pois bem, deste grande vazio surgiu o ar, as nuvens, a água, até se formar o oceano primal, o *Gyatso*. Tudo estava tranquilo e silencioso. "Pouco a pouco, os ventos voltaram a soprar, agitando suavemente as águas do oceano, batendo-as continuamente, até que uma leve espuma apareceu na sua superfície. Assim como se bate a nata para fazer manteiga, do mesmo modo, as águas do Gyatso foram batidas pelo movimento rítmico dos ventos para transformá-las em terra."

Surgiu então o centro do universo, chamado de *Rirap Lhunpo*, com montanhas, pedras preciosas, rios, árvores e frutos. Lá vivem os deuses e semideuses. Em torno deles, estão outros quatro mundos, cada um deles semelhante a uma ilha, com seus habitantes.

No mundo do lado Leste, vivem seres com o formato de uma meia-lua que chegam a ter quinhentos anos. Eles são pacíficos, mas falta-lhes a espiritualidade para que suas vidas sejam completas.

No mundo Oeste, vivem seres com o formato do sol, que também chegam a ter quinhentos anos. Eles dedicam-se à criação de diversas espécies de gado.

Como surgiu o primeiro sofrimento humano?

No mundo Norte, vivem seres com formato quadrado, que chegam a viver mais de mil anos. Eles vivem com abundância de alimentos e muitas outras preciosidades. Nada lhes causa sofrimento. Tudo é conseguido sem o menor esforço. Mas durante os últimos sete dias de sua vida eles sofrem em demasia, pois sabem que vão morrer e perder suas excelentes condições.

No mundo Sul, estamos nós, os seres humanos. Nosso mundo chama-se *Zambulin*. No início, ele era habitado pelos deuses e semideuses de *Rirap Lhunpo*, que viviam em profunda meditação. Não tinham nem mesmo a necessidade de luz, pois, enquanto deuses, emitiam uma luz pura de seus próprios corpos.

"Certo dia, porém, um dos deuses reparou que na superfície da terra havia uma substância cremosa; provando-a, sentiu que era deliciosa ao paladar. Por isso, animou os outros deuses para que a experimentassem também. Todos os deuses gostaram tanto da substância cremosa que não quiseram mais saber de comer outra coisa. Sucedeu, porém, que quanto mais comiam, mais os seus poderes se reduziam. E já não foram mais capazes de permanecer sentados em profunda meditação. A luz, que antes brotava resplandecente de seus corpos, começou pouco a pouco a se extinguir, até que desapareceu por completo. O mundo ficou submerso em trevas e os grandes deuses do *Rirap Lhunpo* se converteram em seres humanos".[2]

Devido à boa energia remanescente dos deuses, desta escuridão surgiu o sol e fez-se o dia. Quando o sol se punha, surgia no céu a lua e tantas estrelas que o mundo mantinha-se iluminado mesmo durante a noite.

Os problemas começaram quando a substância cremosa se esgotou e os seres de *Zambulin* passaram a comer um fruto chamado *nyugu*. Cada um possuía sua própria árvore, que produzia um fruto por dia. Certa manhã, porém, surgiram dois frutos na árvore de um homem. Ele os comeu imediatamente. No dia seguinte, não tendo brotado nenhum fruto de sua própria planta, roubou o da árvore de outro...

Portanto, a avidez foi o nosso primeiro grande sofrimento. A partir daí, a confusão nunca mais parou... "Com o roubo, chegou a cobiça, e todos,

---

2. Jayang Rinpoche, *Contos populares do Tibete*, São Paulo, Landy, p. 31.

Mania de sofrer

temendo não ter o que comer, começaram a cultivar mais e mais plantas, a fim de se assegurarem de que haveria o suficiente para comer."[3]

Deu-se início a constantes brigas e conflitos. Surgiu a diferença entre homens e mulheres. Não havia mais tempo para meditar: era preciso trabalhar para garantir a sobrevivência dos filhos. Assim, os seres passaram a sofrer enfermidades, a tornarem-se velhos e a morrer.

No entanto, quando contemplamos o céu, o sol, a lua e as estrelas, devemos sempre nos lembrar que se não fosse a cobiça no coração de um homem, não haveria o sofrimento no de tantos outros!

Este é um mito, que todos nós reconhecemos como realidade...

Cabe ressaltar que a visão budista sobre a origem do sofrimento não está baseada na premissa de um pecado original. À medida que nos distanciamos de nossa consciência primordial, capaz de se manifestar a partir da qualidade do elemento *espaço-luz*, surge a ignorância. Nos tornamos opacos, rígidos, por seguir conceitos predeterminados, viciados numa visão ignorante. Desta forma, perdemos a habilidade de perceber a natureza sutil da realidade. Ficamos presos à cadeia dos Doze Elos da Existência Interdependente.

O único modo de romper esta cadeia de elos é retornando à visão original, que percebe o espaço como um todo. Talvez esta tarefa nos pareça simplesmente impossível; afinal, no fundo *sabemos* como estamos presos a nossos hábitos mentais. Mas à medida que compreendemos a natureza do sofrimento, suas causas e efeitos, nos sentimos mais livres. Isto é, recuperamos certa consciência que nos permite lidar melhor com a dor do *Samsara*. Como diz Lama Gangchen: "Podemos ter pequenas iluminações".

Os três venenos-raiz da mente: desejo, aversão e ignorância

Lama Gangchen Rinpoche comparou certa vez a natureza pura de nossa mente a um pano branco luminoso, totalmente positivo energeti-

---

3. Jayang Rinpoche, *Contos populares do Tibete*, São Paulo, Landy, p. 32.

Como surgiu o primeiro sofrimento humano?

camente, que ganhou uma aparência escura e suja devido às inúmeras manchas causadas pelo desejo, pela aversão e pela ignorância.

No entanto, estas manchas *não são* o pano, pois elas são removíveis! Porém, como estamos familiarizados com nossa aparência impura, nem nos damos conta de que somos, em essência, limpos e puros!

Isto ocorre porque, a cada vez que renascemos, usamos sempre o mesmo pano como base para nossa mente. Como raramente nos dedicamos a limpá-lo, ele tornou-se muito encardido pelas manchas acumuladas vidas após vidas. A questão é que estamos mais familiarizados com as manchas do que com o pano branco! Por isso, não acreditamos que podemos ser *naturalmente* puros.

Esta incapacidade de percebermos nossa própria natureza pura e desperta é o que o Budismo denomina de ignorância fundamental, ou seja, ignorância é a mente que não reconhece a si mesma. Ela é o veneno-raiz de nosso sofrimento.

Se crescermos aprendendo a identificar a ignorância que cultivamos em relação a nós mesmos e ao mundo que nos rodeia, ganharemos gradualmente a confiança de que é possível ter cada vez mais clareza sobre nossa ignorância fundamental. Neste sentido, podemos não superar a ignorância, mas pelo menos teremos a consciência de que ela existe e de que é possível eliminá-la!

Um Buddha é aquele que superou absolutamente toda sua ignorância.

Como vimos, no centro da Roda da Vida o porco simboliza a ignorância. Ele está mordendo a cauda da cobra, a aversão, que por sua vez morde a cauda do galo, o desejo. Um está preso ao outro, isto é, eles são interdependentes. Em algumas versões do desenho da Roda da Vida, encontramos o porco agarrando os rabos do galo e da cobra em sua boca, indicando desta maneira que tanto o desejo como a aversão têm sua origem na ignorância. Como o galo e a cobra também estão agarrando o rabo do porco, torna-se evidente a interligação entre todos eles.

Esta interligação se dá do seguinte modo: por ignorância, atribuímos ao mundo exterior uma qualidade de solidez, e assim, acreditamos poder *possuí-lo*. Isto nos leva a sentir desejo, pois passamos a crer ilusoriamente que poderíamos desejar algo e obtê-lo sob nosso domínio. No entanto, quando descobrimos que tudo é impermanente e, portanto, que nada é possível de ser possuído, sentimos aversão!

33

"Estes três animais, o porco, a cobra e o galo, representam a base de nossa identidade. O *porco* representa a forma pela qual nos apresentamos, o *galo* representa a forma como agimos em nossas atividades e a *cobra* a maneira como nos defendemos quando nos sentimos ameaçados", explica Lama Padma Samten.[4]

Segundo a Psicologia Budista, da combinação destes três venenos mentais surgem 84 mil emoções baseadas no sofrimento e na confusão mental. Não creio que haja uma lista com a descrição de todas elas. Além do mais, teríamos uma enorme dificuldade de traduzi-las para alguma língua ocidental.

"Num mesmo dia, fazemos mil faces diferentes. Elas mostram a diversidade de nossos estados mentais", lembra-nos Lama Gangchen.

Karma: o poder das marcas mentais

Outro dia, tive uma experiência curiosa: estava trabalhando no computador com imagens de flores enquanto escutava um CD com músicas que não há muito tempo não ouvia. Sem me dar conta, deixei-me hipnotizar por aquelas melodias a ponto de *me* sentir *sendo* quem *eu era* há anos!

Quando notei que estava presa numa experiência *apenas* virtual, me surpreendi com a pergunta que fiz para mim mesma: *quando será que deixamos realmente de ser quem já fomos um dia?*

Aos poucos, recuperei a concentração sobre as imagens e parte daquela melancolia se foi. Mas a consciência desta vivência permaneceu. É como a saudade que fica após sentirmos o perfume de uma pessoa querida: podemos continuar nossas atividades práticas, mas permanecemos sintonizados com o passado.

O impacto desta experiência restou como um alerta sobre a importância da consciência de nossas marcas mentais, pois elas são como manchas que podem permanecer anos e anos nos impedindo de ser livres, ou seja, *novos* a cada momento!

---

4. DVD *A roda da vida, www.bodisatva.org.*

Como surgiu o primeiro sofrimento humano?

Segundo a Psicologia Budista, as marcas mentais são o pano de fundo da nossa realidade, que se parece com uma tela vazia na qual nossas percepções projetam imagens baseadas em nossas experiências de êxito e frustração.

Gueshe Michel Roach[5] define este processo de modo muito didático: "Imagine sua mente como uma câmera de vídeo. Seus olhos, seus ouvidos e todo o resto são as lentes por onde você vê o mundo exterior. Quase todos os botões que determinam a qualidade da gravação estão ligados à intenção – tudo aquilo que você quer que aconteça e por que. Então, como a gravação vai ser feita? Como as marcas mentais para se ter sucesso ou fracasso nos negócios vão ser impressas em nossas mentes?"

As marcas mentais criadas no passado determinam nossa percepção do presente! Neste sentido, a realidade imediata é uma consequência direta de como nos comportamos no passado. O Budismo denomina este fenômeno de *karma:* a lei natural de causas e efeitos.

Karma é a força impulsionadora por detrás do renascimento, como uma semente que dorme. Karma significa que o que quer que façamos com o corpo, fala e mente, teremos o resultado correspondente. Cada ação, por mínima que seja, carrega consigo suas consequências. Isto é, qualquer ação realizada pela palavra, pelo corpo ou pela mente, virtuosa ou não, gera, em nosso contínuo mental, uma marca que, quando encontrar uma condição relevante, irá se manifestar.

O contínuo mental é a mente muito sutil que transmigra de uma vida para outra, sustentada por ventos muito sutis de energia. A natureza interna mais essencial da mente muito sutil é pura como cristal, demonstrando que todas as marcas mentais nela registradas podem ser removidas.

O Budismo nos estimula a ter consciência de nossas ações. A consciência, no entanto, não surge do nada. Ela é sempre produzida pelo momento de consciência que o precedeu imediatamente. Desta forma, podemos *rastrear* nossa mente para aprofundar o autoconhecimento com a sincera intenção de reconhecer e transformar as marcas mentais negativas em positivas. Caso contrário, elas irão produzir repetidamente a realidade de dor e frustração em nossa vida.

---

5. Gueshe Michel Roach, *O lapidador de diamantes*, São Paulo, Gaia, p. 53.

O Budismo nos incentiva a investigar a mente. O Dalai Lama, ao responder à pergunta: "Quais os benefícios dos maus pensamentos"?, diz: "Reflitam, reflitam, reflitam. Através desta reflexão, podemos perceber com clareza que uma certa parte da mente é causadora de problemas, sendo necessário controlá-la, enquanto outra parte é benéfica para nós e para o próximo, valendo a pena desenvolvê-la, ou seja, o autoexame é valioso".[6]

No Ocidente, no entanto, nossos hábitos consumistas pedem respostas prontas: não estamos habituados à prática da reflexão repetida e profunda. Temos até mesmo dificuldade para prestar atenção em uma história se já a conhecemos!

Lembro-me ainda de como fiquei irritada quando comecei a ter aulas de Budismo com um Gueshe (professor) que, em vez de responder às minhas perguntas, me obrigava a refletir sobre elas fazendo-me outras perguntas. Eu ficava cada vez mais nervosa e confusa! Inicialmente, ele riu da minha reação, mas ao notar que eu chorava por me sentir perdida, me disse carinhosamente: "Eu só estou te ensinando a encontrar suas próprias respostas!".

Em geral, fomos mais incentivados a seguir ordens do que a refletir profundamente sobre algo. Mas se quisermos conhecer o mecanismo de nossa mente teremos que observá-la constantemente.

As marcas mentais são uma espécie de código armazenado na base de nossa mente e, quando surgem as condições apropriadas, manifestam-se nas nossas vidas como circunstâncias e situações. Por exemplo, ao observarmos a cadeia de pensamentos que formamos diante de uma emoção negativa, poderemos reconhecer nossa tendência de criar, a respeito de um evento, suposições *extras* que independem dos fatores externos: produzimos nossa realidade conforme nossas projeções mentais. Quem já não se pegou dizendo: "Eu juro que pensei que você... isso e aquilo...". Tiramos conclusões pelos outros e depois nos surpreendemos ao ouvir suas próprias ideias...

Nossas conclusões a respeito da realidade externa refletem nossa autoestima!

---

6. Sua Santidade, o Dalai Lama, *Bondade, amor e compaixão*, São Paulo, Pensamento, p. 179.

Neste sentido, a tendência habitual de pensar de acordo com um padrão particular, positivo ou negativo, será facilmente desencadeada e provocada com enorme recorrência.

Se não tomarmos consciência de nossos padrões mentais, *seremos os mesmos durante toda a nossa vida*! Os cenários e os personagens podem variar, mas o enredo do drama da vida pouco mudará. Por isso, relembrar fatos e situações pouco nos ajuda a evoluir, se não formos capazes de nos conscientizar das marcas mentais que os geraram.

Assim, se nos perguntarmos: "Como serei daqui a dez anos?", a resposta será simples: se não nos conscientizarmos de *quem somos agora*, seremos os mesmos!

Será esta uma boa notícia?

Cada um vive o mundo de acordo com sua visão kármica

Estar ao lado daqueles que nos ajudam a ver com mais clareza é uma bênção!

Faz algum tempo, meu filho, Lama Michel, esteve no Brasil por uns dias. A partir de um fato muito simples, pude ter um grande ensinamento: ao tentar ajustar a fita da filmadora na última imagem gravada, ele me disse: "Mãe, é só apertar *este* botão na tela do vídeo, e a câmera ajusta a fita sozinha". Jamais havia me ocorrido a ideia de que *seria permitido* tocar a tela da câmera, muito menos que haveria uma forma tão simples e fácil de ajustar a fita na última imagem gravada. Ri, e disse para ele: "Acho que é isso que você faz em nossa vida: aponta um caminho mais próximo e mais fácil, que eu nem imaginava *poder* percorrer!".

Às vezes, certas pessoas, ou até mesmo frases curtas, nos ajudam com dicas simples que efetivamente ampliam nossa visão de mundo. Nestes momentos, percebemos como vivemos segundo uma percepção limitada do mundo: sem nos darmos conta, somos o resultado dos limites que nos impomos!

Assim como uma conversa esclarecedora é capaz de desanuviar mal-entendidos, conquistar uma nova visão de uma situação limitadora traz alívio e regenera a nossa capacidade de seguir adiante. Como é possível viver uma mesma situação de modos tão diferentes!

Os ensinamentos budistas afirmam: *cada um vive o mundo de acordo com sua visão kármica,* ou seja, uma única realidade consiste numa experiência infindável de realidades diferentes.

Segundo o Budismo Tibetano, todos os seres com karma semelhante possuem uma mesma "visão kármica", isto é, partilham do mesmo conjunto de percepções do mundo à sua volta. É isto que faz, por exemplo, com que nós, seres humanos, sejamos muito parecidos uns com os outros. No entanto, devido às forças do karma individual, cada um vivencia de modo particular a sua própria visão kármica. Dentro de cada reino, a condição kármica de cada ser é única.

As seis grandes visões kármicas

Tudo o que vemos é resultado daquilo que nossa visão kármica nos permite ver. Nada mais do que isso. A visão kármica é o resultado de nossas projeções mentais: desejos que não são reprimidos com êxito e têm de ser projetados como um "inimigo interno" da personalidade. Neste sentido, a visão kármica é um reflexo de um conflito interior.

A existência humana não é a única visão kármica possível. Segundo a Psicologia Budista, existem seis grandes visões kármicas impuras, descritas como os Três Reinos Superiores e os Três Reinos Inferiores. Os Três Reinos Superiores incluem os deuses, semideuses e os humanos. Os Três Reinos Inferiores referem-se aos animais, aos fantasmas famintos e aos seres do inferno.

Segundo o Budismo Tibetano, como já vimos, existem Seis Reinos, que representam tanto esferas de renascimento quanto padrões de atitudes emocionais que condicionam nosso sofrimento. São visões kármicas, hábitos mentais que definem nosso ser e nossa visão de mundo. Todos nós já experimentamos repetidamente o nascimento em todos os Seis Reinos.

"A preocupação de cada esfera é uma contração emocional – um recuo ou fuga diante da mudança, em vez de uma abertura para a vida e para a experiência do 'agora'. [...] Ao longo do dia, podemos sentir emoções e preocupações de todas as esferas, desde a sensação de perigo característica da esfera animal até o orgulho da esfera do deus. Entretanto, vivemos mais numa dada esfera, ou conjunto particular de

Como surgiu o primeiro sofrimento humano?

esferas, o que nos atribui um estilo especial de desequilíbrio ou fixação que constitui a nossa base domiciliar."[7]

Cada Reino é marcado pela contaminação de uma forte emoção negativa que produz uma percepção particular da realidade.

O Reino dos Humanos é marcado pela ilusória busca de posse e controle; o Reino dos Deuses, pela solidão e pelo orgulho; o Reino dos Semideuses, pela inveja e pelo ciúme; enquanto o Reino dos Animais é marcado pela preguiça e pelo medo; o Reino do Infernos, pela raiva; e, finalmente, o Reino dos Fantasmas Famintos, pela constante insatisfação.

Apesar de cada Reino possuir uma característica predominante, nós vivemos diariamente os demais Reinos quando somos tomados por seus complexos estados psicológicos.

Entramos em um Reino quando estamos presos ao seu sofrimento. Para saber sair de uma situação, é preciso saber como se entrou nela!

Sempre me lembro de uma história que Chagdud Rinpoche nos contou e que exemplifica bem este ensinamento. Certa vez, um camponês do interior do Tibete, numa peregrinação ao Potala, passou a cabeça entre as estreitas grades de uma das janelas do palácio para contemplar a vista. Olhou para a direita e para a esquerda e, quando quis tirar sua cabeça da janela, percebeu que ela estava presa entre as grades. Vendo que não conseguia mais sair, chamou seus amigos e lhes disse: "Estou preso aqui e sei que não vou conseguir sair. Mas morrer no Potala é uma grande honra. Por favor, digam a meus familiares que morri feliz". Os amigos, então, começaram a chorar. Um Lama que estava por perto se aproximou para ver o que estava acontecendo e perguntou ao camponês: "Como você colocou a sua cabeça aí?". O camponês, então, girou a cabeça para mostrar e, assim, tirou-a naturalmente das grades... Moral da história: você sai de um problema da mesma forma como entrou.

Vamos analisar as maneiras pelas quais nossos pensamentos e sentimentos se cristalizam sob a forma de preocupações emocionais e como, por meio da compaixão, poderemos encontrar uma atitude de solução frente ao conflito do sofrimento.

---

7. Martin Lowenthal, *O coração compassivo*, São Paulo, Pensamento, p. 33.

"A compaixão não é apenas o resultado da intuição e da compreensão: ela própria é um caminho para a liberdade. A compaixão é a resposta natural e espontânea de um coração aberto. Além disso, somos mais férteis e intuitivos quando ajudamos os outros do que quando só nos preocupamos conosco."[8]

A compaixão possui um real poder de cura. No entanto, é preciso colocá-la em ação para ativar sua intrínseca força curativa. Creio que hoje em dia, apesar de termos muitas informações e técnicas sobre como superar a mania de sofrer, não conseguimos aplicá-las justamente por que nos falta a experiência de agir compassivamente conosco mesmos e com os outros.

---

8. Martin Lowenthal, *O coração compassivo*, São Paulo, Pensamento, p. 19.

III

O Reino Humano: a ilusória busca por posse e controle

Antes de começarmos a analisar o Reino Humano, é bom tornar a lembrar que, no nível psicológico, podemos passar diariamente por todos os outros Reinos. Por exemplo, quando nos dizemos: "Por que eu...? Como a vida é injusta!", estamos no estado psicológico próprio do Reino dos Infernos. Quando não conseguimos ver graça em nada ou somos tomados pela terrível sensação de mau humor, caímos no estado psicológico do Reino Animal!

Segundo o Budismo, renascer no Reino Humano é raro e precioso, pois o padrão psicológico deste Reino é o único que possibilita a evolução espiritual. Afinal, a dor no Reino Humano não é tão profunda quanto nos Reinos dos Infernos, dos Fantasmas Famintos ou dos Animais, nem somos tão autoindulgentes e alienados como no Reino dos Deuses ou dos Semideuses.

A inteligência humana é considerada a única capaz de cultivar a clareza e a determinação para renunciar ao sofrimento. No entanto, quando a existência humana não é utilizada como uma oportunidade para o desenvolvimento interior, perdemos a chance de usar nosso intelecto de forma positiva! Neste sentido, se não soubermos diferenciar os fenômenos autocurativos dos autodestrutivos, viveremos como nos demais Reinos: incapazes de romper a mania de sofrer.

Existem momentos em que a dor humana torna-se de fato insuportável. São muitos aqueles que buscam o suicídio como única saída para o sofrimento. Segundo revelou a Dra. Alexandrina Meleiro, médica do Instituto de Psiquiatria do Hospital das Clínicas da USP, em uma entrevista concedida ao Dr. Drauzio Varella, o suicídio é a sétima *causa mortis* na população adulta mundial. Em média, 2 mil pessoas suicidam-se diariamente no mundo. Nos Estados Unidos, são 30 mil suicídios por ano (quase 100 por dia). No Brasil, entre 1989 e 1998, os índices aumentaram e o Rio Grande do Sul possui os mais altos. No Japão, o número de suicídios aumentou em 2005, ultrapassando a marca de 30 mil casos pelo oitavo ano consecutivo.

Apesar de não existir no Japão tabus religiosos contra o suicídio, pois o ato já foi considerado uma forma de redenção para os samurais, hoje ele representa uma maneira de escapar do fracasso ou de salvar a honra dos parentes dos constrangimentos decorrentes das dificuldades financeiras. As principais causas de suicídio apontadas são: a crise econômica que atinge o país desde a década de 1990 e o fim da estabilidade no emprego nas grandes corporações. O excesso de trabalho também é considerado uma causa importante.

Às vezes, parece que nos tornamos seres humanos tão frágeis e superficiais que encaramos a vida como uma peça descartável e insignificante. No entanto, o Budismo é sempre a favor da vida. Sua meta é eliminar o sofrimento diante da condição humana, jamais a vida em si mesma. Os ensinamentos budistas visam nos ajudar a encarar as dificuldades da vida, em vez de brigarmos com elas.

O Reino Humano é marcado pelo desejo ilimitado

Na tentativa constante de evitar a dor da perda, pretendemos ter a sensação de posse e controle absoluto. No entanto, o fato de não podermos controlar a dor do nascimento, da velhice, da doença e da morte nos deixa constantemente indignados e frustrados.

A dor do *nascimento* é semelhante à dor de estarmos involuntariamente separados de quem amamos, enquanto a dor da *velhice* representa a dor de estarmos juntos de quem não queremos. Já a dor da *doença* expressa o sofrimento de não obtermos o que desejamos e, finalmente, a dor da *morte* revela o sofrimento de não conseguirmos manter nossas posses materiais, *status* e até mesmo nossa autoimagem.

O hábito humano de sofrer consiste na tentativa compulsiva de saber sempre mais, de dar nomes às coisas, de desenvolver conceitos e atribuir--lhes significados, na esperança ilusória de conquistar segurança e domínio sobre a natureza impermanente; portanto, incontrolável dos fatos.

Queremos consumir a vida como um supermercado de posses materiais, intelectuais, afetivas e emocionais. Todos nossos esforços consistem, em última instância, no desejo de conhecer a natureza dos fenômenos para controlá-los. Na tentativa de prever os fatos, transformamos pessoas e situações em dados e valores, em oportunidades de compra e venda.

A vida é para ser vivida como oportunidade de evolução, e não como uma mercadoria que podemos comprar e vender conforme os altos e baixos de nosso humor emocional.

Lama Gangchen Rinpoche me disse certa vez: "Mesmo que você tivesse o dinheiro necessário para comprar um supermercado inteiro, não teria tempo suficiente, em uma só vida, para degustar coisa por coisa. Temos de aceitar os limites de sermos humanos".

Não há nada de errado em buscar mais conhecimento, se isto nos ajudar a ampliar a visão de nosso potencial espiritual. O problema é que até mesmo a própria busca espiritual pode facilmente ser contaminada pela ideia ilusória de posse e controle.

Com a intenção de nos alertar sobre esta forte tendência, Chögyam Trungpa Rinpoche escreveu em 1973 seu livro intitulado *Além do materialismo espiritual*, no qual diz: "Estamos aqui para aprender um pouco mais sobre espiritualidade. Eu confio na qualidade autêntica desta busca, mas é preciso questionar todas as coisas visando ao seu uso próprio, inclusive a espiritualidade. O ego está constantemente tentando adquirir e aplicar os ensinamentos da espiritualidade em benefício próprio. Os ensinamentos são tratados como uma coisa externa, externa a 'mim', uma filosofia que procuramos copiar".[1] Desta forma, acabamos encarando a espiritualidade como algo fora de nós, que podemos *que-*

---

1. Chögyam Trungpa Rinpoche, *Além do materialismo espiritual*, São Paulo, Cultrix, p. 19.

rer ou não conforme nosso humor. Ou ainda, lidamos com ela de modo tão superficial que não nos vemos *sendo* a transformação que ela é capaz de provocar.

Não devemos, por exemplo, recitar mantras com a intenção de anestesiar nossa dor emocional. Se quisermos transformá-la, será necessário conhecê-la, senti-la. A prática da meditação budista tem como meta gerar a força e a clareza mental necessárias para evoluir em benefício dos demais. Mas em nenhum momento podemos nos excluir do processo do autoconhecimento. De nada adianta seguirmos os protocolos de um bom praticante espiritual se não houver sinceridade em relação ao que ocorre em nosso mundo interior. Falar pausadamente, por exemplo, apenas como estratégia para demonstrar calma e autocontrole, quando, na realidade, se está cheio de ressentimento e raiva, gera unicamente autoengano e arrogância, causando mal-estar e desentendimentos.

John Welwood comenta em seu livro *Em busca de uma psicologia do despertar*: "A partir da década de 1970, notei uma tendência inquietante entre muitos membros de comunidades espirituais. A despeito de um grande número de praticantes espirituais estar conseguindo excelente progresso no trabalho sobre si, eu percebia uma tendência marcante de usar a prática espiritual para evitar encarar certos problemas pessoais ou 'questões não resolvidas'. [...] Chamo esta tendência ao escapismo, ou a tentar transcender de forma prematura às necessidades, aos sentimentos e às tarefas humanas de *desvio espiritual*. Este desafio é particularmente tentador para as pessoas que estão encontrando dificuldades em navegar pelos obstáculos da vida, especialmente em uma época e cultura como a nossa, quando os marcos tradicionais da vida adulta – ganhar a vida com um trabalho digno, criar uma família, manter o casamento, fazer parte de uma comunidade – se tornam cada vez mais difíceis de serem atingidos para grandes segmentos da população".[2]

Sua Santidade, o Dalai Lama, em um encontro com praticantes budistas, em maio de 2006, ressaltou: "Talvez o que faz do Budismo um caso quase único é que ele procura usar ao máximo a inteligência humana para transformar as emoções. E essa transformação não acontece atra-

---

2. John Welwood, *Em busca de uma psicologia do despertar*, Rio de Janeiro, Rocco, p. 29.

vés de preces, através de uma meditação unidirecionada. Não adianta fazer preces para os Buddhas e ficar esperando que ocorra uma transformação mágica em suas emoções. Você pode fazer 100 mil mantras OM MANI PEME HUM, fazer todo esse esforço, e achar que com isso já deve estar transformado, mas a mudança nesse caso só vai ocorrer se por acaso acontecer um milagre... A transformação demora para acontecer. Demanda muito esforço. O próprio Buddha Shakyamuni demorou três eras inteiras para transformar suas emoções. Não vai ser fazendo alguns mantras que sua vida vai mudar totalmente! Eu tenho mais de setenta anos, quase setenta e um. Comecei a interessar-me realmente pelo BuddhaDharma quando tinha dezesseis, e só agora, talvez, minha mente esteja se tornando um pouco mais estável... Estudar é crucial. Já estamos trabalhando para que mais livros sobre o Budismo Tibetano sejam publicados na língua de vocês. Minha recomendação é: Estudem! Estudem muito".

O propósito de estudar o Budismo não é conhecer a sua filosofia, mas sim aprofundar o conhecimento sobre nós mesmos. Quando nos tornamos um exemplo vivo dos ensinamentos, não haverá necessidade nem mesmo de nos denominarmos "budistas".

Assim como escutei certa vez a cacique norte-americana Oshiná dizer: "A única coisa que temos para oferecer é o modo como levamos a nossa vida".

Como sair deste reino

Basta ver, cheirar, tocar, degustar ou ouvir algo para ativar o programa de nossas projeções mentais. Quando gostamos de nossas experiências sensoriais, logo surge o apego: queremos garantir que elas possam ser repetidas. De modo semelhante, coisas feias nos despertam aversão e as neutras são ignoradas. Estamos tão habituados às respostas emocionais negativas que elas surgem automaticamente a partir de causas muito pequenas.

O problema é que desperdiçamos tempo demais nos preocupando obsessivamente, seja com problemas emocionais, seja com os detalhes de manutenção da vida, que podiam ser incrivelmente simplificados. Portanto, aqui vão dicas de como sair deste padrão psicológico quando

Mania de sofrer

formos tomados por esta pura tendência humana de controle e posse obsessiva:

1. A capacidade de fazer uma *auto-observação* é a chave para a interrupção dos padrões de pensamento habituais em todas as esferas. Ela cria um espaço no qual podemos contemplar e questionar aquilo que estamos fazendo e os modos pelos quais geramos sofrimento. Se nos tornarmos testemunhas de nossa própria evolução, desenvolveremos a sabedoria discriminativa.

   Martin Lowenthal escreve: "Quando fazemos uso da pausa, do senso de humor e da pesquisa para desenvolver a abertura, nos soltamos das amarras do pensamento e apenas vivemos o momento. Mantemo-nos presentes com essa experiência direta, o que desenvolve a nossa presença sem as distorções dos nossos conceitos e autoimagens. Na esfera humana, buscamos afirmar e garantir a nossa esperada presença através do tempo – e continuamos a nos mostrar. Com o medo de que forças além de nosso controle ameacem a perpetuidade da nossa presença, tentamos captar a experiência e preservá-la, congelando-a em conceitos e lembranças. O apego a esses construtos mentais afasta-nos da experiência direta de cada momento. [...] Quando reivindicamos nossa capacidade natural de estar atentos, experimentamos diretamente cada momento. Percebemos que não apenas estamos presentes, mas *presenciamos* cada instante. Quando nos deixamos ser apenas o que somos e experimentamos esse ato de *presenciar*, um novo tipo de compreensão se abre para nós, proveniente antes da percepção do que do pensamento".[3]

2. Quando *desistimos de controlar* a vida, expiramos aliviados. Reconhecemos que podemos nos soltar e relaxar, pois é justamente a pressão de viver a vida que nos impede de vivê-la!

   No entanto, quando sofremos um baque muito grande, precisamos primeiro nos recuperar para depois resgatar a flexibilidade. Enquanto estivermos indignados com o ocorrido, dificilmente teremos disponibilidade interna para lançar um novo olhar à rea-

---

3. Martin Lowenthal, *O coração compassivo*, São Paulo, Pensamento, p. 162.

lidade à nossa volta. A indignação nos faz "empacar" no tempo, nos impede de voltar a fluir.

A estagnação em si não é o verdadeiro problema, mas sim a perda de clareza sobre a situação. Se mantivermos o contato interno, e aceitarmos com naturalidade os momentos de estagnação, iremos gradualmente relaxar.

Inicialmente, podemos buscar apenas ser menos reativos, mais contemplativos. Menos imediatistas, mais passivos. Se algo inesperado ocorre e nos impede de seguir adiante, podemos nos lembrar que nem tudo se realiza no tempo esperado. Nestes momentos é muito importante diminuir a expectativa dos resultados, aceitar a estagnação como parte do processo da vida e fazer da espera um alimento natural. Não nos rendermos ao controle é fundamental para voltarmos a fluir.

À medida que não cedemos ao desejo de controlar as coisas, isto é, quando aceitamos que elas *não são* do modo como gostaríamos que fossem, recuperamos a coerência interna.

Nos momentos em que temos que nos render ao inevitável, chorar pode nos ajudar a liberar a carga emocional que acumulamos lutando para não desistir de nossas expectativas.

Chorar a dor do ocorrido derrete a rigidez. Mas, se ficarmos tempo demais no fundo do poço, correremos o risco de não sair mais dele.

O tamanho da nossa dor reflete o quanto a nossa existência está sufocada. Podemos escutar os tons abafados de nosso choro, para saber o que eles querem nos dizer.

É bom chorar como modo de nos expressarmos, mas quando isto fizer a nossa energia vital cair, é hora de parar.

3. Manter *expectativas exageradas* faz com que percamos a independência interior. Os primeiros sinais de expectativa surgem quando duvidamos da possibilidade de termos qualquer influência sobre determinada situação. Começamos a temer que as coisas não funcionem corretamente por si mesmas. Nesse momento, perdemos a espontaneidade, pois começamos a forçar o desenrolar dos acontecimentos.

Intuitivamente já sabemos que de nada adianta forçar uma situação. Afinal, se ela não está ocorrendo, significa que está ainda imatura e necessita de tempo.

O tempo é o adubo do amadurecimento. Forçar o tempo é impossível. Se tentarmos acelerar o crescimento de uma planta regando-a em excesso, estaremos, na verdade, desencadeando as causas para precipitar a sua morte.

4. Jamais podemos abrir mão da *coerência entre o que sentimos e fazemos*. Nossas ações devem vibrar de acordo com nossas palavras. Se nos sentimos coerentes em nosso caminho, estamos mantendo a clareza de nossos propósitos.

A incoerência surge quando a distância entre o que sentimos dentro de nós e o que vivemos fora de nós torna-se grande demais. Quando perdemos a sintonia entre nossos mundos interno e externo, sentimo-nos derrotados.

A realidade externa é um contexto produzido pela realidade interna. Quando permanecemos sintonizados tanto com o processo interno como com o externo, sentimos uma sensação real de evolução interna.

O controle do tempo: o maior desafio do Reino Humano

No Reino Humano o tempo vale ouro, seja para aqueles que buscam a prosperidade financeira ou para aqueles que querem desenvolver-se espiritualmente.

Talvez o tempo seja o maior desafio para os seres humanos diante do desejo de posse e controle. Afinal, não sabemos nem mesmo quanto tempo de vida ainda nos resta!

Hermann Hesse, em sua obra *Siddharta*, escreve: "Que bom ter compreendido que o tempo não existe. Só o tempo separa o homem daquilo que ele deseja".[4]

Aquele que sabe lidar com o tempo intuitivamente reconhece que não há tempo a perder. Isto é, a vida será desperdiçada se ficarmos repetindo os mesmos erros continuadamente: trocamos seis por meia

---

4. Rüdiger Dahke, *A doença como caminho*, São Paulo, Cultrix, p. 66.

dúzia se não aprendermos nada com nossas vivências. Segundo o Budismo, usar o tempo corretamente é colher a essência da vida!

"O tempo é a substância essencial da vida", nos diz Lama Michel. "Necessitamos do tempo como um elemento alquímico capaz de transformar o sofrimento. Neste sentido, sempre que estivermos usando o tempo para nos transformarmos em pessoas melhores, estaremos colhendo a essência da vida. [...] Colher a essência desta vida significa ser capaz de *usar o tempo* corretamente, quer dizer, com a finalidade de expressar nossa capacidade de transformação nesta vida. O tempo é a substância essencial da vida."

Necessitamos do tempo como um elemento alquímico capaz de transformar o sofrimento. O tempo permite que nossas ideias amadureçam.

"Por vezes, desperdiçamos nossa energia vital na busca de alívio para nossa própria tensão diante da vida. De fato, espairecer para livrar-se da pressão externa é bom. Podemos descansar, nos divertir, mas que isso sirva para acumular forças para sair do sofrimento e não como uma forma de nos adaptarmos a ele. Não devemos nos esquecer que o que queremos, de fato, é aprender a livrarmo-nos da pressão interna de uma vez por todas!"[5]

Liberte-se da pressão do tempo

Você já se deu conta do quanto nos deixa felizes e renovados fazer algo que nos leva a *esquecer do tempo?*

Para viver em harmonia, precisamos ser orientados pelo tempo interior, que está naturalmente conectado com os ciclos do tempo exterior: o dia e a noite e as quatro estações do ano. No entanto, estamos tão condicionados à necessidade de cumprir as expectativas do tempo imposto pelo relógio, que não nos permitimos mais *ser naturais:* torna-mo-nos mecanizados pela pressão do tempo, que *exige* de nós cada vez mais tempo!

———————————

5. Bel Cesar, *O livro das emoções – Reflexões inspiradas na psicologia do budismo tibetano*, São Paulo, Gaia, p. 119.

Exigência aqui surge como uma palavra de peso. Pois será nosso nível de autoexigência que irá determinar a ordem das prioridades do que faremos com nosso tempo. Por isso, o que faz sentido em nossa vida deveria ter um peso maior na distribuição diária do nosso tempo. Muitas vezes, sentimos-nos em falta com nossos propósitos justamente por não estarmos dedicando tempo suficiente a ações que geram energia para viver.

A sensação de estar "perdendo tempo" com alguma coisa, seja no trabalho ou num relacionamento, é um alerta de que estamos nos distanciando de nosso propósito espiritual: o uso significativo do tempo. Se não reagirmos a este sinal, nos sentiremos cada vez mais vazios e desmotivados. A questão é que estaremos sempre insatisfeitos enquanto vivermos apenas para satisfazer as expectativas externas que surgem em cada momento da vida. Isto é, usar o tempo apenas para sermos pessoas cada vez mais eficientes não garante nossa felicidade. Para sentirmo-nos felizes, é preciso mais que eficiência. É preciso sentir que estamos crescendo interiormente.

Mas quem já não escutou o tique-taque da ansiedade soar em seu interior quando está sob o peso do tempo do relógio? Se continuarmos a viver como bombas-relógio sob a pressão do tempo cronológico, vamos explodir de alguma maneira, seja por um ataque cardíaco, um aneurisma ou pressão alta.

O autojulgamento excessivo é outra bomba-relógio: quando exageramos nossas expectativas no desempenho das tarefas, estamos fadados a explodir.

É preciso aceitar os próprios limites e saber quando pararmos de nos submeter às exigências e expectativas inflexíveis que nos impomos ou que nos são impostas para cumprirmos os deveres da vida!

Nas situações que não podemos mudar, devemos nos esforçar para reavaliar nossas reações internas, pois o tempo interior é tão vasto quanto o espaço infinito. Ele chama-se *kairos*.

O tempo cronológico, linear e em sequência, que dita o ritmo de nossas vidas, chama-se *cronos*. Já *kairos* é uma antiga noção grega que se refere a um aspecto qualitativo do tempo. A palavra *kairos*, em grego, significa *o momento certo*. Sua correspondente em latim, *momentum*, refere-se ao *instante, ocasião ou movimento,* que deixa uma impressão forte e única por toda a vida.

Por isso, *kairos* refere-se a uma experiência temporal na qual percebemos o *momento oportuno* para determinada ação: saber a hora certa de estar no lugar certo. Sempre que agimos sob o tempo *kairos*, as coisas costumam se acertar. Por exemplo, quando estamos quase desistindo de algo e resolvemos "dar um tempo" para aliviar a pressão, do nada surgem as pessoas certas que nos ajudam com soluções reais e práticas. Agir no tempo regido por *kairos* é similar a um ato mágico!

Kairos é o tempo oportuno, livre do peso de cargas passadas e sem ansiedade de anteceder o futuro. Ele se manifesta no presente, instante após instante.

Quando vivemos no tempo *kairos*, aumentam as oportunidades em nossa vida. Basta pensar como surgiram nossas melhores chances e perceberemos que nessas ocasiões estávamos, de certa forma, desprogramados das exigências do tempo cronológico.

Para os gregos, *cronos* representava o tempo que falta para a morte, um tempo que se consome a si mesmo. Por isso, seu oposto é *kairos*: momentos afortunados que transcendem as limitações impostas pelo medo da morte!

Na mitologia grega, *Kairos* é um deus muito pequeno, que se parece com um elfo. Ele é representado pela imagem de um jovem homem nu, de asas nos ombros e nos tornozelos, que corre num movimento de fuga segurando uma lança. Sua cabeça é calva e contém uma única mecha, que representa a marca de sorte de uma oportunidade: se não formos capazes de segurá-la no instante em que ocorre, ela escorrega pela calvície de *kairos*...

Portanto, para vivermos sob a regência de *kairos*, precisamos ir além das convenções mundanas: saber seguir cada momento de acordo com a sintonia de nossas necessidades interiores. Isto não quer dizer que poderemos fazer o que quisermos na hora que bem entendermos, mas sim que devemos estar atentos para não deixar que os comandos exteriores ultrapassem os interiores.

Sobonfu Somé, membro da tribo Dagara da África do Oeste, nos inspira a desacelerar o tempo quando escreve: "Na vida tribal, a pessoa é forçada a diminuir de ritmo, a vivenciar o momento e comungar com a terra e a natureza. Paciência é essencial. Ninguém na aldeia parece compreender o sentido da pressa".[6]

Eu achava que não teria tempo para escrever este artigo, no entanto, foi o fato de pensar em *kairos* que me inspirou a fazê-lo! Com *kairos*, escolhemos o que fazer com nosso tempo; com *cronos*, somos levados apenas a cumprir ordens. Aqui vai a dica final: sempre que puder, tire o relógio do pulso!

Lama Gangchen nos recorda em seus ensinamentos: "Já que a pressão externa é cada vez maior, temos que desenvolver cada vez mais a paz interna. Na maioria das vezes, não encontramos soluções imediatas para as situações externas, então, podemos contar apenas com nossa condição interna. Paz interna é a melhor forma de proteção contra os desafios externos. Além de ficarmos mais leves, nos tornamos bonitos também".

---

6. Sobonfu Somé, *O espírito da intimidade*, São Paulo, Odysseus, p. 21.

IV

O Reino dos Deuses: solidão e orgulho – Experiências de autoabsorção

Quando comecei a estudar o Budismo, perguntei a Gueshe Sopa algo que, à primeira vista, pode parecer óbvio, mas não é: "Nascer nos Reino dos Deuses não seria a melhor coisa?".

"Não!", exclamou em voz alta. Cheguei a levar um susto. Em seguida, disse: "Nós precisamos do sofrimento para decidir sair do *samsara*". Compreendi, então, que precisamos da consciência do sofrimento, mas não do sofrimento em si mesmo!

Na maioria das vezes somos pouco profiláticos em relação à dor: esperamos que ela chegue para cultivar a determinação de eliminá-la. A questão é que aprendemos tão bem a suportá-la que acabamos por achar *natural* sofrer. O Budismo, no entanto, nos incentiva a superar totalmente o sofrimento em vez de nos acomodarmos nele. Isto é, nos instrui sobre como renunciar às causas do sofrimento.

Além disso, o Budismo distingue a dor do sofrimento. Lama Michel, quando tinha apenas 13 anos, esclareceu bem esta diferença ao dizer: "Sofrimento é ter apego à dor. Uma coisa é a gente ter dor e sofrer com isso; outra coisa é dizer: 'Está doendo, mas por que vou sofrer, passar mal?' Dor e sofrimento são coisas diferentes. Uma coisa é a gente ter dor,

Mania de sofrer

e outra é ter sofrimento. Você pode ter dor e não achar que ela é algo ruim, pode transformá-la". E deu um ótimo exemplo ao recordar uma cena de sua infância: "Quando eu era menor, gostava muito de ver televisão, então acordava bem cedinho para fazer isso. Um dia acordei mais ou menos às 6h30. Eu tinha comprado um sorvete no dia anterior, e ele estava no *freezer*, de ponta-cabeça num copo, só que era muito alto, para eu pegar tinha que ficar na ponta dos pés. Como o *freezer* estava muito cheio, o sorvete ficou bem na pontinha, e na hora em que eu abri a porta ele caiu. Comecei a chorar porque tinha perdido o sorvete. Então, olhei e vi que, quando o copo caiu, tinha cortado o meu tornozelo. Ao ver a minha pele se abrindo, parei de chorar por causa do sorvete e ia começar a chorar por causa do corte. Mas pensei: 'Opa, por que eu devo chorar por causa do corte, se antes eu já estava machucado e chorava por causa do sorvete?' Então parei de chorar por causa de tudo, porque tive a experiência de não ter dor mesmo estando machucado".[1]

Portanto, diante das situações de dor, o sofrimento é opcional. Mas, agora ao estudarmos o Reino dos Deuses, veremos o que acontece quando não percebemos nem mesmo que estamos sofrendo: se não podemos ter a consciência das causas do sofrimento, então, como eliminá-las?

O Reino dos Deuses também é chamado *Devas*. Ele ocupa o nível mais elevado da Roda da Vida. Seus seres são feitos de luz. Aliás, eles se julgam totalmente puros e imaculados por terem nascido em um lótus. Habitam palácios luxuosos, adornados de pedras preciosas. Durante toda sua vida, que dura em média setecentos anos, vivenciam apenas os mais altos e refinados prazeres sensoriais. Neste sentido, consomem todos os méritos acumulados em suas vidas passadas.

Despreocupados com questões terrenas, desfrutam do mais puro prazer apenas ao focar nele. Se quiserem fazer amor, bastará uma troca de olhares e sorrisos para vivenciarem profunda satisfação. Se quiserem degustar sabores refinados, suas mentes imediatamente produzirão imagens de saborosos alimentos com os quais irão deliciar-se. Para eles, toda experiência sensorial é vivida com extremo prazer. Durante a vida, gozam de prazeres de natureza quase onírica, mas, como não realizam

---

1. Lama Michel Rinpoche, *Uma jovem ideia de paz*, São Paulo, Sarasvati Multimídia, p. 61.

nenhum esforço para gerar nova energia positiva, quando estão perto da morte, resta-lhes apenas seu karma negativo. Consequentemente, sofrem de intensa angústia. Talvez uma dor inimaginável para um ser humano; pois, uma vez que eles não têm nenhuma familiaridade com o sofrimento, não fazem ideia de como suportá-lo. Além do mais, como possuem uma refinada capacidade mediúnica, são capazes de prever seu próximo renascimento que será, necessariamente, nos reinos inferiores, uma vez que desperdiçaram seus méritos degustando-os e não evoluindo. Todos nós conhecemos histórias de pessoas que viveram em extrema abundância e, depois, perderam tudo. O sofrimento da perda dos tempos de glória é sem dúvida muito intenso.

Tornamo-nos presas fáceis do padrão emocional do Reino dos Deuses quando decidimos focar apenas o prazer, sem querer saber das dificuldades e muito menos de nos aproximar de qualquer tipo de sofrimento, inclusive daqueles que sofrem.

Quando somos tomados pelo padrão mental do Reino dos Deuses, vivemos uma espécie de auto-hipnose. "Um estado natural de concentração que lhe expulsa da mente tudo o que possa parecer-lhe irritante ou indesejável."[2]

Na esfera do Reino dos Deuses, devido ao egocentrismo exacerbado, estamos obcecados em sentir o prazer imediato. Neste sentido, queremos apenas bem-estar em relação a nós próprios, às nossas posses, às pessoas que nos beneficiam. Queremos poder pessoal, prazer, admiração. Com este espírito, acreditamos que nosso magnetismo pessoal será suficiente para garantir tudo de que necessitarmos: nos trará o parceiro certo, muito dinheiro e naturalmente uma vaga no estacionamento. Afinal, consideramos como *natural* sermos bem servidos: somos deuses!

A esta altura, você poderia pensar: "Mas o que haveria de errado nisso"? A questão é que neste estado de excessiva confiança em nós mesmos, nos confundimos com a força da ação coletiva. É como se pensássemos: "Eu *me* fiz, ninguém me ajudou. Não devo nada a ninguém...".

A forma-pensamento da esfera dos deuses está contaminada pelo orgulho de se achar (ilusoriamente) capaz de tudo. Neste sentido, quan-

---

2. Chögyam Trungpa, *Além do materialismo espiritual*, São Paulo, Cultrix, p. 137.

do uma pessoa está tomada pelo padrão psicológico desta esfera, crê que tem poder e, na maioria das vezes, dinheiro suficiente para merecer tudo que deseja. Acha natural ter *direito* à "boa vida". Por isso, jamais se identifica com quem sofre. Talvez até pense: "Se alguém está sofrendo é problema dele, afinal não se cuidou..." ou ainda: "Os problemas do mundo não são meus. Eu levo a minha vida".

Como os deuses possuem uma preocupação excessiva com a auto-imagem e a estética, só querem estar perto daqueles que contribuem para sua autofascinação. Quando notam que um companheiro entrou no processo da morte, afastam-se totalmente dele, pois não *suportam* assistir a qualquer experiência que revele decadência.

Assim, levam a vida sem criar nada de novo, apenas consumindo seus bens acumulados. Ao não fazer nada por ninguém, transformam-se em observadores passivos da vida. Sutilmente, vão se tornando cada vez mais frios e menos compassivos frente às dificuldades alheias, até tornarem-se pessoas egoístas, insensíveis e irresponsáveis, cheias de tédio. Como vivem como alienados da Roda da Vida, aos poucos, sentem-se excluídos e distantes dos outros. Trancados em si mesmos, isolam-se cada vez mais até tocarem a extrema solidão. No entanto, inflados pelo orgulho, não se dão conta de seu maior medo: o desamparo e a insignificância.

Uma vez que se tornaram tão indiferentes aos outros (principalmente ao sofrimento deles), não conseguem perceber a realidade de que ninguém faz nada sozinho!

Não reconhecendo a interdependência como a força que move a dinâmica do universo, desenvolvemos a ignorância de pensar que existimos de modo autônomo.

Como sair deste reino

Não é preciso ir longe para nos identificarmos com os sofrimentos dos deuses! Portanto, aqui vão dicas de como sair deste padrão psicológico quando formos tomados por ele:

1. O primeiro passo para sair do castelo de ilusões que construímos no estado mental do Reino dos Deuses é *refletir sobre a impermanência*, pois, quando vivenciamos estados de prazer nos esquecemos que eles são transitórios.

Não há nada de errado com o fato em si de sentir prazer. O prazer é maravilhoso e deve ser vivido com alegria e bem-estar. O problema é que quando estamos nos entregando a uma experiência prazerosa, cremos ilusoriamente que *atingimos a meta de sermos felizes*. Portanto, nesses momentos, deixamos de considerar que o prazer é apenas mais uma experiência transitória, como todas as outras, e que assim que ele termina nos encontramos novamente em sofrimento. Logo, o prazer em si mesmo não é a causa geradora da verdadeira paz interior, pois ele não nos livra da causa-raiz do sofrimento: nossa atitude egocentrada.

Ao acordar, pense: "Eu posso morrer hoje, então como vou viver este último dia de minha vida?" – mesmo que nossa resposta a esta pergunta seja superficial e sem consequências diretas com o que temos para fazer neste dia, ela nos ajudará a acordar aos poucos deste estado onírico no qual vivemos como se fôssemos imortais, e nos trará ainda um doce sabor de gratidão por estarmos vivos.

A essência dos ensinamentos budistas só pode ser tocada quando a vivenciarmos no contato direto com a vida. Quanto menos intelectuais formos diante desta pergunta inicial, mais rapidamente ativaremos nossa sabedoria intuitiva.

2. *Não escute a voz da preguiça!* A preguiça é uma forma de resistência para encarar honestamente as nossas fraquezas: não queremos fazer qualquer esforço, seja por nós mesmos ou pelo demais.

Certa vez, uma pessoa perguntou a Thrangu Rinpoche: "Devemos ser gentis conosco como devemos ser com os outros?". "Não!", exclamou Rinpoche: "Se você for gentil com os seus inimigos externos, eles irão se acalmar e irão embora, mas se você for gentil com seus inimigos internos, eles jamais partirão! Temos que ser enérgicos com nossos inimigos internos!". A preguiça é um grande inimigo, e todos nós já sabemos muito bem disso...

A preguiça nos seduz com o conforto mostrando-se gentil e prazerosa, mas, na verdade, ela nos distancia dos melhores sonhos que queremos realizar nesta vida.

A realidade é sempre trabalhosa, resiste à estabilidade. Temos que estar sempre nos empenhando para manter a qualidade de nosso processo de evolução. Cair nas armadilhas da preguiça nos faz sentir limitados, mas se nos dermos sempre mais uma chance, poderemos a cada vez descobrir nossas potencialidades!

3. *Fique alerta aos estados mentais radicais.* Quando pensamos de um modo extremado nos tornamos perfeccionistas, queremos sempre tudo cada vez melhor e acabamos perdendo a espontaneidade. É importante respeitarmos nosso limite diário de crescimento. Só assim seremos capazes de lidar positivamente com as dificuldades que surgem, em vez de sermos exauridos por elas.

4. *Cultive a consciência cíclica: tudo vai, tudo volta.* Para superar o *orgulho* e a *vaidade* precisamos não nos deixar levar pela arrogância durante os períodos de prosperidade, nem tampouco nos envergonharmos dos períodos de escassez. Na dinâmica de um fluxo espiral, podemos sempre evoluir, seja diante da fartura ou da falta.

Viver em abundância é saber viver sem medo do momento presente. Querer *mais* é um sinal de pobreza. Querer *menos* é um sinal de medo da escassez. O valor verdadeiro de tudo encontra-se na pureza de nossas intenções, afinal são elas que criam as causas para os efeitos futuros. Nossa aparência é transitória, mas nossos hábitos mentais permanecem.

A vaidade nos impede de amar e sermos amados, pois ela é contrária à habilidade de sentir afeto, de comunicar-se e sentir empatia pelos outros. Não devemos temer sentir a dor alheia. Ao ajudar os outros a curarem suas feridas, estaremos curando as nossas. Afinal, em essência, somos todos iguais.

5. Por fim, *explore a solidão*: ela nos ensina a ter *compaixão*. Em geral, quando estamos sós, nos abrimos com mais facilidade para os caminhos da espiritualidade, pois estamos ao mesmo tempo mais vulneráveis e disponíveis para os outros.

Pema Chödrön esclarece: "A solidão refrescante nos permite olhar honestamente e sem agressão para nossa própria mente. Gradualmente, podemos deixar de lado nossos ideais sobre quem achamos que deveríamos ser, quem achamos que queríamos ser, ou quem achamos que os outros acham que queríamos ou deveríamos ser. Desistimos e apenas olhamos diretamente, com humor e compaixão, para aquilo que somos. Então, a solidão não representa mais ameaça e a melancolia deixa de ser punição".³

―――――――――――
3. Pema Chödrön, *Quando tudo se desfaz*, São Paulo, Gryphus, p. 63.

V

O Reino dos Semideuses: o espírito competitivo baseado na inveja e no ciúme

Os Semideuses, também chamados *Asuras,* são seres que gostariam de ser deuses (*Devas*), porém, na realidade, não o são. *Deva* vem da raiz sânscrita *div,* que significa resplandecer, brilhar. *Devas* são seres de luz, são deuses. *Sura* significa também ser de luz, ser que brilha, deus. O prefixo "*a*" colocado na frente da palavra *sura* indica "ausência de": aquele que pode até ter o poder, mas não está sabendo usá-lo adequadamente.

O Reino dos Semideuses localiza-se logo abaixo do Reino dos Deuses. Na iconografia da Roda da Vida, estes dois reinos são representados como um só, divididos apenas por uma grande árvore – a árvore que concede a realização de todos os desejos. Os semideuses passam o dia ocupando-se de cuidar desta árvore, que, por ironia, só dá suas flores e frutos na altura do Reino dos Deuses!

Eles sofrem muita inveja e ciúmes ao testemunhar os privilégios da vida dos deuses. Ambos os sentimentos, ciúme e inveja, são baseados na ideia de posse: o ciúme surge do medo de perder algo que sentimos já possuir, enquanto a inveja nasce do desejo de possuir algo que sentimos não ter. Neste sentido, como veremos no Capítulo VIII, a inveja será o sentimento predominante do Reino dos Fantasmas Famintos, quando há um constante sentimento de pobreza combinado com a ganância.

Os caroços que os deuses cospem no ar, após comerem os frutos da árvore dos desejos, acabam por atingir os semideuses, como balas perdidas. Feridos, sentem-se ainda mais raivosos, o que os faz viver em guerra permanente com os deuses. Apesar de nunca vencerem, eles simplesmente não desistem.

Os Semideuses representam aqueles que querem ser sempre os mais fortes e, por isso, são constantemente movidos por uma força competitiva. Eles sentem necessidade de saber sempre mais que os outros e, se percebem que alguém sabe mais do que eles, não se privam de colocá-lo em uma situação constrangedora como uma forma de depreciá-lo.

Portanto, a visão psicológica do Reino dos Semideuses está contaminada pela desconfiança de ser traído a qualquer momento, por isso trai antecipadamente como meio de garantir a melhor posição. Para ele não existem escrúpulos. Seu maior medo é de ficar para trás. Ficar em segundo lugar não lhe é nunca suficiente.

A visão psicológica do Reino dos Semideuses está contaminada pela expectativa da traição. Por isso, quando nos encontramos sob esta tensão somos capazes de trair antecipadamente para garantir a melhor posição. Não existem escrúpulos. Nosso maior medo é de ficar para trás. Ficar em segundo lugar nunca é suficiente.

Os textos budistas descrevem os *asuras* masculinos como seres extremamente belos, mas cruéis e furiosos. São tão orgulhosos de si mesmos que relutam em aprender e praticar os ensinamentos que os ajudariam a sair do sofrimento. Afinal, adoram lutar, pois são nutridos pelo espírito da competição. Por isso, não lhes interessa livrarem-se da raiva.

Os Semideuses podem até ser tão ricos quanto os deuses, mas como estão sempre se comparando com eles, focam suas mentes apenas no que ainda "não possuem" e "não são". De modo semelhante, a inveja impede-os de gozar a própria riqueza, pois estimulados pela competição, vivem um estado de luta constante para atingir a perfeição de um deus. Tornam-se, assim, vítimas de seus próprios parâmetros inatingíveis, pois avaliam seu progresso sempre por comparação com seres superiores a eles. A preocupação em serem os melhores, os donos da situação, faz com que estejam permanentemente ansiosos e os deixa cada vez mais inseguros.

"O mais paradoxal na competição é que queremos validar o nosso valor pessoal acima de qualquer comparação, mas comparando-nos com os outros!"[1]

Os Semideuses têm poder e força; no entanto, não os usam em prol de mudanças positivas, mas tão somente para competir. Em nossa sociedade capitalista a perspectiva de ter, saber e poder *sempre mais* é constantemente incentivada; portanto, caímos facilmente nas armadilhas do Reino dos Semideuses.

Quando estamos tomados pela força do espírito competitivo não tememos a queda, pois, uma vez intensamente identificados com a vitória, nem incluímos a derrota. A competitividade aqui poderia ser erroneamente compreendida como um estímulo de perseverança, mas infelizmente, não é isso que ocorre, pois ela sempre gera insatisfação. Além disso, a competição invejosa e os ciúmes geram relacionamentos tensos e conflituosos, pois, nesses casos, o desejo de aproximação está baseado apenas na expectativa de aumentar a posse e controle sobre o outro. Estas atitudes, ao contrário, nos distanciam afetivamente dos outros, pois geram ações contrárias à empatia, ao entendimento e à satisfação de estarmos unidos.

Assim como escreve Heloisa C. K. Gioia em seu livro *Um caminho iluminado*:[2] "A ética em um *asura* é duvidosa. Quando não pode lutar de frente, ataca pelas costas, pois para ele qualquer meio é válido, desde que se livre do inimigo. Sua espiritualidade e seu bom coração estão abalados. Torna-se cada vez mais difícil a troca energética de ajuda mútua entre as pessoas. Diminui sua facilidade em dar e receber. Mesmo que receba ajuda, ela fica comprometida, pois é recebida com a desconfiança sobre as reais intenções envolvidas. Desconfia que ali, naquela ajuda, há veladas intenções para invadir-lhe o território. Em compensação, se não recebe, utiliza este fato para rotular o mundo de egoísta, justificando a sua própria atitude de egoísmo".

---

1. Martin Lowenthal, *O coração compassivo*, São Paulo, Pensamento, p. 107.
2. Heloisa C. K. Gioia, *Um caminho iluminado – Ensinamentos da psicologia budista tibetana sobre o funcionamento de nossas emoções*, São Paulo, Cone Sul, p. 81.

Por que sentimos ciúme?

O ciúme é um sentimento desconfortável que nos desequilibra e enfraquece. Ele pode surgir a partir de situações sem a menor importância. Quando somos tomados pelo ciúme, sentimos que fomos traídos por nós mesmos: afinal, não deveríamos sentir o que estamos sentindo!

Enquanto um lado de nosso ser clama por atenção ao sentir-se excluído, outro lado reprova esta atitude por saber que o ciúme é uma ameaça à ordem e ao equilíbrio emocional de um relacionamento. Assim, o ciúme nos divide internamente. O ciumento duvida de si mesmo, mas atribui ao outro o motivo de suas desconfianças.

Apesar de ser poucas vezes admitido, o ciúme é uma emoção comum, que faz parte do cotidiano de todas as relações humanas. No entanto, ele passa a ser patológico quando nos leva a perder a capacidade de fazermos nossas escolhas. Reconhecer o ciúme e lidar diretamente com ele é uma ação interna saudável, que acelera o processo evolutivo do autoconhecimento.

Por isso, o ciúme não deve ser considerado como um sentimento banal e infantil que *com o tempo passa,* mas, sim, ser visto como uma doença que compromete o bom funcionamento do sistema imunológico emocional de uma pessoa, assim como a dinâmica de seus relacionamentos.

É interessante conhecer a palavra ciúme em alemão: *Eifersucht.* "Ela indica uma relação com o fogo, com o queimar. *Eifer* remonta à raiz indogermânica *ai* = arder, e *sucht* é uma palavra antiga para doença, vício. Portanto, no sentido literal, a palavra *Eifersucht* significa "doença" (ou vício) que arde."[3]

Se o fogo do ciúme não for contido, ele nos queima e traz sérias consequências: movidos pela desconfiança e pela agressividade, geramos ansiedade, raiva, humilhação, vergonha, depressão e até desejo de vingança.

O foco de infecção a ser tratado será a autoestima, pois quando ela está rebaixada nos causa a sensação constante de insegurança e impo-

---

3. Eduardo Ferreira Santos, *Ciúme, o medo da perda*, São Paulo, Claridade, p. 19.

tência, e, consequentemente, deixamo-nos levar pela imaginação – aliás, sempre voltada para o negativo.

O ciúme surge como um sinal de alerta de que uma ameaça real ou imaginária está invadindo nosso território afetivo. Nosso instinto de preservação procura eliminar todo e qualquer risco de perda do ser amado e nos remete a situações nas quais nos sentimos seguros e protegidos.

Bert Hellinger possui uma visão interessante sobre a dinâmica do ciúme, ele considera que *a pessoa ciumenta deseja inconscientemente que o(a) parceiro(a) se vá.*[4]

Hellinger é um psicoterapeuta alemão criador de uma nova abordagem da psicoterapia sistêmica conhecida como *Constelação Familiar,* na qual a origem dos conflitos de uma pessoa não é vista por um prisma psicológico individual, mas sim como uma ordem sistêmica gerada por seu histórico familiar.

Segundo ele, algumas das dinâmicas sistêmicas inconscientes que nos levam a repelir nossos parceiros são:

- ∾ *Confirmar uma antiga crença de que não merecemos o amor,* por exemplo, ou de que iremos causar infelicidade. Certas pessoas têm medo de serem abandonadas e, inconscientemente, afastam os parceiros. Criam o que receiam, como se o abandono fosse preferível à separação voluntária.

- ∾ *Ser fiel às crenças e exemplos da família* agindo como agiram os pais quando não conseguiram se aceitar plenamente, quando se separaram ou quando um deles morreu no começo de um relacionamento.

- ∾ *Operar uma identificação inconsciente com outra pessoa prejudicada pelo sistema.* Por exemplo, uma mulher não se casou porque tinha de cuidar dos pais já velhos. Sua jovem sobrinha identificou-se inconscientemente com ela e também não se casou.

- ∾ *Cumprir uma obrigação pessoal.* Um homem abandonou a antiga família para assumir o atual relacionamento. A segunda esposa, muito enciumada, quis abandoná-lo também. Na *Constelação Familiar,* percebeu claramente que se sentia obrigada para com a

---

4. Bert Hellinger, *A simetria oculta do amor*, São Paulo, Cultrix, p. 84.

primeira família do marido, solidária com ela. Isto é, neste caso, o ciúme não surge devido aos atos do marido, mas sim devido ao secreto reconhecimento de sua dívida para com a antiga parceira.

Neste sentido, a cura consiste inicialmente em tomar consciência do papel que estamos exercendo no conflito familiar e em seguida parar de atuar como coadjuvante deste mesmo drama. Isto é, ao compreendermos como nossa história pessoal está contaminada pela repetição de um conflito geracional não resolvido, decidimos não repeti-lo, redefinindo nossas posições. Assim como escreve Hellinger em seu livro: "Quando 'des-cobrimos' uma ordem, a ordem correta – digo-o para provocar –, então ela de algum modo cura ou resolve o sistema. Às vezes, uma ordem está oculta. Uma árvore, por exemplo, cresce de acordo com uma ordem e não pode desviar-se dela. Se o fizesse, não mais seria uma árvore. Os homens e os sistemas de relacionamentos humanos também se desenvolvem segundo determinadas ordens. As verdadeiras ordens da vida e dos relacionamentos estão ocultas, inseridas nos fenômenos vitais. Nem sempre podemos encontrá-las imediatamente, mas pior seria inventá-las para se coadunarem com nossos desejos".

A consciência de nosso papel no sistema familiar é a meta desta técnica terapêutica conhecida como *Constelação Familiar*, que já vem sendo aplicada por vários profissionais no Brasil.

No entanto, aqui vai uma dica para quem sente que o ciúme vem atrapalhando a sua vida: comece por perceber quando e como o ciúme surge. Observe, como quem levanta dados para uma pesquisa científica, como você reage diante do ciúme. Ao fazer isso, verá que gradualmente deixará de ter reações exageradas, pois ao observar a si mesmo estará aprendendo a preservar um olhar sadio, capaz de discernir entre imaginação e realidade.

A melhor maneira de diminuir a intensidade do ciúme é deixar de interpretá-lo como um drama, e passar a expressá-lo de modo natural, isto é, como *mais uma* experiência de sofrimento emocional. Ser honesto consigo mesmo e abrir-se com o outro, de modo simples e sincero, costuma ser uma solução positiva.

A sinceridade é em si um antídoto do desejo de manipular o outro. Ao conversarmos com nosso parceiro sobre a experiência de ciúme deixaremos de usar nosso sentimento como uma arma de defesa ou de ataque para mantê-lo sob controle.

Se usarmos o ciúme como um meio de controlar nossos parceiros, iremos afastá-los cada vez mais de nós. Mas é importante não ocultá-lo – caso contrário, seremos nós que naturalmente iremos nos isolar, causando um mal ainda maior, pois quanto mais nos afastarmos, tendencialmente o nosso ciúme irá crescer. O melhor é buscar ajuda para melhorar nossa autoestima e lidar diretamente com a realidade!

A desvalorização de si mesmo é uma das causas mais importantes do ciúme intenso. Pessoas seguras de seu valor não costumam se deixar levar por esse sentimento. Aliás, como elas não temem seus conflitos emocionais, podem usá-los em proveito próprio como a lenha que aquece o fogo do seu autoconhecimento.

Resumindo, quando expressamos nossas emoções com a intenção de aprofundar os relacionamentos, cultivamos abertura e honestidade: duas atitudes que exigem constante amor e dedicação!

Como sair deste reino

1. O *antídoto da competição é a cooperação*. Apesar de admirarmos as atitudes baseadas na cooperação, temos grande dificuldade para agir de modo cooperativo. Pois, a cooperação só ocorre quando abrimos mão do interesse próprio em benefício do bem coletivo: um enorme desafio para a mente capitalista que visa apenas às *suas* vantagens.

Afinal, estamos tão habituados com nós mesmos que nem nos damos conta do quanto precisamos mudar para priorizar as necessidades coletivas. Enquanto colocarmos nosso bem-estar acima de tudo, sempre teremos problemas, pois, desta forma, gradualmente, deixamos de apreciar os outros, nos distanciamos deles.

O ser humano sempre viveu este desafio. Gueshe Langri Thangpa, no século XI, escreveu os oito versos de cura da mente, sendo o sexto justamente dedicado à questão da inveja: "Quando outras pessoas me causarem dificuldades devido à inveja, devo tomar para mim a derrota e lhes oferecer a vitória". Inicialmente, podemos nos chocar diante de tal proposta. No entanto, o que este ensinamento está nos dizendo é que se quisermos realmente eliminar a causa-raiz de nosso sofrimento, teremos que superar a atitude egocentrada e apreciar os outros tanto quanto apreciamos a nós mesmos. O espírito competitivo nos ensinou a impor nossa vontade sobre os outros como um mecanismo de defesa. Este verso está nos ensinando justamente o contrário: a nos abrir para a experiência alheia, ao mesmo tempo em que assumimos internamente a responsabilidade por nós mesmos.

2. A base para a cooperação é a *confiança mútua*. Para tanto teremos que superar a desconfiança adquirida ao longo de inúmeras experiências geradas pelo ciúme. É preciso *recuperar a lucidez*: olhar de frente para cada situação, sem deixar-se levar pelo desejo imediato de manipular a situação para proteger-se antecipadamente do que quer que possa vir.

Conscientizando-nos do quanto estamos presos no padrão emocional de desconfiança do reino dos *asuras*, poderemos nos encorajar a baixar as nossas defesas em prol de relacionamentos baseados na troca e no companheirismo.

Izabel Telles me passou certa vez um exercício de imagens mentais para limpar o sentimento de desconfiança, de forma que uma reprogramação positiva seja gravada em nosso inconsciente.

∿   ∿   ∿

Sente-se num ambiente calmo e tranquilo. Os pés devem estar firmes no chão, as mãos colocadas sobre as pernas e os olhos fechados do começo ao fim. Respire três vezes vagarosamente para conseguir um estado de tranquilidade e ponha sua atenção na intenção deste exercício: reconciliar-se com o universo externo. (Izabel Telles aconselha: repita o exercício por três ciclos de 21 dias, respeitando um intervalo obrigatório de sete dias entre cada ciclo.)

E agora... veja, sinta ou imagine uma menina numa calçada que tem nas mãos um objeto: seu brinquedo ou um animalzinho de estimação. O que a sua imaginação quiser.

Observe esta menina: ela está inocentemente encostada no muro da calçada carregando seu objeto de estimação enquanto observa docemente o mundo à sua volta.

Respire uma vez e veja que se aproxima dela um adulto para quem ela entrega seu objeto de estimação.

Respire mais uma vez e veja, sinta e imagine que este adulto aceita amorosamente o objeto que ela lhe ofereceu.

Ele se abaixa para ficar da mesma altura e tira do bolso direito de sua calça alguma coisa de que ela gosta muito e que lhe oferece em troca do objeto de estimação que recebeu.

Ela percebe, então, que o que ela fez não foi dar, mas trocar. E fica imensamente feliz com o que recebeu deste homem.

Eles olham um para o outro e sentem que há um pacto entre eles: uma profunda ligação de troca e amor.

Respire mais uma vez e veja, sinta e imagine que eles se aproximam da maneira mais confortável para ela.

Respire outra vez e volte a observar a criança com o objeto que ganhou entre as mãos e agora perceba a satisfação no olhar dela voltado para você.

Sentindo esta satisfação e reconexão com o entendimento, respire e abra os olhos.

❧   ❧   ❧

3. *Investir num diálogo autêntico com os outros.* Se, por alguma razão, quando nos encontrarmos numa situação de isolamento, surgir uma profunda sensação de vazio, é sinal de que precisamos voltar a nos comunicar. Este vazio é a expressão do amor preso em nosso interior que deseja sair. É hora de voltar a trocar afeto.

Quando nos sentimos bloqueados, incompreendidos ou incapazes de compreender, muitas vezes atuamos a desconfortável sensação de inexistência diante do outro, disfarçando nossa presença ao agir como se não "precisássemos" ser vistos. No lugar de preencher esse vazio com fantasias de autoanulação, o melhor é simplesmente declarar abertamente para o seu parceiro: "Preciso de mais esclarecimento!".

Quem tem medo de se expressar tem medo de não ser aceito, por isso pensa que precisa sempre estar agradando. No entanto, *cansa* estar ao lado de pessoas que não se revelam.

Certa vez, Lama Michel me disse: "Não é porque alguém está mal com você que você tem que ficar mal com ele. Só lhe resta um treino de paciência". Neste momento, é como querer organizar as nuvens... é impossível! Há um momento certo para tudo, às vezes precisamos largar o conflito e esperar que as coisas se auto-organizem, pois acabamos por criar interferências ao querer organizá-las. Outras vezes, temos de agir prontamente.

É interessante que quando um dos parceiros revela com honestidade e amor algo que o incomoda, o outro passa a escutá-lo com mais abertura, pois sabe então, intuitivamente, que desta forma ele também terá a oportunidade de expressar-se sem defesas.

Na maioria das vezes, nós nos isolamos após uma situação traumática. Afinal, quando as coisas não correm de acordo com as nossas expectativas, costumamos nos retrair, como forma de nos protegermos.

No entanto, quando retiramos nossa energia afetiva do contato social, tornamo-nos frios internamente. Deste modo, passamos a rejeitar o outro, seus pontos de vista e suas necessidades: é um modo de castigá-lo por não ter sido *gentil* conosco. Não queremos escutá-lo. Estamos fechados para balanço...

Quando este frio interno aumenta, ficamos congelados pelo ressentimento. Intuitivamente sabemos que teremos que fazer algo por nós mesmos. Teremos que nos levantar a partir de nosso próprio esforço: nos mexer e sair à luta em busca de alimento emocional. Mas se nos mantivermos presos pelo ressentimento seremos como crianças que se limitam a esperar o alimento externo.

Enquanto quisermos fazer *só aquilo* de que gostamos, estaremos presos a uma mente infantil que considera que são justas apenas as condições ideais. Não podemos basear a nossa vida no "gosto e não gosto". Se quisermos ser felizes, teremos que fazer muitas coisas de que não gostamos. Neste sentido, temos que substituir o verbo *gostar* por *querer*. Por exemplo, podemos *não gostar* de expor nossas vulnerabilidades, mas teremos que fazê-lo quando se tornar necessário investir num diálogo honesto.

Quando nos conscientizamos de nossa real intenção de *querer* reatar com uma pessoa que nos feriu, teremos que *escolher* deixar de lado o ressentimento. É uma decisão consciente. Isto é, nestes momentos, não basta *entender* a situação, será preciso amadurecer o desejo de nos abrirmos novamente para ela: derreter o gelo do coração ressentido.

Para tanto, teremos que superar a aversão de sermos nós a fazer o esforço maior em direção ao outro. Porém, dificilmente abandonaremos a resistência de nos colocarmos nessa posição se estivermos presos à pergunta: "Por que sou eu que devo fazer isso?" Se soubermos ser verdadeiros e honestos conosco mesmos, veremos que sob esta indignação esconde-se nossa fragilidade. Por isso, o primeiro passo para superar a aversão diante de um conflito emocional é justamente abandonar toda e qualquer ideia de que somos frágeis diante do outro, isto é, de que não suportaríamos *certos* desafios.

Se o medo do abandono for a causa de nossa fragilidade, teremos que dedicar mais tempo para curar a nós mesmos antes de nos abrirmos para o outro. Talvez, em experiências passadas, tenhamos vivenciado perdas com as quais não soubemos realmente lidar. Mas, se estivermos comprometidos com nosso desenvolvimento interior, poderemos superar o medo do abandono e nos dar uma nova chance.

"O medo indica que estamos bloqueando a nossa consciência com uma experiência ou um problema não resolvido ou uma forma rígida de atuar que pensamos ser nosso dever."[5]

É preciso reconhecer que quando nossa ideia de amor está contaminada pelo medo de sermos abandonados, nos tornamos vorazes e passamos a querer sempre mais e mais do outro. Ao sentir-se pressionado por nossa obsessão, o outro, por sua vez, irá se afastar confirmando nossos receios. Amar e ser amado devem ser sempre uma sensação de bem-estar. Quando o amor se torna obsessão, não é mais amor – é medo, e assusta tremendamente o outro.

Temos que aprender a lidar diretamente com as nossas dificuldades. Ser direto não significa ser violento, podemos ser diretos e suaves ao mesmo tempo. Precisamos recuperar o calor interno para dar início ao nosso processo de cura.

Na maioria das vezes, não estamos familiarizados com a experiência de expor nossa vulnerabilidade: abrir verdadeiramente nosso coração para o outro. Quando temos medo da rejeição, é mais fácil nos abrirmos com uma pessoa desconhecida do que com alguém de nosso convívio. Ser rejeitado por um desconhecido é menos ameaçador...

Precisamos nos sentir seguros e protegidos para lidar com a nossa vulnerabilidade. Aceitarmo-nos tal como somos é a base para essa segurança. Mas, quantas vezes nos perguntamos: "Será que eu vou ser aceito se expressar o que realmente estou sentindo?".

---

5. Kurt Tepperwein, *O que a doença quer dizer*, São Paulo, Ground, p. 96.

Mania de sofrer

Sentimentos autênticos precisam de escuta e aceitação autêntica para serem expressos!

Ser autêntico é aceitar a própria vulnerabilidade e, no momento oportuno, ter coragem de expô-la. Para tanto, será preciso reconhecer também a vulnerabilidade alheia, pois, somente desta forma nossa comunicação estará baseada numa verdadeira troca, onde ambos estão abertos um para o outro.

A escuta autêntica conduz a uma verdadeira abertura. Quando somos realmente aceitos, começamos a nos autoaceitar. O processo de aceitação de si mesmo e do outro passa necessariamente pela possibilidade de um diálogo autêntico. Portanto, o primeiro passo consiste em nos comprometermos com a intenção de escutar e aceitar com abertura a outra pessoa e sua experiência. Quando não há competição de ideias, há escuta.

A dica é escutar o outro, ou mesmo expressar-se, como se fosse pela primeira vez: livre das expectativas do que já foi vivido.

Muitas vezes, estamos presos a regras que viemos nos impondo há anos. Outras vezes, há anos impusemos aos outros, regras que agora não seguimos mais. Mas eles SIM. Por isso, precisamos simplesmente atualizar nossas intenções. Declarar para o outro: "Antes eu pensava assim, agora não penso mais". A franqueza pode ser livre de agressão se for sincera.

Certa vez, ouvi dizer que Gandhi mudava de opinião de um dia para o outro. Quando questionado sobre sua inconstância, ele teria respondido: "É verdade que ontem eu pensava diferente de hoje. Era mais imaturo. Hoje tenho mais sabedoria".

Ficamos "presos" ao que dissemos ou escutamos do outro, mas podemos sempre nos dar uma nova chance. É importante anunciar que você mudou!

A chave é ser natural e falar do coração. Quando corremos o risco de mostrar nossa vulnerabilidade, ajudamos o outro a fazer o mesmo, o que poderá ser um alívio para ambos.

Lama Gangchen Rinpoche nos aconselha, em situações de conflito, a refletir sobre como a situação negativa começou. Voltar ao ponto onde tudo estava bem para localizar o início do conflito. Ele nos lembra que, muitas vezes, quando iniciamos algo, pensamos que só estamos depositando energia positiva. Mas, na realidade, inconscientemente misturamos desde o começo também atitudes negativas, como suspeitas e ciúmes. Então, quando elas amadurecem, nos surpreendemos com sua força destrutiva. Por isso, ele nos fala: "É preciso voltar atrás e separar estas negatividades das positividades. Isso é útil em todas as situações da vida. Uma boa base é muito importante. Desde o primeiro abraço, o primeiro toque, o primeiro olhar, é muito importante iniciarmos com paz. Então, tudo caminhará bem. A mente de base pacífica levará sempre a resultados positivos".

A artificialidade impede a comunicação sadia entre duas pessoas, pois ela desperta uma atitude de "estar em guarda" que é o oposto da confiança.

Quando não há espaço na relação para ambos expressarem seus sentimentos mais profundos, *algo* torna-se paralisado, como o ar torna-se pesado antes de chover. A chuva ao cair traz frescor e renovação. Os sentimentos, quando arejados, deixam as relações energizadas...

Sentimentos de origem profunda como rejeição e abandono podem estar encobertos por atitudes de indiferença e até mesmo de desprezo pela atenção alheia. No entanto, eles estão lá em nosso interior, esperando por atenção, consciência e clareza.

O antídoto de uma competição subjacente é a expressão da verdade: cada um deve encontrar uma forma de expor suas necessidades ocultas. Esperar que o outro as adivinhe é, ao mesmo tempo, uma tortura para nós e uma armadilha para o outro. Se ele não souber adivinhar do que necessitamos, será julgado e punido por sua insensibilidade. Confesso reconhecer que nós, mulheres, facilmente encaramos a fragilidade de um homem como rejeição. Às vezes, eles simplesmente não sabem se expressar!

VI

O Reino Animal: a preguiça e o medo de relacionar-se verdadeiramente

Antes de qualquer reflexão, cabe ressaltar que este é o primeiro Reino da três esferas inferiores da Roda da Vida. A crença no sofrimento torna-se agora mais densa, isto é, as resistências para ultrapassá-lo são cada vez maiores.

Os estados mentais dominados pela esfera do Reino Animal são bem conhecidos da mente humana: o anseio por demarcar território, a preguiça diante dos desafios, a necessidade de receber cuidados, assim como o medo da intimidade e proximidade.

No entanto, para nós, ocidentais, a ideia de renascermos como animais causa muita estranheza. Principalmente quando pensamos em insetos e em todos aqueles animais que consideramos asquerosos.

Isto me lembra de uma conversa que tive certa vez com Gueshe Sherab. Desculpe se poderei chocá-lo, mas não deixa de ser um bom exemplo... Ele estava me contando uma história do tempo de Buddha sobre uma pessoa que tinha tanto apego pelo seu corpo que, quando morreu, renasceu imediatamente como um verme que comia o próprio cadáver. Então, exclamei, com um tom de voz gozador: "Você realmente acredita nisso?!". Gueshe Sherab caiu na risada e me respondeu: "Qual o problema? Morremos e renascemos tantas vezes. Este é pelo menos um renascimento sem dor. Na mente do verme ele está sem problemas. Quem está sofrendo com esta ideia é apenas você..."

Pois é, até hoje eu resisto em pensar sobre este assunto. No entanto, aprendi que aquilo que minha mente não consegue assimilar não precisa se tornar um obstáculo para outros aprendizados. Como Sua Santidade, o Dalai Lama disse, ao final de uma palestra: "Se eu tiver dito qualquer coisa que lhes agrada, por favor, guardem e procurem colocar em prática. Mas se acharem que o que eu disse é estranho ou não concordarem, simplesmente esqueçam, não vale a pena guardar dentro de vocês. Caso contrário isso irá apenas perturbá-los!"

Recentemente, ao ler o livro de Odir Cunha, *Os bichos ensinam*,[1] fiquei tocada pela força de vontade dos animais: como temos tanto que aprender com eles! Neste livro, o autor nos inspira a viver melhor a partir do exemplo de vida dos animais. O poderoso tigre indiano, por exemplo, só é bem-sucedido em um de cada vinte ataques – ele sabe superar obstáculos com perseverança. Já os pinguins, são capazes de resistir a temperaturas de 50 graus negativos e ventos de 80 km/h amontoados em colônias gigantescas ao ar livre, realizando movimentos circulares que permitem um revezamento, de modo que os que estão nas bordas possam também usufruir o calor do centro; não fosse assim, fileira após fileira seria dizimada pelo frio – eles verdadeiramente exemplificam a ideia de solidariedade.

Podemos encontrar em filmes como a *Marcha dos pinguins* uma grande fonte de inspiração que aprofunda o nosso amor e admiração pelos animais. Aqueles que possuem um animal de estimação criam laços profundos de lealdade e amizade.

Medo: um sofrimento da esfera animal

Os lamas tibetanos nos advertem sobre a visão ingênua que, nós ocidentais, temos do Reino Animal. Há quem diga, por exemplo, que gostaria de ser "livre como um pássaro" para voar em céu aberto, sem obstáculos. No entanto, enquanto voa, a mente do pássaro sofre de um

---

1. Odir Cunha, *Os bichos ensinam*, São Paulo, Códex.

medo perene, pois sabe que está diante da constante ameaça do ataque de outros pássaros.

Francesca Freemantle acrescenta:[2] "Do ponto de vista cristão e mesmo do ponto de vista secular ocidental, os animais são vistos como inocentes e não responsáveis por suas ações, porque não distinguem o bem e o mal. Pela mesma razão, são considerados inferiores aos seres humanos e, em termos cristãos, sem alma. A visão budista é inteiramente diferente. Todos os seres conscientes em todos os Seis Reinos possuem a natureza de Buda. Mas, pelo fato de sua natureza essencial estar obscurecida pela ignorância, estão igualmente sujeitos à lei do karma, e a lei do karma é simplesmente uma questão de causa e efeito. Já que tudo está mudando continuamente e nenhuma condição é permanente, eles consequentemente renascerão em estados mais favoráveis".

A visão kármica do Reino Animal é marcada pelo medo constante diante da luta pela sobrevivência. Enquanto seres humanos, vivenciamos este sentimento de confusão e paranoia todas as vezes que nosso senso de segurança é ameaçado.

A imaginação torna-se ativa: a irrealidade ganha força e presença. Diante do imprevisto ameaçador, tornamo-nos hipersensíveis ao mundo e, como num mecanismo instintivo de defesa, nos contraímos física e emocionalmente. O medo nos *rouba* a alma e nos deixa ignorantes.

Basta ver como, perante uma situação de ameaça, em questão de segundos, nosso corpo é capaz de se preparar, tanto física quanto psicologicamente para fugir ou atacar – o que nos parecer mais apropriado.

Diante de um sinal de alarme, seja real ou ilusório, o cérebro e o sistema nervoso autônomo – que controla o intestino, o coração, as veias, as artérias e os pulmões – aceleram seu ritmo e passam a produzir uma grande quantidade de adrenalina nos tornando aptos a atacar ou a fugir da situação ameaçadora. Uma fração de segundo depois, o hipotálamo, no cérebro, começa a secretar uma substância chamada hormônio de liberação de corticotropina, ou CRH, que, por sua vez, envia um alarme para a hipófise, também localizada no cérebro, para que libere adrenocorticotropina, ou ACTH. Finalmente, o nível anormal-

---

2. Francesca Freemantle, *Vazio luminoso*, Rio de Janeiro, Nova Era, p. 205.

mente alto de ACTH na corrente sanguínea faz com que as glândulas suprarrenais, perto dos rins, comecem a produzir cortisol.

"Imagine a velocidade na qual são produzidas essas combinações precisas e complexas de hormônios. Quase imediatamente, esses alarmes químicos soam dentro de nós e somos lançados dentro de um agudo estado de medo."[3]

Conforme a adrenalina e o cortisol entram na corrente sanguínea, as pupilas se dilatam e isso nos permite não só ver melhor no escuro e nas sombras, como também perceber qualquer movimento mais próximo com maior nitidez.

Manifesta-se uma espécie de efeito de amortecimento da dor para evitar que eventuais ferimentos possam nos distrair. Reservas de glicose são liberadas em nosso organismo para permitir uma intensa atividade muscular. Nosso sistema imunológico está preparado para lidar com uma possível lesão mais séria.

No entanto, muitas vezes, todo este movimento terá sido em vão: "fizemos uma tempestade num copo d'água". Outras vezes, entretanto, se estivermos passando por períodos prolongados de suspeita real de ameaças, poderemos comprometer o equilíbrio de nosso sistema imunológico.

É como explica o psiquiatra Dr. Sergio Klepacz: "O estresse é uma reação biológica presente em todos os animais, desenvolvida ao longo de milênios para salvar vidas. Se, no passado, você sofresse a ameaça de um predador, instantaneamente seu organismo liberaria uma série de produtos – os hormônios e os neurotransmissores – a fim de colocar o seu corpo em marcha, obedecendo ao instinto da sobrevivência. Assim, você teria velocidade na corrida, adaptaria sua mente para a fuga e poderia aumentar as suas chances de sobrevivência. No século XXI, os predadores adquiriram outras formas e nos ameaçam a cada instante, seja por meio da violência urbana, de problemas financeiros, divórcio, doenças ou mortes na família, seja por intermédio de nossas ideias. No mundo atual, diferentemente do que ocorria com nossos ancestrais das cavernas, não precisamos lutar fisicamente contra o inimigo; contudo,

---

3. Robert Winston, *Instinto humano*, São Paulo, Globo, p. 38.

diante das constantes ameaças cotidianas, nosso corpo recebe a mesma carga de hormônios e tem a mesma preparação para a luta ou para a fuga. Uma ação que, de fato, não acontece, mas é estimulada diariamente. Resultado? Embora o organismo esteja preparado para a explosão de atividade, a tensão é reprimida, deixando o corpo numa situação de desequilíbrio entre os hormônios de estresse e neurotransmissores, ocasionando aqueles sintomas que todos conhecem bem, tais como ansiedade e depressão".[4]

Segundo o Dr. Sergio Klepacz, as quatro situações psicológicas que podem gerar o estresse crônico devido à alta e contínua descarga de cortisol na corrente sanguínea advêm da falta de suporte social. São elas:

1. Perda de partes ou funções do organismo;
2. Solidão;
3. Incapacidade de compensar frustrações;
4. Incapacidade de prever fatos.

A partir destas informações, não é difícil imaginar como a maioria de nós tem sofrido além de nossas condições físicas e emocionais. Temos sofrido como os seres do Reino Animal: vítimas de nosso próprio medo.

Quanto maior for nossa experiência de impotência diante do medo, menor será nossa capacidade de amar e receber amor, assim como de desejar, de sentir prazer em criar e de arriscarmo-nos diante do novo.

O medo nos torna animicamente insensíveis, desinteressados, sem graça. Aliás, o Reino Animal é caracterizado pela ausência de humor – os animais podem vivenciar prazer e dor, mas o senso de humor e a ironia não existem em suas vidas.

Os animais possuem os sentidos extremamente aguçados, com capacidade de percepção extrassensorial, mas são incapazes de observar o funcionamento de suas mentes.

Outro ponto particular do Reino Animal refere-se ao anseio por tomar posse de um território. Os animais demarcam sua área com urina e uma atitude agressiva diante de qualquer ameaça de invasão. Quando estamos

---

4. Sergio Klepacz, *Uma questão de equilíbrio*, MG Editores, p. 21.

Mania de sofrer

presos aos padrões emocionais do Reino Animal, temos uma atitude semelhante de posse com relação a nosso ambiente imediato. É como esclarece Martin Lowenthal:[5] "Quando possuímos um espaço, identifica-mo-nos com ele. Gostaríamos que esse espaço fosse tão sólido quanto a terra e esperamos que nos dê uma sensação de permanência neste mundo mutável. A certa altura achamos que, se pudéssemos conservar as boas coisas e descartar as más, poderíamos superar as condições de nossa vida. [...] Uma vez que definimos o mundo em termos de bom e mau, tentando possuir coisas boas e evitar as más, tornamo-nos receosos dos outros, que poderiam cobiçar os nossos pertences ou contaminar o nosso espaço com algo de mau. Erguemos barreiras de privacidade em torno do nosso quarto, do nosso escritório, do nosso tempo, do recinto de nossas meditações. Esses limites, estabelecidos para a nossa proteção, transformam-se nas paredes de uma prisão, separando-nos dos benefícios da amizade, da descoberta, do mundo circunjacente". Desta forma, aos poucos nos tornamos cada vez mais desconfiados, solitários e paranoicos.

Por fim, cabe ressaltar que a mente na esfera animal está contamina-da pela preguiça: estranhamente resistimos a cuidar de nós mesmos. Neste sentido, a preguiça revela que carregamos uma forma de depres-são arraigada em nossa autoimagem: não acreditamos que vale a pena fazer um esforço maior pela nossa evolução. De modo geral, permane-cemos atolados em nossos obstáculos, dependentes da ajuda alheia, o que nos faz sentir incapazes de nos relacionar verdadeiramente. "Nessa esfera, queremos que cuidem de nós, mas temos medo dos relaciona-mentos. Ansiamos pelo toque, mas receamos o contato. Pensamos que vamos ficar bem se as pessoas nos deixarem em paz... mas, quando o fazem, nos sentimos abandonados."[6]

Como sair deste reino

1. Apesar de vivermos numa cultura de medo, não estamos conde-nados a viver acuados como os seres do Reino Animal. Para tanto, devemos *nos perguntar honestamente*: "O que o medo tem feito

---

5. Martin Lowenthal, *Coração compassivo*, São Paulo, Pensamento, p. 54.
6. Idem, p. 56.

comigo?". Qualquer que seja a resposta, a saída se dará sempre através da possibilidade de separar-nos do medo, por meio de nossa própria vontade. Devemos nos lembrar que, em essência, não *somos* o medo!

Mas, quando não temos a capacidade de entender como o medo atua sobre nós, passamos a nos identificar maciçamente com ele. Como resultado, atuamos a partir de um falso senso de identidade, no qual nos imaginamos sem força e incapazes.

No entanto, para descolarmos nossa autoimagem do medo, precisamos, inicialmente, ser capazes de reconhecê-lo como uma ilusão: um mecanismo artificial que atua sobre nós. É como um vírus poderoso que impede o funcionamento de um bom computador.

Para dissolver as camadas do medo, teremos que lidar diretamente com ele, isto é, nem rejeitá-lo, nem tampouco julgá-lo como certo ou errado. Podemos fazer isso se nos *aproximarmos de nossas fraquezas com a curiosidade de perceber como o medo* tem moldado nosso relacionamento com o mundo.

Neste sentido, o desafio é aceitar o fato de que constantemente teremos que lidar com nossos medos, pois por trás deles há algo que necessita ser reconhecido para ser eliminado. Como diz Kurt Tepperwein: "Cada fobia indica o âmbito de que devemos nos ocupar. Se temos medo dos espaços fechados, o medo inclui o convite para eliminar a escassez no nosso interior. Se temos medo da imensidão, isto equivale a um convite para que permitamos a imensidão na nossa consciência, para nos engrandecermos interiormente. Só temos medo enquanto não o realizamos em nós mesmos".[7]

Este é um processo lento e gradual no qual nos oferecemos uma nova oportunidade a cada vez que reavaliamos nossa autoimagem. O perseverante caminho do autoconhecimento nos ensina que os limites que nos impomos são mutáveis, portanto, passíveis de serem transformados. Esta compreensão é a chave para sairmos dos padrões emocionais do Reino Animal.

Se ficarmos presos ao complexo emocional da esfera animal, iremos viver, sem hesitar, de forma limitada, como semiadormecidos. Com o propósito de apenas sobreviver para satisfazer nossas neces-

---

7. Kurt Tepperwein, *O que a doença quer dizer*, São Paulo, Ground, p. 98.

sidades básicas de fome, sexo, sono e autopreservação, estaremos consumindo a energia vital sem evoluir, ou seja, sem dar um sentido maior para esta vida. Uma vida reduzida às satisfações imediatas torna-se cada vez mais vazia, por ser carente de inspiração e amor.

2. Para superarmos a força da preguiça sobre nós, devemos nos perguntar: "O que estou fazendo com minha vida?". Admitir o quanto a preguiça nos enfraquece e nos torna dependentes dos outros, alerta-nos para a necessidade de tomarmos para nós a responsabilidade pelo nosso próprio bem-estar.

Toda preguiça evidencia um bloqueio emocional. É uma forma de nos protegermos de experiências tidas como desagradáveis, porque fomos incapazes de realizá-las, uma vez que exigiam um esforço demasiado. Para superar este bloqueio, teremos que optar por *querer apesar de não gostar*. Nem sempre o que *gostamos* de fazer é realmente aquilo que *queremos* para nós. À medida que nos tornamos capazes de praticar o que *queremos* para nossa vida, adquirimos orgulho e satisfação interior: duas qualidades que nutrem a autoestima e nos ajudam a crer que vale a pena investir em nós mesmos!

3. A solidão gerada pelo medo de relacionar-se com intimidade só poderá ser superada através do acúmulo de experiências positivas. Como ouvi certa vez Guelek Rinpoche dizer: "É preciso ter experiências positivas para querer repeti-las".

Uma vez que conhecemos nossas barreiras de defesa, podemos *gradualmente* rompê-las. Para tanto, Martin Lowenthal nos propõe "usufruir o nosso território como um local de acolhida, não de esconderijo".[8] Em outras palavras, teremos menos receio de nos abrir aos outros se nos sentirmos seguros em nós mesmos. Quando soubermos reconhecer nosso mundo interior como um ambiente de refúgio seguro, saberemos onde *estar* enquanto nos arriscamos a descobrir novos territórios.

---

8. Martin Lowenthal, *Coração compassivo*, São Paulo, Pensamento, p. 58.

VII

O Reino dos Infernos: quando a mente, tomada pela raiva, não encontra saída

Hoje no sítio, quando pensei em escrever sobre mais um Reino, escutei minha voz interior me perguntar: "que experiência será que vai me inspirar a escrever sobre o Reino dos Infernos?" Eram 10 horas da manhã. O dia estava lindo. Fui ajudar o Pete a podar umas roseiras. Tudo parecia calmo... até que o silêncio foi bruscamente rompido pela música vinda do sítio vizinho, cujos proprietários se dedicam a atordoantes atividades de bingo e vaquejada (rodeio com vacas)! Há dois anos, na crença de que o mal se consome por si mesmo, preferimos deixar que eles próprios criassem os obstáculos que os levariam embora. No entanto, cada vez que a música toca naquela altura ensurdecedora, temos a sensação de que vamos enlouquecer – tal como o sofrimento no Reino dos Infernos, somos tomados por raiva e indignação, e não conseguimos ter paz interior a fim de vislumbrar a saída para o problema. Horas depois, exaustos e conscientes da nossa impotência imediata, optamos por "abandonar o barco": voltamos para São Paulo.

Como agir diante de tais situações? Afinal, de nada adianta reclamar, quando não existem ouvidos disponíveis para escutar... Achamos melhor não agir e seguir um ditado tibetano que diz: "Só enfrente um inimigo quando você estiver mais forte que ele. Até lá, continue se fortalecendo". No carro, me senti menos irritada quando pensei: "Hoje passei o dia *fugindo* da raiva. Ela é mais penetrante do que a minha tolerância. Estávamos certos em correr dela". Assim, renunciamos à situação por reconhecer o mal que ela nos faz.

Aliás, certa vez, perguntei a Lama Gangchen Rinpoche: "Como lidar com uma pessoa agressiva?". Ele respondeu: "Quando alguém for agressivo com você, continue normal... dentro de você tudo deve continuar normal". Mas, este é um conselho que dificilmente conseguimos colocar em prática quando somos tomados pelo padrão emocional do Reino dos Infernos...

Vale a pena ressaltar que o Reino dos Infernos não se refere ao *inferno* descrito pela tradição judaico-cristã, mas sim a um padrão mental gerado pelo karma negativo acumulado através de ações baseadas no ódio e na violência.

O Reino dos Infernos, também chamado *narak*, é o estado mental que surge quando somos expostos a torturas mentais extremas: forças que pressionam nossa psique, levando a estados intensos de raiva e medo. Este é o Reino mais inferior da Roda da Vida; por isso, quando entramos nele, não vemos mais luz: não encontramos qualquer possibilidade de saída.

Existem quatro tipos de seres dos infernos: seres dos *Infernos Quentes,* seres dos *Infernos Gelados,* seres dos *Infernos Circundantes* e seres dos *Infernos Ocasionais.* São tantas as formas de sofrimento e tão intensas que, nós, seres humanos, não poderíamos sobreviver nesses lugares. No entanto, podemos reconhecer a natureza deste Reino onde há constantemente pessoas se matando, provocando intenso sofrimento físico e mental.

O Reino dos Infernos Quentes: quando o ódio e a raiva nos consomem

Os *Infernos Quentes* são descritos como locais onde os campos e as montanhas são feitas de metal quente e os rios são transformados em ferro derretido. O espaço preenchido pelo fogo é claustrofóbico.

Nos Infernos Quentes estão aqueles que vivenciam os padrões mentais gerados por raiva violenta, enquanto nos Infernos Frios estão as mentes que ficaram presas ao egoísmo e ao orgulho.

Em geral, os mestres tibetanos evitam falar sobre este Reino. Certa vez, quando solicitei ensinamentos sobre o assunto, Gueshe Sopa me disse: "Você não gostaria de ouvir, pois é muito sofrido. Além do mais, nem sei se acreditaria no que tenho para te dizer". Afinal, os textos descrevem este Reino sendo habitado por aqueles que usaram a magia para destruir seus inimigos, por isso são cortados ou serrados em pedaços, estrangulados com laços, perfurados por espinhos e expostos a pressões esmagadoras.

Nos *Infernos Quentes* existem oito tipos de existência: os seres do (1) *Inferno Ressuscitador* – que lutam e matam-se uns aos outros e revivem logo em seguida para continuar a lutar e infligir mais dor. Os seres do (2) *Inferno da Linha Negra* – guardas enormes de faces horrendas que se deitam no chão e demarcam com seus corpos uma linha negra. Os seres do (3) *Inferno da Destruição em Massa* – que ficam entre duas montanhas imensas cuja forma é semelhante à dos animais que eles mataram no passado. Essas montanhas juntam-se e os esmagam, e depois se separam até eles serem revividos e esmagados novamente. Os seres, motivados por medo, buscam abrigo no (4) *Inferno dos Lamentos* e encontram refúgio em uma casa de ferro que, no entanto, explode cada vez que entram. Em chamas, eles são incinerados em completo terror. Seus lamentos e gritos de dor dão nome a este inferno. Já no (5) *Inferno dos Altos Lamentos* os seres encontram-se em uma casa de ferro dentro de outra, e a noção de não ter escapatória e a dor são duas vezes maiores. No (6) *Inferno Quente,* os seres são perfurados por um espeto de ferro incandescente e depois fritos e revividos para sofrerem novamente. O (7) *Inferno Intensamente Quente* é duas vezes mais quente que o reino anterior. O (8) *Inferno do Tormento Incessante* é o pior dos Infernos, pois os seres que aí se encontram são indistinguíveis do fogo e somente os seus gritos indicam que eles são seres.

A simples descrição dos tipos de existência deste Reino nos traz sofrimento. No entanto, quantas vezes testemunhamos sofrimentos similares nos noticiários da TV? Homens-bomba assemelham-se aos seres dos Infernos dos Lamentos!

Não precisamos de muitos exemplos para perceber que este Reino tem estado fortemente presente em nosso planeta Terra. No entanto, a intenção deste texto não é lembrar os terrores que nos ameaçam, mas sim demonstrar a importância de não cultivarmos estados semelhantes dentro de nós!

Francesca Freemantle comenta:[1] "Todos os venenos emocionais são viciadores; quando estamos sob o seu domínio, parecem absolutamente necessários para nos manter em movimento, e fornecem uma razão difícil de se livrar, porque nos faz sentir fortemente que estamos com a razão. [...] Existe uma lógica distorcida associada com a agressividade, a qual sempre se justifica e põe a culpa nos outros. Tornamo-nos tão convencidos de que o nosso sofrimento depende da situação externa que sentimos que não podemos mudar a própria atitude. Os outros erraram; portanto, não devemos ceder a eles e desistir de nossa raiva; ou os outros nos machucaram tanto que nunca podemos deixar de odiá-los e sermos felizes novamente".

Transferir a culpa de nosso mal-estar para outra pessoa como forma de justificar a nossa raiva faz com que fiquemos ainda mais presos a ela! Agindo assim, o poder de decisão sobre o encaminhamento do conflito fica nas mãos do opositor! Isso aumenta a sensação de impotência e nos faz acreditar que a única coisa a fazer é nos defender, reagindo com agressividade.

Nestes momentos, é importante ter em mente que externar nossa raiva não irá verdadeiramente nos relaxar; ao contrário, pode, inclusive, gerar novos conflitos. Uma explosão emocional aparentemente proporciona um alívio imediato, mas não é capaz de eliminar a nossa raiva, pois sua origem continua em nosso interior.

Se pararmos para analisar a natureza das situações que nos agridem, iremos perceber a existência de um padrão emocional que carregamos em nosso interior desde muito antes daquela situação surgir. Por exemplo, o caso da música alta de meu vizinho me fez refletir sobre o quanto minha raiva cresce nas circunstâncias em que sinto que não estou sendo absolutamente considerada.

---

1. Francesca Freemantle, *Vazio luminoso*, Rio de Janeiro, Nova Era, p. 192.

Podemos querer destruir aqueles que nos causam dor, mas precisamos perceber que nem sempre os ataques são pessoais. A falta de consideração do vizinho não é especificamente contra mim, trata-se apenas de uma situação contingencial com uma força maior do que a minha! É como me alertou a astróloga Márcia Mattos: "Não cutuque a ferida narcísica do outro, senão você vai provocar hostilidade. Por isso, nestas horas é melhor 'abaixar para a onda passar'. Ser humilde, no sentido de não confrontar, pois é preciso desconfigurar a situação ameaçadora. Reduzindo os sinais de ameaça que enviamos, conseguimos gradualmente desarmar o oponente, neutralizá-lo".

Não adianta confrontar o inimigo *fingindo-se* de "boazinha": é preciso realmente sair da posição desafiadora. Neste sentido, aliás, deixamos de ser impotentes no momento em que reconhecemos nossos próprios limites, pois a partir daí o que fizermos será resultado da *nossa* escolha.

Nunca me esqueço das palavras de Lama Zopa Rinpoche: "Você pode ter criado o karma para estar perdido na floresta amazônica sendo picado por inúmeros insetos, mas, mesmo assim, isto não quer dizer que você não possa reagir e sair de lá".

A reflexão sobre o padrão mental do Reino dos Infernos nos leva a reconhecer que quanto mais forte for nossa projeção sobre aquele que nos agride, mais poder estamos lhe concedendo, a tal ponto que nossa situação interior torna-se completamente dependente da condição exterior. Por isso, quando achamos que não temos saída, estamos perdendo força diante do agressor. Mas, se recuperarmos as rédeas de nossa raiva, poderemos recuperar a clareza de como agir diante de tais circunstâncias. Tarefa nada fácil, porém possível. Os mestres estão aí para nos inspirar.

Ter paciência não significa engolir sapos

A vida moderna nos lança no centro de um grande paradoxo: quanto mais produzimos no mundo externo, menos criamos no mundo interno. O uso cada vez mais abrangente da tecnologia no nosso cotidiano exige de nós cada vez mais paciência! Podemos estar "ganhando tempo", tornando o mundo mais veloz, mas estamos perdendo a habilidade de lidar com nosso tempo interno: nos tornamos cada vez mais impacientes.

Intuitivamente, podemos saber que algo não vai bem, mas como temos uma urgência interna, estimulada pela aceleração dos acontecimentos, de nos livrar das situações, não temos mais tempo para sentir, compreender e transformar nossas emoções.

Queremos que nosso mundo interno, nossas emoções, sentimentos e percepções, fluam com a mesma velocidade *máxima* da internet... Como não toleramos esperar o tempo natural do amadurecimento de nossas emoções, sofremos a dor da impaciência: semelhante a uma queimadura interna – ardemos de ansiedade!

Todos nós, com a inocente esperança de vivermos melhor, assumimos mais compromissos do que podemos administrar e depois nos surpreendemos com o volume de problemas sérios e inesperados que temos de enfrentar. Quando as coisas não funcionam de acordo com as nossas expectativas, temos cada vez menos paciência, nos tornamos mais rígidos e cansados. Por ignorância, insistimos num esforço insensato.

De um modo geral, compreendemos erroneamente a virtude da paciência. Frequentemente confundimos ter paciência com *engolir sapos*. Em certas situações adversas, não é raro cairmos na armadilha de pensar que estamos sendo pacientes, quando, na verdade, estamos apenas nos sobrecarregando.

Ser paciente não significa sobrecarregar-se de sofrimento interno, nem estar vulnerável ou ser permissivo com relação às condições externas. Ter paciência não é ser uma vítima passiva da desorganização alheia. Assim como não ajuda em nada termos paciência em uma situação em que estamos sendo explorados.

Enquanto usarmos negativamente o autocontrole como uma forma de reprimir nossos sentimentos, no lugar de conhecê-los, estaremos correndo o risco de tolerar o que não é para ser tolerado!

Segundo a Psicologia do Budismo Tibetano, paciência é a força interior para não nos deixarmos levar pela negatividade, ou seja, de conseguirmos manter a mente limpa, livre da contaminação da raiva.

Ter paciência é saber sustentar a clareza emocional mesmo quando o outro já a perdeu e por isso insiste em nos provocar!

No entanto, não é suficiente ter uma intenção clara: é preciso desenvolver a força interior para sustentá-la. Não basta compreender racionalmente o que é ter paciência: é preciso cultivá-la interiormente. Devemos admitir que o tempo necessário para amadurecer uma compreensão emocional é muito maior do que o que necessitamos para a compreensão racional.

Segundo o Budismo Tibetano, há três tipos de paciência:

1. *Não se aborrecer com os prejuízos infligidos pelas outras pessoas*, isto é, não nos abalarmos quando somos intencionalmente provocados e feridos.

2. *Aceitar voluntariamente o sofrimento para si*: se alguém demonstra ter raiva de nós, não devemos responder com raiva; ou melhor, se alguém nos machuca ou insulta, não devemos revidar, mas sim compreender que a outra pessoa não teve controle sobre suas emoções.

3. *Ser capaz de suportar os sofrimentos próprios do desenvolvimento espiritual.*

À primeira vista, estes tipos de paciência podem parecer covardia ou uma espécie de submissão masoquista. Isto ocorre porque – como Lama Gangchen notou – para nós, ocidentais, a palavra paciência está contaminada pela noção de suportar uma dificuldade, em vez de estar associada à intenção de nos libertarmos dela. Vale a pena repetir aqui a "dica" que ele nos dá: "na próxima vez que você pensar: 'Preciso de paciência com fulano', troque a palavra *paciência* por *espaço* e diga para si mesmo: 'Preciso criar espaço entre mim e fulano'. Não se trata aqui de se distanciar, como numa fuga, mas sim de recuperar sua autonomia emocional".

Se, diante de uma provocação, deixamos de reagir apenas para conter nossa raiva e não buscamos transformá-la, acabamos por implodir e nos tornamos rancorosos. O autocontrole excessivo é uma forma de negar nossas necessidades internas. Já o autocontrole saudável não reprime os sentimentos, e, assim, nos permite lidar diretamente com eles.

Autocontrole advém do *autoconhecimento*. Uma vez que conhecemos e respeitamos nossos limites, somos capazes de manter o autocontrole. Se não temermos nos sentir impotentes diante dos fatos, saberemos o momento certo de parar. Reconhecer nossos limites nos ensina que "dar murro em ponta de faca" irá nos ferir ainda mais. Isto não quer dizer que iremos nos tornar covardes. Ao contrário, desenvolvendo a paciência, conseguimos construir uma autoimagem que nos torna capazes de seguir em frente de forma segura e contínua, sem precisar lutar contra o mundo. A possibilidade de cultivar a paciência advém da força de ir além da negatividade, em vez de interagir com ela.

O Reino dos Infernos Frios: quando o ressentimento desencadeia a autodestruição

Os *Infernos Frios* são regiões de extremo frio, pois tudo está coberto de gelo e neve. Vivenciamos este padrão emocional quando a dor é vista como uma garantia da realidade – quanto mais dor, maior o controle da situação. Como o masoquista, nesta esfera, vive-se preso pela dor física ou emocional.

Enquanto nos Infernos Quentes os seres *explodem*, devido à raiva, nos Infernos Frios, eles irão *implodir,* ou seja, enquanto a mente no Inferno Quente necessita atuar, no Inferno Frio, ela se retrai, tornando-se ressentida e orgulhosa.

Francesca Freemantle[2] explica o que é o *ódio glacial*: "Em vez de partir para o ataque, tentamos congelar as outras pessoas com o nosso desprezo. Em vez disso, nossos corações congelam enquanto olhamos para o mundo com os olhos frios de ódio. Esse mundo congelado é também o inferno da depressão e do desespero, raiva dirigida e aversão enraizada contra nós mesmos. Sentimos um total autodesprezo e não podemos imaginar como jamais seríamos capazes de mudar, porque somos e sempre fomos tão mesquinhos. Como se estivéssemos trancados em um pilar de gelo, somos incapazes de nos comunicar ou responder aos outros. Já que não existe senso de relacionamento, não existem torturadores externos aqui; é um mundo de isolamento encerrado em si próprio".

---

2. Francesca Freemantle, *Vazio luminoso*, Rio de Janeiro, Nova Era, p. 194.

O maior problema deste padrão é o orgulho, pois somos tomados por tamanha hostilidade em relação a nós mesmos, que já nem sabemos como pedir ajuda aos outros. Sentimo-nos impotentes diante de uma "vida ingrata".

Martin Lowenthal alerta:[3] "Assumindo o papel de vítimas e tratando a vida como um problema, atraiçoamos a vida de diversas maneiras", e continua: "Uma parte de nós sabe como estar viva no momento, mas só a traímos fixando toda a atenção na nossa história, a reconstituição histórica da nossa vida. Nossa identidade não nos permite lidar com o presente tal como ele é. Vemo-nos como vítimas e não como autores da nossa experiência atual". Encontrando-nos numa constante atitude de vítimas autoproclamadas, recriminamos tudo e todos. Acabamos nos tornando irônicos e costumamos pensar: "Estou indignado. Por que eu?".

A chave para sair da vitimização já é bem conhecida: aprender a aceitar o que não pode ser mudado. Esta é uma reflexão profunda que requer tempo e honestidade. É o que nos diz a *Oração da Serenidade* adotada pelos Alcoólicos Anônimos no mundo inteiro: "Que Deus me dê serenidade para aceitar as coisas que não posso mudar, coragem para mudar as que posso e sabedoria para distinguir umas das outras".

Os textos budistas descrevem oito tipos de Infernos Gelados. Neles, tudo é completa escuridão e não existe calor, sol ou fogo. No *Inferno das Bolhas*, por exemplo, o corpo dos seres é inteiramente coberto por bolhas provocadas pelo vento gelado; já no *Inferno das Bolhas Estouradas*, o frio é ainda mais intenso e faz com que as bolhas estourem. Os demais infernos são: *aciù,* uma expressão tibetana que quer dizer *"Brrr, que frio",* o dos *gemidos,* dos *dentes que batem,* das *rachaduras,* das *rachaduras semelhantes a uma flor de lótus* e das *rachaduras semelhantes a uma grande flor de lótus.* Em todos há uma representação do processo autodestrutivo somatizado pelo próprio corpo.

Há um conto budista que exemplifica quando este tipo de dor está tão interiorizado que nem percebemos que encontra-se em nosso interior!

Um eremita, percebendo que não conseguia pegar a perna de um carneiro que estava bem à sua frente para cozinhar, reclamou com seu

---

3. Martin Lowenthal, *O coração compassivo,* São Paulo, Pensamento, p. 73.

mestre. Este lhe disse que fizesse uma cruz sobre a perna do carneiro e em seguida a golpeasse. Ele se viu, então, golpeando a si mesmo: havia feito uma cruz sobre o seu próprio peito!

Isto é o que ocorre quando reconhecemos a nossa própria raiva. Neste sentido, o Reino dos Infernos é uma constante caça a si mesmo. Talvez não estejamos conscientemente querendo nos punir, mas cultivar o ressentimento é uma forma de nos condenarmos ao sofrimento eterno.

Portanto, necessitamos urgentemente reconhecer que congelar a raiva em nosso interior irá intoxicar e impregnar o nosso corpo.

A saída deste reino está em aprender a derreter o ressentimento: desistir da raiva, isto é, parar de lutar, de *acusar*, seja algo que está fora ou dentro de nós.

Quanto mais lutamos para tentar destruir aquilo que nos aprisiona, mais sólida e opressiva torna-se a prisão. Somente quando atenuamos a intensidade da nossa agressividade, podemos relaxar e enxergar uma saída, pois descobrimos o espaço e a abertura dentro de nós.

Como sair deste reino

Aqui vão algumas dicas de como sair deste padrão psicológico quando formos tomados por ele:

1. Refletir: "E *se não houver* uma solução para o problema da minha vida pela simples razão de que não existe *um problema?*".

2. *Evite ficar procurando uma causa única para o que aconteceu.* A "verdadeira causa" não pode ser determinada por uma única situação independente. O melhor é assumir o que está acontecendo no presente e olhar para frente.

Rüdiger Dahlke comenta: "Na visão causal das coisas, em última análise, toda manifestação tem uma causa e assim, não só é permitido, como fundamental, tentar também descobrir a causa da causa da causa, mas essa busca nunca chega ao final. A causa primordial de todas as causas não pode ser encontrada".[4]

---

4. Rüdiger Dahlke, *Doença como caminho*, São Paulo, Cultrix, p. 67.

À medida que passamos a ver a realidade como um resultado dinâmico da interdependência, abandonamos a tendência de querer encontrar uma única causa para todos os fenômenos. Afinal, quando depositamos todos os nossos problemas em uma única situação ou pessoa, estamos nos afastando da sabedoria que reconhece a dinâmica que interliga tudo e todos.

Neste sentido, perguntar-se: *"Por que* me aconteceu isso?"* é um modo errado de questionar a realidade interdependente. A pergunta correta é: *"Como* me aconteceu isso?",* nela teremos um verdadeiro relatório de interdependência!

O *porquê* das coisas se darem deste ou daquele modo, na maior parte das vezes, é insondável e corremos o risco de ficarmos rodando em círculos com questionamentos sem fim. Não devemos deixar que o desejo de controle faça com que respondamos a perguntas que não somos capazes de responder. Acabamos ficando pré-tensos e congelamos a dor no sofrimento.

Porém, sempre é possível responder *como* algo se deu, basta refazermos o percurso que nos levou a tal situação. Ao nos perguntarmos *como*, adquirimos gradualmente uma percepção da realidade rica em acontecimentos e possibilidades. Começamos a aprender a dançar com o fluxo da vida.

3. *Responsabilize-se por suas emoções.* Autorresponsabilidade é uma forma de perdão. Perdoar é dar nova vida às coisas. O papel de vítima é uma refinada forma de vingança: condenamos o outro a permanecer para sempre na pior posição. No entanto, como juízes, nós também ficamos presos a este julgamento. No entanto, à medida que encontramos *por nós mesmos* uma nova maneira de lidarmos com a situação que nos oprime, nos tornamos livres dela. Isto só ocorre quando trocamos o papel de vítima pelo de agente transformador.

Gosto muito do comentário de Bert Hellinger a respeito do perdão:[5] "Não se deve pedir perdão. Nenhum ser humano tem esse direito. Quando alguém me pede perdão, empurra para mim a responsabilidade por sua culpa. Da mesma forma, quando alguém se confessa,

---

5. Bert Hellinger, *Ordens do amor*, São Paulo, Cultrix, p. 118.

empurra para o outro as consequências do seu comportamento. [...] No ato de perdoar existe sempre um desnível de cima para baixo, que impede uma relação de igualdade. Pelo contrário, se você diz: 'sinto muito', você se coloca de frente para o outro. Então você preserva sua dignidade, e para outra pessoa é bem mais fácil ir ao seu encontro do que se você lhe pedir perdão".

Vale sempre lembrar: nosso inimigo é nosso melhor mestre na área em que ele nos atinge, pois é ele quem cria as condições para treinarmos o que mais precisamos saber.

A natureza da hostilidade

Quem já não recebeu um golpe de hostilidade quando menos esperava? Basta um gesto brusco, uma palavra desagradável ou um silêncio cortante para sermos atingidos pela dor daquele que declara abertamente estar "de mal" com o mundo e, quem sabe, especificamente com a gente!

A hostilidade é uma energia baseada na agressividade, e tem como intuito declarar guerra: chamar o inimigo para o confronto, disputar um lugar ou uma posição. Baseada no ódio e na irritação com alguém, sua mensagem é clara: desejo prejudicar você!

Assim como diz o ditado popular, "Quando um não quer, dois não brigam", cabe a cada um saber a hora certa de recuar. No entanto, isso não quer dizer que devemos fugir ou desdenhar um aviso de agressão. Como agir diante da hostilidade?

De acordo com a filosofia budista, não cabe a nós julgar a atitude alheia, mas sim cuidar da nossa. Neste sentido, em vez de reagir, podemos sempre escolher *como* agir. No entanto, para manter a calma e a clareza diante da hostilidade, é preciso ter um profundo conhecimento de si mesmo, baseado na certeza de que vale mais a pena o autocontrole do que se submeter à provocação alheia. O controle interior é uma virtude das pessoas que se dedicam ao autoconhecimento.

Podemos ver esta atitude naqueles que são compassivos e gentis por natureza. É admirável observar como os mestres budistas sabem a hora certa de agir ou de recuar, pois uma vez que reconhecem o que se passa com o outro, conhecem também suas reações. No entanto, eles não são submissos aos abusos e declaram assertivamente os limites das situações.

Neste mundo competitivo, muitas vezes a ganância é usada como força-motriz para vencer. Aqueles que não se contentam com o que conquistam por meio de seu próprio esforço usam a hostilidade como uma arma potente, capaz de paralisar os mais suscetíveis às influências externas. Por isso, precisamos estar atentos àqueles que avançam por nossa porta adentro sem pedir licença – os chamados "cara de pau", que acham que têm o direito a tudo a todo momento. Eles sabem que agindo de modo *naturalmente* hostil têm mais chance de conseguir o que querem. De fato, este tipo de comportamento desperta medo, raiva e ressentimento: sentimentos que congelam as emoções e impedem uma reação efetiva.

A hostilidade alheia nos intimida na medida em que não sabemos lidar com nossa própria agressividade. De modo geral, a palavra está associada a uma ideia negativa. No entanto, enquanto força genuína do ser humano para agir e seguir adiante, a agressividade não precisa necessariamente estar contaminada pela raiva. Neste sentido, em vez de surgir como força negativa, ela gera a coragem necessária para enfrentarmos os obstáculos.

Assim, a agressividade é uma autodefesa, isto é, um mecanismo biológico fundamental de adaptação. Ela nos ajuda a lidar com as ameaças de nosso território, tanto físicas quanto emocionais.

É interessante lembrar que a raiva é o primeiro sentimento que nos diferencia dos outros. Enquanto bebês, é por meio dela que gradualmente rompemos a relação simbiótica com nossa mãe e construirmos nossa individualidade. De modo semelhante, será a dor de uma decepção que nos ajudará a abandonar o passado e nos arriscarmos num futuro incerto. Neste sentido, podemos reconhecer que há uma força criativa subjacente ao impulso da agressividade. É ela, e não a raiva em si, que nos impele a seguir em frente. Esta força surge da consciência do mal que algo nos faz, e não do simples fato de nos sentirmos raivosos. É como se, para largarmos uma etapa já vencida, precisássemos escutar um *basta* em nosso interior, alertando-nos com firmeza: "Chega, abandone esta situação, siga em direção à outra!".

Mania de sofrer

A agressividade torna-se uma força-motriz negativa quando está contaminada pelo desejo infantil de que poderíamos escapar das leis da responsabilidade pessoal, isto é, quando acreditamos na ilusão de que alguém pode nos satisfazer em todos os sentidos. A ideia de não merecimento, de sermos vítimas de situações injustas, aumenta nossa raiva interior e nos torna hostis. Querendo ou não, teremos de lidar com os limites alheios para não cultivar uma constante frustração que gera apenas mais hostilidade. Por isso, a hostilidade é uma emoção anterior à ação agressiva; nela mora um secreto desejo de vingança: "Se você não fizer tudo que eu espero de você, irá se arrepender, pois vou me vingar".

Uma vez que não conseguimos expressar a raiva, ela ficará reprimida em nosso interior, pulsando uma mensagem de indignação: "Isso não poderia ter acontecido comigo". Lama Chagdug Rinpoche dizia que críticas são como flechas que atiram em nossa direção, mas na realidade não nos atingem: elas caem no chão. Somos nós que as pegamos e continuamos a nos apunhalar enquanto formos tomados pela indignação: "Ele não poderia ter dito isso, feito aquilo", ou seja, o modo como reagimos às críticas e o tempo que dedicamos a elas é sempre uma questão nossa, e não daqueles que nos criticaram agressivamente.

Se somos tomados pela indignação, perdemos o autocontrole. Desta forma, nossa própria segurança torna-se ameaçada, pois sentimos que podemos explodir a qualquer momento. A hostilidade, uma vez recalcada, cresce interiormente como uma bomba-relógio, intensificando o medo e a insegurança. Quando somos tomados por tal agonia passamos a temer a nós mesmos, pois tememos nossa própria agressividade: desconhecemos o que *ela* pode fazer *conosco*. Quando chegamos a esse ponto nos perguntamos: "O que acontecerá se eu perder o controle?".

A questão é que, quando crianças, aprendemos a recalcar a nossa raiva: tínhamos medo de que, ao expressá-la, iríamos danificar a nossa imagem diante daqueles que representavam uma fonte de segurança para nós, ou de que poderíamos ser castigados por eles ou perder o seu afeto.

O medo de magoar aqueles que cuidaram de nós gerou o sentimento de culpa inconsciente que nos faz sentir responsáveis pelos sentimentos alheios. Por isso, muitas vezes, quando adultos, não demonstramos sentimentos negativos para evitar a ameaça representada pela decepção alheia: "Se eu não te agrado, é melhor você buscar outra pessoa". Assim, preferimos suportar o desconforto interno a correr o risco de decepcionar aqueles que amamos. Diante deles, buscamos preservar a imagem de que estamos plenamente satisfeitos, afinal, *eles são o máximo,* e sendo assim, sempre nos satisfazem! Mas, quanto mais negarmos nossa raiva, mais ansiedade iremos sentir sem compreender a sua razão aparente.

É o *quantum* de raiva internalizada que cada um traz consigo, como parte integrante de sua personalidade, que o faz sentir-se mais ou menos desconfortável. Desta forma, a sensação de inadequação e culpa voltará a surgir todas as vezes que tentarmos expressar a nossa raiva para aquele que amamos. E é essa sensação que nos impedirá de amar verdadeiramente, pois quando sentimos algo ruim em nosso interior, deixamos de nos considerar merecedores de amor.

Por fim, enquanto nos sentirmos prejudicados por alguém ou uma situação, manteremos uma ferida aberta que nos tornará cada vez mais amargos. Até mesmo aqueles que se proíbem de sentir raiva acabam por descobrir que ela está inevitavelmente em seu interior e se tornou uma força destrutiva. Por isso, o melhor é lidar com nossa hostilidade interna.

Seja por meio da psicoterapia ou pela ajuda de amigos íntimos, precisamos começar a ensaiar nossa capacidade de expressar a raiva de forma não destrutiva. O primeiro passo para apaziguar a hostilidade interior é a autocompaixão. Devemos aprender a ver a raiva em nosso interior *simplesmente* como um sinal de que estamos desequilibrados – ou seja, ultrapassamos nossos limites ou não soubemos nos defender, mas não somos *ruins* por isso. Podemos nos dar uma nova chance comunicando o que estamos sentindo. Quando a intenção é o entendimento, encontramos uma forma de nos expressar que não magoa ou destrói o outro. Ainda assim, será necessário que o outro também esteja amadurecido para fazer o mesmo.

Em vez de nos acusarmos ou de redirecionarmos nossa raiva para os outros, podemos parar para observar o que estamos sentindo, dar tempo para o processo de autocura. Desta forma, iremos aprender que nossa agressividade não é uma arma destrutiva, mas sim um alerta de que é preciso dar mais atenção ao que se passa em nosso interior.

Para se defender não é preciso atacar

Gostaria de compartilhar uma lição que aprendi recentemente com uma planta chamada Jurubeba. Foi a primeira vez que parei para observá-la.

Em nosso trabalho de Ecopsicologia, Pete Webb e eu costumamos eleger uma planta não apenas com a intenção de aprofundar nossos conhecimentos sobre ela e seu ambiente, mas também como uma forma de encontrar inspiração para nosso processo de autoconhecimento e evolução interior.

Toda planta traz em suas características uma mensagem sobre como lidar com os desafios da vida e da morte. Cada uma possui sua graça, beleza e força. Algumas podem ser vistas como feias, frágeis, agressivas ou até mesmo perigosas. Mas todas possuem uma lição para nos dar se observarmos como agem diante dos desafios para sobreviver, crescer, reproduzir e morrer. As plantas são vencedoras inatas: elas não desistem facilmente e possuem a sabedoria intuitiva de como caminhar para a luz.

Infelizmente, crescer em direção à luz não é natural em nós como o é nas plantas. Nossos padrões mentais negativos, crenças emocionais condicionadas ao hábito do medo e da dúvida, nos impedem, na maioria das vezes, de nos identificarmos com o positivo!

Pois bem, a Jurubeba é uma pequena árvore da família das *Solanceae* que cresce até três metros em altura. De longe, não chama atenção: não é frondosa e suas flores e frutos são pequenos e delicados. Seu caule é fino, mas extremamente forte. No entanto, seus galhos são flexíveis. Exemplificando, é como uma personalidade de eixo firme que não teme lançar-se no desconhecido.

Mas foi ao comentar sobre os inúmeros espinhos que crescem ao longo de todo seu caule e folhas que Pete me disse: "Ela não tem espinhos para agredir, mas sim para se proteger e captar as informações de que precisa para sobreviver. Imagine que os espinhos são como as torres de TV da Avenida Paulista".

Surpresa, compreendi uma importante postura de vida: podemos manter nossos espinhos eretos, sendo firmes e alertas, mas não precisamos usá-los para ferir ou cutucar os outros quando somos desafiados.

Em geral, costumamos pensar que para nos defender é preciso atacar. Mas *estar antenado* é uma forma pacífica e eficaz de nos proteger!

Podemos ser como a Jurubeba: atenta, firme e flexível, e, ao mesmo tempo, relaxada e conectada com suas próprias forças e com o meio ambiente!

Quando o distanciamento é saudável

Tenho pensado muito sobre a importância de mantermos um distanciamento saudável, seja de nossas próprias emoções e pensamentos, seja de nossos relacionamentos.

Quando digo *um distanciamento saudável,* me refiro a algo similar ao ato de decorar uma sala: intuitivamente nos afastamos até encontrar um ponto ideal do qual poderemos avaliar melhor *o todo,* para então dispor suas partes de modo harmonioso.

A noção de equilíbrio que atribuímos a um ambiente é uma expressão de nosso interior. A maneira como *decoramos* nossa vida revela a dinâmica de nossas imagens internas.

Quando sentamos para meditar ou nos propomos a ficar quietos para pensar melhor sobre algo, nossos pensamentos logo ganham volume e intensidade.

Se soubermos nos manter conscientes nos momentos em que nossas emoções estão sob o efeito de uma lente de aumento, esta ampliação pode ser usada como uma importante técnica de autoconhecimento. Mas, em geral, nos descontrolamos diante de emoções muito fortes, e acabamos por seguir os pensamentos negativos que elas geram. No entanto, quando, nestes momentos de pico emocional, conseguimos *nos ver*, surge um desejo autêntico de nos livrarmos de toda intensidade e, assim, mudanças importantes podem ocorrer em nossa mente.

Com o distanciamento saudável não ficaremos *mornos* diante de nossas emoções! Afinal, a ideia não é deixarmos de *sentir* a nós mesmos, mas sim, sermos capazes de vivenciar nosso mundo interno sem nos perder...

O Budismo nos ensina que, para relaxarmos, temos que reconhecer a natureza transitória dos pensamentos: eles não são tão concretos

Mania de sofrer

quanto podem parecer. O peso que dermos a eles é que fará com que tenham mais ou menos impacto sobre nós.

Sem que percebamos, confundimos a veracidade da realidade externa com nossos próprios pensamentos. Quantas vezes nos surpreendemos ao constatar que o que *pensávamos* existir era mera fantasia!

Inocentemente, *acreditamos* na concretude de nossos pensamentos. É como a ilusão da computação gráfica. Confundimos facilmente o mundo virtual com o real.

A realidade externa é sempre diferente da ideia que temos dela. Nossas avaliações precisam ser constantemente revistas. Ironicamente, o que pensamos pode não existir, mas tudo existiu primeiro na mente de alguém...

Em geral, damos um peso extra e uma forma maciça aos nossos pensamentos. Quando reconhecemos que eles são projeções mentais, começamos a ter uma atitude de mais espaço diante deles: um distanciamento saudável.

Lama Gangchen nos lembra que devemos nos soltar como um pássaro no céu: "Os aviões deixam uma trilha branca no espaço, mas os pássaros não deixam rastro algum. Quando surgem pensamentos, enquanto tentamos nos concentrar focados na natureza da mente, não devemos segui-los. Devemos deixar que eles passem livremente, até desaparecer no espaço. Os pensamentos produzem desenhos, causando uma turbulência energética no céu interno de nossa mente. Se lhes damos atenção, ficam mais energizados e a turbulência torna-se mais forte. Precisamos deixar os pensamentos passar, sem apego ou rejeição, e nos concentrar na tentativa de enxergar o espaço em nossa mente".[6]

O autoconhecimento surge à medida que aceitamos nos soltar das velhas crenças e relaxar para rever nossas ideias de um modo menos tenso e mais próximo ao real.

Nosso *Eu* está preso ao condicionamento de que há segurança na tentativa de controlar a mente, isto é, permanecermos fiéis aos mesmos pensamentos. No entanto, só quando abandonarmos a tensão desta

---

6. Lama Gangchen Rinpoche, *Ngelso – Autocura tântrica III*, São Paulo, Gaia, p. 398.

contínua luta para manter o controle é que iremos nos abrir para encontrar uma nova possibilidade de evolução interior.

Conforme nos tornamos mais flexíveis, conquistamos mais espaço em nosso mundo interior. Assim, cultivamos uma sensação natural de inteireza e bem-estar.

Manter um distanciamento saudável de nossas próprias ideias é como segurar as rédeas de um cavalo: se quisermos escolher por onde vamos, teremos que mantê-las esticadas pela nossa própria força. Há uma medida justa. Se as segurarmos firme demais, o cavalo irá parar. Mas se soltarmos demais as rédeas, o cavalo irá disparar e comandar a direção de nosso passeio. Aliás, assim como nossos hábitos mentais, o cavalo prefere sempre voltar correndo para o seu pasto conhecido. Se quisermos enveredar por novos caminhos para evoluir, teremos que comandar o trajeto!

VIII

O Reino dos Fantasmas Famintos: quando os sentimentos de insuficiência e inadequação geram constante insatisfação

Você já se deu conta de que existem certas pessoas que jamais conseguimos agradar? Aliás, toda vez que tentamos fazê-lo, elas se aproveitam de nossa tentativa de aproximação para reclamar daquilo que nós *não* fizemos. Quando este padrão de relacionamento se manifesta, estamos nos confrontando com o Reino dos Fantasmas Famintos, marcado pelo desejo insaciável de querer sempre mais.

Esta é a terceira esfera inferior da Roda da Vida; portanto, ela também revela os estados mentais sustentados por contínuas experiências de escuridão, desânimo e descrença em nossa própria força interior.

O Reino dos Fantasmas Famintos, também conhecido por *Pretas*, é habitado por seres que possuem um apetite insaciável, e por isso estão continuamente lamentando a falta de algo que lhes traga *mais* satisfação. "Como fantasmas famintos queremos devorar a vida, crendo que assim nos sentiremos mais ricos. Temos um apetite eterno por novas experiências capazes de preencher o nosso vazio. Insatisfeitos, vemos a vida como um obstáculo entre nós e aquilo que queremos. A dor da frustração aumenta quando percebemos que não podemos alcançar

Mania de sofrer

aquilo que almejamos. E isso, por sua vez, intensifica a sensação de inadequação, que só atiça a nossa voracidade."[1]

Lama Gangchen nos disse certa vez que, devido à crescente poluição do meio ambiente, assim como de nossa mente, os Seis Reinos estão cada vez mais próximos e mesclados entre si. Particularmente, acredito que nós estamos cada vez mais perto da mentalidade do Reino dos Fantasmas Famintos. Por exemplo, aqueles que praticam crimes e roubos de qualquer espécie, fazem-no porque estão ávidos por ter algo que, através do seu próprio esforço, jamais obteriam. Sem falar do crescente vício em drogas, pois elas são o alimento predileto dos Fantasmas Famintos: uma promessa de satisfação que nunca pode ser cumprida completamente.

Nossa sociedade cresceu demasiadamente e perdeu o sentido de comunidade, isto é, de assegurar que cada membro seja ouvido e consiga contribuir com os dons que trouxe ao mundo de forma apropriada. Diante de tanta violência urbana e desequilíbrio ecológico, nos sentimos cada vez mais perdidos, incapazes de gerar transformações significativas. Esta visão é claramente exposta por Sobonfu Somé quando escreve sobre os princípios de convivência cultivados nas tribos africanas: "Quando você não tem uma comunidade, não é ouvido; não tem um lugar em que possa ir e sentir que realmente pertence a ele; não tem pessoas para afirmar quem você é e ajudá-lo a expressar seus dons. Essa carência enfraquece a psique, tornando a pessoa vulnerável ao consumismo e a todas as coisas que o acompanham. [...] Quando não descarregamos nossos dons, vivenciamos um bloqueio interior que nos afeta espiritual, mental e fisicamente, de muitas formas diferentes. Ficamos sem ter um lugar para ir, quando temos necessidade de ser vistos".[2]

Quanto menos exploramos nossos dons, mais caímos na forma-pensamento do Reino dos Fantasmas Famintos, pois nos sentimos cada vez menos capazes de produzir e de nos sustentar em todos os sentidos.

Cabe ressaltar que a autoestima na esfera dos Fantasmas Famintos é muito baixa! Enquanto os estados mentais dos Reinos Superiores da Roda da Vida (Deuses, Semideuses e Humanos) são sustentados por

---

1   Martin Lowenthal, *Coração compassivo*, São Paulo, Pensamento, p. 87.
2   Sobonfu Somé, *O espírito da intimidade*, São Paulo, Odysseus, p. 35.

atitudes de força, poder e arrogância, a vivência dos Reinos Inferiores é de total incapacidade de ação.

Na esfera dos Semideuses, por exemplo, a inveja surge como força desencadeadora do espírito de competição com relação aos deuses, com quem eles pretendem se igualar. Mas no Reino dos Fantasmas Famintos ela assume proporções mais densas, desencadeando o desejo de destruir o que o outro possui. Afinal, neste estado mental não há crença na capacidade de fazer algo por si mesmo; por isso, vive-se o desejo de querer mais sem nenhuma condição para obtê-lo!

Estes seres possuem estômagos estendidos, barrigas enormes; suas gargantas são muito estreitas e suas bocas são tão pequenas como a cabeça de um alfinete, ou seja, sua fome é enorme, mas as chances de saciá-la são mínimas. Suas pernas são finíssimas e muito frágeis: eles não conseguem se autossustentar!

Além do mais, quando abrem suas bocas, lançam involuntariamente chamas de fogo que queimam os alimentos. Uma vez que não conseguem satisfazer sua imensa fome, ocupam-se constantemente em suprir a sensação de insuficiência. Daí o padrão emocional deste Reino estar relacionado à ganância, à necessidade incontrolável de obter posses e riquezas além de suas condições.

O maior problema com a ganância é que ela não inclui a experiência da satisfação, pois sua meta é *ter* e *ser* sempre mais. Como perdemos a capacidade de desfrutar nossas conquistas, tornamo-nos sempre famintos e carentes.

Não devemos confundir ganância com ambição. A ambição prevê uma evolução, isto é, o desejo de atingir metas mais elevadas. Já a ganância quer simplesmente mais, não se importa com um crescimento qualitativo, pois ela é essencialmente quantitativa. A pessoa gananciosa é aquela que não vê limites para ganhar o que deseja. Ela não tem nenhuma ética, nenhuma consideração de respeito às demais pessoas. Para o ganancioso, os fins justificam os meios.

Existem três tipos de Fantasmas Famintos:

1. *Aqueles que sentem sede e fome a todo o momento*. Embora exista água ou comida perto deles, eles não conseguem percebê-las por causa dos obstáculos externos gerados por seu karma negativo.

Caso consigam percebê-las, sentem enorme frustração ao serem impedidos de alcançá-las.

2. *Aqueles que conseguem beber ou comer, mas a comida ou a bebida se transforma em substâncias horrendas*: resultado dos obstáculos internos gerados por seu karma negativo.

3. *Aqueles que não conseguem satisfazer sua fome e sua sede, porque os alimentos os envenenam.*

Os Fantasmas Famintos também experienciam seis sofrimentos gerais:

1. *O sofrimento do calor*: sentem intenso calor.

2. *O sofrimento do frio*: sentem um frio muito intenso.

3. *O sofrimento da fome*: sentem fome por centenas de anos. E, se consomem algo, o alimento transforma-se em fogo em seu estômago.

4. *O sofrimento da sede*: sentem sede por centenas de anos. E, se consomem algo, a bebida transforma-se em ácido em seu estômago.

5. *O sofrimento da fadiga*: exaurem-se na busca de comida e bebida que desaparecem como uma miragem.

6. *O sofrimento do medo*: estão constantemente assustados com a possibilidade de serem destruídos por Fantasmas Famintos maiores ou por ferozes guardiões que protegem a comida e a bebida.

Como podemos ver, neste Reino, o sofrimento é intenso, pois o padrão mental está sempre contaminado por ansiedade, ilusão e medo.

Se quisermos nos liberar da insatisfação constante, precisamos ser capazes de ter prazer na satisfação. Para isso, teremos que compreender a profunda natureza do desejo.

O Budismo nos ensina que o problema não se encontra em nossos objetos de desejo em si, mas sim nas convicções que temos a respeito deles. Se as qualidades dos objetos de desejo fossem próprias deles, eles nos despertariam sempre as mesmas sensações. No entanto, o que hoje considero como algo profundamente atraente, em outro momento posso considerar repugnante. Todos nós já experimentamos desejo e aversão por uma mesma pessoa, ou seja, a primeira coisa que devemos ter em mente é que nada existe por si só, tudo resulta de nossas percepções.

Neste sentido, a origem da insatisfação de um desejo está em nosso hábito de nos apegarmos aos prazeres sensoriais como se eles fossem algo real e, portanto, constante. Quantas qualidades ilusórias atribuímos às coisas e às pessoas, pensando que elas poderiam existir por elas mesmas independentemente de nossos humores!

Afinal, o que é a inveja?

A inveja é algo intrigante. Apesar de todos nós a experimentarmos, ninguém gosta de admitir quando a sente. Afinal, é um sentimento controverso, pois indica que *algo positivo* (no outro) desperta *algo negativo* (em nós).

Vamos imaginar uma conversa entre pessoas que estão "jogando papo fora". Do nada, alguém começa a falar das coisas boas que estão lhe acontecendo. Quantos rostos e mentes diferentes surgem naquele momento! Poucos expressam interesse real e se regozijam com sinceridade. A maioria sente inveja, mesmo que não se dê conta...

Alguns expressam sua inveja com brincadeiras de "mau gosto". Outros, calados, costumam pensar: "Que pessoa exibida! Como gosta de contar vantagem!". Já aqueles que não conseguem conter o ardor da inveja queimando no seu interior, passam a criticar, com a intenção de depreciar abertamente a boa sorte alheia. Há ainda aqueles que passam a dar conselhos para aparentemente ajudar aquela pessoa a *garantir* o seu sucesso; no entanto, o fazem motivados pelo desejo (inconsciente?) de gerar no outro insegurança a respeito do seu triunfo.

Desvalorizar o outro ou o que ele conseguiu é uma antiga estratégia do invejoso já popularizada no ditado: "quem desdenha, quer comprar". Esta também é a ideia central da fábula *A raposa e as uvas* que conta a história de uma raposa que tenta comer um cacho de convidativas uvas. Não tendo sucesso em alcançá-las, se afasta, dizendo que as uvas deviam estar verdes.

A inveja é destrutiva tanto para quem a sente quanto para quem é alvo dela

Quem já não vivenciou uma sensação de desconforto capaz de gerar mal-entendidos quando alguém resolve dar boas notícias? Muitas vezes, nesses momentos, o clima pesa, e não é raro mudar-se de assunto. Quando ocorre uma perda de empatia entre as pessoas, todos sofrem: quem deu a notícia sente-se só e arrependido e quem a escutou, sente-se incomodado e talvez nem saiba o porquê.

O senso comum concorda que é melhor se precaver. *Olho gordo* é um nome popular para a inveja. "Quando estamos vivendo uma situação muito boa é melhor calar para evitar mau-olhado", pois, quando o invejado toma para si as projeções negativas do invejoso, acaba por concretizá-las.

O tema que provoca a inveja é sempre alguma coisa que poderia revelar o que está faltando na personalidade do invejoso. É como se o invejado, sem se dar conta, desvendasse aquilo que o invejoso jamais gostaria que viesse à tona.

Neste sentido, para não se deixar contaminar pelo veneno da inveja, o invejado deve observar com honestidade sua reação frente ao ataque do invejoso. Se ele estiver livre das questões expostas pelo invejoso, sua clareza de intenção irá protegê-lo do possível ataque do "olho gordo".

O rabino Nilton Bonder nos alerta: "É fundamental que entendamos também que o mau-olhado não existe unilateralmente. Ele é emitido e percebido, e ambos, tanto o emissor como o receptor, são responsáveis pelo mau-olhado. Basta um defletir este olhar e ele é imediatamente cancelado. Para os rabinos, a única forma de defletir ou neutralizar o mau-olhado é através do *ain há-tov*, o "bom-olhado". Uma explicação do rabino de Ger vai nos auxiliar. Dizia ele: 'Somos aconselhados pelo salmista (Salmo 34:15) a abandonarmos o mal e então realizar o bem. Eu acrescentaria que, se você tem dificuldades de seguir este conselho, você pode primeiro realizar o bem; o mal irá, automaticamente, afastar-se de você!'. Em outras palavras, se temos dificuldades de evitar maus-olhados em relação a uma pessoa, talvez

O Reino dos Fantasmas Famintos

devamos mudar de estratégia e buscar simplesmente enviar bons-olha-dos em direção à mesma pessoa".[3]

Um bom método para neutralizar a aversão que sentimos por alguém, e nos tornarmos capazes de enviar-lhe *bons-olhados*, é imaginar a pessoa regredindo de idade, até que chegue a ter a aparência pela qual sentimos a empatia necessária para desejar honestamente algo de positivo para ela. Depois de fazer isso, a visualizamos crescendo até a idade atual!

Outra dica é seguir os conselhos do escritor russo Pasternak: "Quando você não pode olhar dentro da alma de alguém, tente ir embora para depois voltar". De fato, quando nos distanciamos, criamos a oportunidade para que ambos (nós e o outro) possam mudar e voltar com uma nova postura.

Quando somos criticados por avaliações contaminadas pela inveja, podemos nos sentir injustiçados e vulneráveis frente ao ataque externo. Neste momento, é bom lembrar que é praticamente impossível sermos compreendidos por todos, assim como é inviável agradar a *gregos e troianos*. O importante é mantermos o foco em nossas metas. Só assim, seremos capazes de não nos deixar contaminar pela inveja alheia, que sempre pode estar presente de uma forma ou de outra.

Segundo o *Novo Dicionário Aurélio*: "Inveja é o desgosto ou pesar pelo bem ou pela felicidade de outrem. Desejo violento de possuir o bem alheio". Já o *Dicionário de Psicologia Dorsch*[4] esclarece: "A inveja pertence aos sentimentos intencionais. É uma insatisfação, o aborrecimento com a alegria do outro". Portanto, aquilo que é invejado é encarado como algo de muito valor.

A inveja surge do sentimento de que somos incapazes de viver nossos próprios sonhos, de alcançar nossas metas e realizarmo-nos. Assim, a simples proximidade daqueles que realizaram algo pode nos fazer lembrar aquilo que não fomos capazes de fazer. No entanto, é importante ter em mente que a sensação de incapacidade – matriz da inveja – muitas vezes deve-se a uma escolha inadequada de metas.

---

3. Nilton Bonder, *Cabala da inveja*, Rio de Janeiro, Imago, p. 191.

4. *Dicionário de Psicologia Dorsch*, Rio de Janeiro, Vozes, p. 508.

Frequentemente deixamos de dar valor àquilo que somos capazes de realizar ou que já realizamos e damos importância apenas ao que está fora do nosso alcance. Desse modo, cultivamos a sensação de desvalia, própria do invejoso.

A inveja é um dos sentimentos mais difíceis de aceitar, pois tem um forte componente inconsciente. Isto ocorre porque ela se forma muito cedo, nos primeiros meses de vida, e surge justamente em relação a quem nos alimenta!

A frustração gerada pela impossibilidade de obtermos o alimento no momento em que desejamos gera raiva de quem tem o alimento. Com inveja, queremos destruí-lo. Como podemos constatar, trata-se de um sentimento primitivo, pouco elaborado.

A inveja baseia-se no sentimento de inferioridade adquirido pela comparação feita com outra pessoa em algum aspecto específico. Bert Hellinger afirma: "Inveja significa querer algo sem querer pagar seu preço".[5]

As impressões registradas no psiquismo durante os primeiros meses de vida são de grande relevância para o desenvolvimento posterior. Quando a criança não consegue sentir que é capaz de modificar seu ambiente (quem a alimenta), fica com um sentimento "eterno" de impotência: um sentimento profundo de inadequação e insuficiência.

Esta é a base da inveja: supervalorizar os outros (que podem, segundo a fantasia do invejoso, fazer tudo) e esvaziar a si mesmo (que, em contrapartida, seria inferior e não poderia fazer nada). Assim, nasce o desejo de esvaziar o outro para igualar a questão.

Podemos dizer que a inveja é composta de quatro elementos que são necessários para que ela se instale: admiração, comparação, constatação de uma falta e tentativa de eliminá-la. Ela sempre parte da admiração de algo em alguém com quem o indivíduo passa a se comparar. Ao constatar que esse "algo" lhe falta, ele busca eliminar a insuficiência percebida, atacando quem o possui.

Numa luta secreta e constante, aquele que se sente insuficiente tenta esconder sua vergonha de ser incapaz. Assim, procurando evitar qualquer situação que o faça se sentir mais humilhado, ele ataca antes de ser

---

5. Bert Hellinger, *Constelações familiares*, São Paulo, Cultrix, p. 89.

atacado. Isto é, *ele compete sozinho*. A competição é um hábito do invejoso, pois ele tem dificuldade de receber ajuda, fazer junto e cooperar.

A inveja impossibilita o sentimento de gratidão. O invejoso tem, até mesmo, dificuldade de receber presentes, pois ele teme qualquer situação que possa revelar sua autoimagem de carência e necessidade. Por isso, quando os recebe, procura logo retribuí-los. Na verdade, o invejoso é incapaz de acreditar que o outro possa lhe dar algo de bom grado, e sempre imagina que o intuito é humilhá-lo. Muitas vezes, a dificuldade de delegar tarefas também pode estar relacionada à inveja.

Se prestarmos atenção às qualidades do objeto, pessoa ou situação que costumam nos causar inveja, poderemos compreender melhor aquilo que nos sentimos incapazes de conquistar. Neste sentido, a inveja é um espelho que revela uma parte de quem somos, onde estamos e para onde queremos ir.

Saber para onde queremos ir é a condição básica para sair da imobilidade, pois é um estímulo para tomarmos uma atitude proativa diante de nossas dificuldades. Por isso, ao reconhecermos os padrões emocionais que sustentam nossa inveja, poderemos torná-la um método eficiente para diagnosticar nossas faltas. Desta forma, poderemos transformar a inveja numa força inspiradora de conscientização.

Talvez não possamos modificar nada ao nosso redor. Mas, ao aprendermos a lidar com nossos sentimentos negativos, poderemos mudar nossa atitude mental e atrair o novo para nossa vida. Thomas Moore faz um comentário interessante em seu livro *Cuide de sua alma*:[6] "Por um lado, a inveja é o desejo por alguma coisa, e por outro, é uma resistência ante o que o coração realmente quer. Mas inveja, desejo e abnegação trabalham juntos para criar um senso característico de frustração e de obsessão. Apesar de a inveja ter um ar masoquista – a pessoa invejosa acha que é uma vítima de má sorte –, ela também envolve forte vontade na forma de resistência ao destino e ao caráter. Quando invejosa, a pessoa torna cega a sua própria natureza. [...] O verdadeiro problema da inveja não é a capacidade do indivíduo viver bem, é a sua capacidade de não viver bem".

---

6. Thomas Moore, *Cuide de sua alma*, São Paulo, Siciliano, p. 109.

Como sair deste reino

1. Como o veneno mental dos Fantasmas Famintos está baseado na inveja, o antídoto para sair deste reino é a *prática do regozijo*: alegrar-se com as ações virtuosas alheias.

2. Para nos libertarmos da insatisfação, teremos que superar um hábito extremamente arraigado: o de buscar a felicidade eterna em alguém ou em algo que, em essência, é transitório. Para tanto, teremos que começar por reconhecer *que nossas projeções sobre elas são exageradas*, ou seja, sofremos de insatisfação porque atribuímos aos nossos objetos de desejo qualidades que não estão neles, mas sim em nossa mente!

Neste sentido, o Budismo nos fala para renunciarmos à esperança de encontrarmos uma satisfação interior no mundo externo. É importante compreender que *renúncia* não significa abandonar o prazer ou negar a felicidade, mas sim abandonar nossas expectativas de que *algo* será capaz de nos satisfazer completamente.

O Budismo Tibetano não se opõe ao prazer, nem o considera como algo a ser evitado, como se ele fosse a origem de nossos pecados... Aliás, a palavra *pecado* nem existe no vocabulário tibetano. A origem de nosso sofrimento está no desejo contaminado que exagera a experiência de prazer a tal modo que nos torna tensos quando excitados. Como diz o ditado budista: "o desejo contaminado é como lamber mel numa lâmina afiada!".

Lama Yeshe explica[7] que o termo tibetano geralmente traduzido por "renúncia" tem um significado literal de "saída definitiva" ou "transformar-se em autêntico". Ele indica uma decisão profunda e sincera de emergir definitivamente das profundas frustrações e insatisfações da vida ordinária. "Em termos simples, a renúncia é a sensação de estarmos tão fartos de nossos problemas recorrentes que nos vemos finalmente prontos para nos afastarmos de nossos apegos a isto e a aquilo, e para começarmos a buscar outro modo de tornar a vida satisfatória e significativa. Assim, o cultivo da renúncia, ou da 'saída definitiva', envolve o

---

7. Lama Yeshe, *La via del tantra* (*O caminho do tantra*), Itália, Chiara Luce Edizioni, p. 57.

abandono desses hábitos grudentos de apego que nos impedem de vivenciarmos nosso maior potencial humano."

Lama Yeshe ressalta que existem certos momentos na nossa vida em que os nossos sentidos se retraem dos objetos e nós experimentamos aquilo que pode ser chamado de um *desapego natural* ou uma *renúncia natural*.

Nestes momentos, podemos compreender que desapegar-se não significa desconectar-se do mundo à nossa volta, mas, sim, ter uma relação mais relaxada, menos gananciosa. Neste sentido, desapegar-se não significa abandonar completamente qualquer coisa, mas, sim, acalmar o nosso desejo.

Uma vez serenos, seremos capazes de confiar em nossa própria capacidade de sentir prazer. Afinal, enquanto estivermos presos ao desejo de querer mais, sentiremos tensão e medo, sentimentos próprios do padrão emocional dos Fantasmas Famintos!

Quanto mais compreendermos que os prazeres imediatos não são capazes de nos dar a felicidade duradoura que desejamos, mais valor daremos ao nosso desenvolvimento interno. Neste sentido, estaremos cultivando metas de felicidade mais elevadas: a realização da nossa verdadeira natureza essencial.

"Quando nós não reconhecemos a natureza pura da manifestação da sabedoria, somos tirados da condição da mente desobstruída obscurecendo a sua intrínseca vacuidade e luminosidade e separamos os fenômenos indivisíveis em sujeito e objeto. Enquanto houver divisão, haverá impureza e obstrução. Com essa divisão, o Eu torna-se sujeito, e o que esse Eu percebe torna-se o objeto. [...] Com essa divisão, existe um constante movimento para trás e para frente, entre sujeito e objeto, que é começo da noção de direção e tempo, entre as circunstâncias causais e consequentes, entre rejeição e aceitação de fenômenos desagradáveis e agradáveis, entre más e boas intenções, e entre dúvida e esperança. Nós chamamos essa mente dividida de mente dualística, que é a causa do mal e do bom karma", explica Thinley Norbu.[8]

---

8. Thinley Norbu, *Magic dance shambhala*, Boston & London, p. 7.

Enquanto não reconhecermos nossa natureza básica, energética, pura e indivisível, nosso relacionamento com o mundo será a expressão de nossa visão impura, baseada na dualidade do certo e do errado, do bonito e do feio, do que gostamos e do que não gostamos.

Insatisfeitos, avaliamos o mundo externo sempre como algo distante de nosso mundo interno. À medida que formos capazes de reconhecer nossa capacidade natural de satisfação interior, iremos nos aproximar cada vez mais do mundo à nossa volta!

Quando o esforço é excessivo

Esta noite, sonhei que havia me proposto a fazer um recital de piano em homenagem à minha avó que havia falecido. Foi um sonho tenso, no qual eu resistia em admitir que não sabia mais tocar piano. Sofria pelo esforço excessivo de tentar estar preparada para algo que eu, de fato, inconscientemente *sabia* que não estava. Mas, relaxei quando me deparei com o piano que seria usado para o recital: ele estava velho e desafinado... havia uma boa desculpa para eu me sentir aliviada... afinal, eu não poderia tocar naquele piano! Compreendi, então, que não apenas eu não estava pronta, mas as condições também eram inapropriadas! Em seguida, passei a buscar um novo modo de homenagear minha avó: fui perguntar às pessoas que viriam ao recital como elas poderiam participar da cerimônia...

Este sonho me fez pensar sobre a importância de explorarmos mais os recursos à nossa volta quando nos sentimos despreparados diante de um desafio.

Quando nosso esforço torna-se excessivo, é sinal de que nos tornamos rígidos e, portanto, há *algo* que devemos mudar; do contrário, não teremos força para seguir adiante.

Nossas metas podem continuar as mesmas, mas, o modo de atingi-las deve ser alterado: podemos encontrar uma maneira mais realista de agir, que esteja de acordo com as nossas condições e habilidades.

São tantas as vezes que nos autoimpomos expectativas exageradas que nem nos damos conta de que já ultrapassamos nossos limites!

Quando a tendência de abusar de nossas próprias forças torna-se um hábito, já nos distanciamos de nós mesmos, paramos de nos ouvir, perdemos a capacidade de nos alertar de que é hora de voltar!

Ao escrever esta frase, me veio à mente uma imagem clara desta ideia: minha filha tem um cão (da raça *Golden Retriever*) que adora nadar no mar em direção ao horizonte. Ela fica apreensiva ao vê-lo indo embora, fascinado em nadar sempre em frente, pois teme que ele não tenha forças para voltar. Então, grita inúmeras vezes seu nome, chamando-o de volta. Creio que temos que fazer o mesmo conosco quando percebemos que já não estamos medindo esforços para atingir nossos objetivos. Muitas vezes, estamos tão fascinados pelos horizontes que se abrem à nossa frente que esquecemos de olhar como andam nossas forças!

Não se trata de pensar *pequeno*; podemos (e devemos) ter metas tão elevadas como a de atingir a Iluminação em benefício de todos os seres, mas se não reconhecermos nossos limites, estaremos fadados a nos esgotar.

O medo e a inquietação são sinais de alerta, informando que ultrapassamos nossas capacidades. Eles nos mostram onde estamos frágeis e vulneráveis para seguir nosso combate. Quando *algo* nos deixa inquietos, significa que estamos perdidos: precisamos nos reorientar, pois provavelmente a *sede* com que fomos *ao pote* nos enrijeceu. Precisamos nos tornar flexíveis novamente, ver o caminho sob um novo prisma. No caminho da evolução interior, precisamos constantemente *desaprender* para voltar a *aprender*!

Em vez de nadar alucinadamente em direção às nossas metas, podemos parar para resgatar nossas forças antes que elas se esgotem, bem como para rever nossas estratégias antes que elas se tornem impraticáveis.

Creio que isso seja particularmente importante quando estamos engajados em fazer mudanças radicais em nossa vida: quando queremos nos divorciar, mudar de emprego, de cidade ou até mesmo quando do *sabemos* que estamos diante da morte. Não precisamos nos deixar intimidar pelas dificuldades que surgem nesses momentos, mas aceitar o quanto e onde estamos despreparados é, em si, uma atitude saudável que sempre irá nos ajudar.

Admitir que nossos esforços são excessivos é, com certeza, o primeiro passo. Em seguida, precisamos nos abrir para um novo aprendizado. Como o sonho me inspirou, uma boa dica pode ser buscar ajuda com os outros! Por exemplo, podemos começar tendo a curiosidade de saber como outras pessoas enfrentaram desafios semelhantes aos nossos. Como diz Dugpa Rinpoche: "Indo em direção aos outros, tu te descobres a ti mesmo. Torna-te vulnerável e desprotegido. É então que o coração se põe a brilhar".[9]

Quando a calma é um sinal de confirmação

São muitas as situações em que nos orientamos por uma sintonia fina para saber se fizemos o que era melhor. Há um certo tipo de calma que surge como uma confirmação: intuitivamente sabemos se *está tudo bem ou não*.

Por meio da auto-observação, aprendemos a identificar diferentes formas de ansiedade e níveis de calma que nos informam o que queremos saber de uma determinada situação.

Há um certo tipo de inquietude que atua como o soar de um alarme interno nos alertando quando algo não vai bem. Em geral, quando conseguimos identificar a origem do nosso mal-estar, sentimos certo alívio, pois agora *sabemos* "o que estava acontecendo".

Nossos corpos funcionam como radares: captam os acontecimentos e nos informam como agir, se devemos recuar, parar ou atacar. No entanto, infelizmente, não fomos educados para reconhecer estes sinais e, por isso, não lhes damos a devida atenção. As pessoas mais sensíveis sabem ler esses sinais em seu próprio corpo: sons na barriga, zumbidos nos ouvidos, arrepios ou calafrios, que lhes revelam mensagens sobre a natureza de certa situação.

Aliás, segundo o Dr. Joseph LeDoux, autoridade reconhecida do campo da ciência neurológica, afirma: "O sentido emocional de um estímulo pode começar a ser avaliado pelo cérebro antes que os sistemas de percepção tenham processado inteiramente o estímulo. De fato, o

---

9. Dugpa Rinpoche, *Princípios da vida*, Rio de Janeiro, Nova Era, p. 37.

cérebro pode saber que algo é bom ou mau antes de saber do que se trata exatamente".[10]

Portanto, podemos aprender a observar nosso corpo para aumentar nossa capacidade de contato com a realidade exterior. Não existe tempo e distância para esta forma de comunicação. Ela é direta e imediata, como um pêndulo que nos informa *sim* ou *não.*

O modo como respiramos também pode nos dar indicações sobre a natureza das situações. Respirar de forma superficial revela vulnerabilidade. Já a respiração lenta e profunda indica que estamos confiantes e seguros. A respiração é a inteligência do corpo.

Muitas vezes, evitamos prestar atenção às sensações físicas porque elas despertam emoções desconhecidas, ligadas à percepção sutil de nosso corpo. Mas vale a pena procurar senti-las. Por exemplo, sentir certo mal-estar ao ouvir uma pessoa dizendo algo aparentemente positivo, pode indicar que estamos sendo enganados. Nosso corpo vibracional *sabe* quando estamos sendo trapaceados! Por isso, quando nos sentirmos desconfortáveis diante de uma situação, devemos prestar atenção nela, procurar rever o que ocorreu para nos certificarmos de que realmente está tudo bem!

Se soubermos seguir as mensagens do corpo, estaremos rompendo os hábitos impulsivos da mente. É o que ocorre, por exemplo, quando nossa *mente*, ligada no piloto automático, nos diz para agir, mas nosso *corpo* nos fala para pararmos. O corpo não mente, sua linguagem intuitiva é direta. A mente lógica contaminada pelos padrões de autocrítica excessiva, encontra *desculpas nobres* para nos manter presos aos padrões antigos. Em outras palavras, devido ao nosso medo de lidar com o desconhecido, evitamos um novo olhar para a realidade criando justificativas que nos mantêm prisioneiros de uma visão única da realidade.

No entanto, podemos ter desaprendido a escutar as mensagens de nosso corpo! Como diz Carmem Renée Berry:[11] "O medo é um sentimento que muitos de nós trazemos oculto em nossos corpos. Por isso, quando nos vemos diante de possibilidades de sermos fisicamente tocados, podemos ter uma sensação mal definida de perigo. Em geral, o

---

10. Joseph LeDoux, *O cérebro emocional*, Rio de Janeiro, Objetiva, p. 63.

11. Carmem Renée Berry, *Memória corporal*, Rio de Janeiro, Nova Era, p. 217.

medo se oculta nos nossos músculos na forma da lembrança de um trauma passado, podendo ser transferido para os braços, pernas, tórax, pescoço, dedos, pés ou outras partes do corpo. Às vezes, temos medo da própria experiência do toque, desconfiando de qualquer pessoa que venha em nossa direção. Enquanto alguns têm os sentimentos bloqueados, outros têm medo de ser envolvidos pela emoção. O toque pode assumir um significado mágico, dando a impressão de ter mais poder do que realmente tem".

Por isso, é sempre melhor respeitar nossos limites e aos poucos ir ampliando novas possibilidades. Se o fato de sermos tocados nos leva a algum tipo de tensão, podemos tentar resolver esse desconforto massageando os próprios pés antes de dormir e ao acordar. Devemos massagear a barriga e as mãos sempre que lembrarmos! Quando prestamos mais atenção ao nosso corpo, estamos aumentando a capacidade de compreender nossos sentimentos.

A melhor maneira de encontrar a verdade consiste em confiar plenamente em nossos sentimentos, e colocá-los em ação para avaliar suas dimensões diante da realidade. É preciso treinar a capacidade de confiar em nossa intuição – acreditar no que sentimos mesmo que, pela lógica, não faça sentido.

Deepak Chopra também compartilha da ideia que nosso coração é intuitivo porque está conectado ao computador cósmico, ao campo da potencialidade pura:[12] "Às vezes pode até parecer irracional, mas o coração tem uma capacidade mais acurada e muito mais precisa de processar dados do que qualquer outra coisa que exista nos limites do pensamento racional".

Inclusive ele nos ensina como aprender a sentir o corpo para sabermos se estamos tomando uma decisão correta: "Há um mecanismo muito interessante no universo para ajudar a fazer escolhas espontaneamente corretas. Esse mecanismo relaciona-se com as sensações físicas. Nosso corpo conhece dois tipos de sensações: uma é a do conforto, a outra é a do desconforto. Imediatamente antes de fazer uma escolha consciente, observe seu corpo enquanto faz a pergunta: 'Se eu escolher isso, o que acontecerá? Se seu corpo enviar uma mensagem de conforto,

---

12. Deepak Chopra, *As sete leis espirituais*, São Paulo, Best Seller, p. 42.

é a escolha certa. Se seu corpo enviar uma mensagem de desconforto, a escolha não é adequada. Para alguns, a mensagem de conforto e desconforto se dá na região do plexo solar. Para a maioria, no entanto, se manifesta na área do coração. Conscientemente, preste atenção nessa área do coração e pergunte a ele o que fazer. Depois, espere uma resposta física, na forma de sensação, mesmo que seja muito leve. O importante é que está lá, em seu corpo'". Precisamos aprender a manter a calma para receber as informações do corpo. A impaciência nos cega. Para vermos com clareza, precisamos descansar a agitação mental.

A calma surge do autocontrole, da autoconfiança e da clareza mental. Portanto, ela é o resultado de um somatório de qualidades internas que precisam ser cultivadas.

Ao nos familiarizarmos com as mensagens de nosso corpo, teremos a capacidade de usar este eficiente instrumento de avaliação. Portanto, agora só falta começar a treinar: fique atento aos sinais de seu corpo e procure escutá-lo: "O que ele está querendo me dizer?". Você pode se surpreender com a precisão e rapidez da resposta!

IX

Os Doze Elos da Existência Interdependente: a mania de sofrer

O quarto e último círculo da iconografia da Roda da Vida está subdividido em doze segmentos: os *Doze Elos da Existência Interdependente*.

Enquanto os *Seis Reinos* representam as diversas formas de hábitos mentais coletivos baseados na ignorância, no desejo e na aversão, os *Doze Elos da Existência Interdependente* mostram como esta dinâmica ocorre na vida individual.

Os Elos revelam como se dá a cadeia de ação e reação que determina nossa atual situação existencial: as causas e seus efeitos que nos mantêm presos ao ciclo involuntário de morte e renascimento. Ao estudá-los, iremos percorrer o trajeto que nossa mente vem atravessando desde um tempo sem início...

Além de descrever o processo de existência, o ciclo de vida e morte, os Doze Elos revelam também como ocorrem os estágios de surgimento e dissolução de nosso processo mental. Neste sentido, podemos refletir sobre a natureza das causas e condições interdependentes que nos mantém presos ao hábito de sofrer.

Como ocidentais, estamos acostumados a um pensamento linear, onde o fim não nos conecta ao começo. Além isso, tendencialmente, estamos sempre buscando uma sequência lógica e imediata para compreender o que quer que seja. No entanto, ao estudar os Elos, iremos desenvolver um pensamento circular, mais precisamente em espiral, no qual poderemos compreender como um fator desencadeia outro.

Cada Elo é, em sim mesmo, tanto a soma total de todos os outros Elos como a precondição ou a consequência dos demais. Neste sentido, a resposta para a pergunta: "O que nos leva a nascer?" será simplesmente "Morrer!". Buddha não nos falou sobre a lei da causalidade, mas sim sobre a relação interdependente, na qual as diversas etapas do processo de surgimento e dissolução seguem-se incessantemente umas às outras.

Uma vez que nada pode atuar de modo independente, não há um poder místico controlando os eventos do exterior. Os *Doze Elos da Existência Interdependente* são:

1. A ignorância do apego a si mesmo – ou nascimento grosseiro – ou primeiro nascimento.
2. O condicionamento: ações que criam os renascimentos – ou impulso – ou motivação inconsciente.
3. A consciência relativa – ou nascimento relativo.
4. Nome e forma – ou corpo/mente – ou nascimento propriamente dito.
5. Os seis sentidos.
6. O contato dos sentidos com os objetos.
7. A sensação-sentimento.
8. O desejo.
9. O apego/aversão resultantes do desejo.
10. A existência, o vir a ser.
11. O nascimento de fato.
12. O envelhecimento e a morte.

Ao estudar a cadeia dos Doze Elos Interdependentes vieram-me várias dúvidas que esclareci ao conversar com a psicóloga budista Heloisa C. K. Gioia. Por isso, pedi a ela que participasse deste livro escrevendo um capítulo sobre as características gerais da dinâmica entre todos os Elos.

Heloisa é autora do livro *Um caminho iluminado – Ensinamentos da psicologia budista tibetana sobre o funcionamento das nossas emoções*. Ela tem administrado vários cursos sobre a Roda da Vida e os Doze Elos da Existência Interdependente, inclusive no Centro de Dharma da Paz Shi De Choe Tsog de Lama Gangchen Rinpoche e Lama Michel Rinpoche, em São Paulo.

Conheço Heloisa há vinte anos, quando ambas estávamos começando a trilhar o caminho budista. Em nosso recente encontro, testemunhei seu profundo conhecimento adquirido ao longo destes anos de estudos e práticas, assim como em sua profissão como psicoterapeuta. Sua pronta disposição para colaborar neste livro é um belo exemplo de interdependência positiva!

Uma visão geral das características do Doze Elos

por Heloisa C. K. Gioia

Passemos à apresentação e discussão de cada um dos Doze Elos da Existência Interdependente da corrente causal. A ordem a ser seguida será a mesma usada por Buddha quando os apresentou: partindo do centro superior do quarto círculo, seguiremos pela direita, no sentido horário.

Por achar o conteúdo deste quarto círculo razoavelmente complexo, optei por falar sucintamente de cada Elo, sem aprofundar demais na explicação, no momento de sua apresentação. O aprofundamento do conteúdo vai se completando a cada nova apresentação do próximo Elo (*nidana*). Desta maneira, acompanhamos o sentido do próprio ensinamento: a explicação final de um *nidana* dá início à explicação do próximo, continuadamente. Em vez de uma explicação acabar e a outra começar, cada descrição do *nidana* procedente possui a compreensão do *nidana* precedente, seguindo a qualidade de interdependência dos fenômenos também para a sua compreensão.

O Primeiro Elo

O Primeiro Elo da corrente kármica é a *Ignorância*: a essência dos Três Venenos. O termo ignorância não significa que todos nós nascemos estúpidos. A palavra tibetana para ignorância é *ma-rig-pa*, cujo significado é "ainda não acordado", alguém com ausência de Iluminação, de sabedoria.

O símbolo utilizado para expressar esta condição existencial de nascermos ignorantes é uma velha cega, andando e guiando-se com a ajuda de uma bengala. Esta imagem é para nos ajudar a lembrar que, devido à ignorância de sua verdadeira natureza, o homem comum erra pela vida, criando uma falsa imagem de si e do mundo, bem como uma condição existencial confusa.

Quando um cego sobe ao topo de uma montanha para mirar a paisagem, parece-lhe que a escuridão está a encobrir tudo. Do mesmo modo, quando observamos as pessoas e os outros fenômenos, nossa cegueira, no que se refere à nossa natureza última, é como uma escuridão a nos impedir de compreender o início e o fim da vida, o porquê e o para quê da existência. E é nesta escuridão, nesta confusão, neste *samsara* que vive a maioria da humanidade.

Apesar desta condição de ignorância sob a qual vivemos, o Budismo nos ensina que existe sempre um potencial no ar para fazermos alguma coisa, potencial este que pode ser conectado pela nossa consciência. Diz ser algo que provoca a mudança de tudo, uma espécie de poder, no espaço, chamado de o quinto elemento, o éter. Então, este poder transforma a ignorância em algum tipo de ação. Sentimos necessidade e temos a força potencial no universo de buscarmos "o que pode ser feito?", "como agir?", "como contribuir?", enfim, "o que fazer com nossa vida?".

Os ensinamentos budistas acreditam que a cegueira que mais nos atrapalha, vamos dizer assim, é a cegueira sobre os nossos sofrimentos.

Somos cegos tanto em relação às causas do sofrimento quanto em relação a sua cessação.

Todos nós, para sairmos da ignorância, queremos agir, fazer alguma coisa e, contando com a força energética para a mudança, que existe no ar, no quinto elemento, o éter, empreendemos algum tipo de ação. E aí, vivenciamos o Segundo Elo da corrente kármica, que veremos a seguir. Por enquanto, ficamos somente com este nível de entendimento.

O Segundo Elo

O Segundo Elo é o *Impulso* ou *Motivação Inconsciente*, resultante de ações passadas, simbolizado pelo impulso da roda em ação do oleiro (fabricante de vasos de barro) que cria continuadamente novas formas.

Impulsionados pela ignorância que nasce conosco, o homem acumula um tipo de energia que se manifesta em uma força de motivação para agir. Esta motivação, para cada um de nós, tem o mesmo padrão que caracterizou o tipo da ignorância, isto é, se o padrão de vidas passadas que formou a ignorância foi, por exemplo, o apego, então a energia da motivação será de apego. E o mesmo acontece se o padrão foi a raiva ou aversão: a energia da motivação será raivosa ou aversiva.

As motivações apegadas ou raivosas podem se manifestar pelo corpo, pela palavra e pela mente. É por intermédio da repetição destas manifestações que se forma a base do padrão kármico de uma pessoa. Percebemos este padrão motivacional em situações novas quando não temos nenhum modelo a ser seguido e por isso agimos "espontaneamente", isto é, de acordo com o nosso padrão kármico.

Os bebês, diante do desconhecido, por exemplo, ao verem pela primeira vez uma formiga, sem que haja nenhuma influência externa, sentem motivações diferentes, cada um a seu modo: um chora de pavor e se afasta; outro estende a mão e, com curiosidade, quer tocá-la. Esses impulsos inconscientes, pessoais, são inatos e têm a ver com o padrão kármico que cada um de nós traz na "bagagem". Ambas, tanto a aversão quanto a atração, como padrões motivacionais, são expressões da qualidade embutida no tipo de ignorância de cada pessoa, de cada ser.

A figura do oleiro na Roda da Vida é para nos lembrar que, assim como ele dá forma, momento após momento, ao seu pote, da mesma maneira nós formamos o nosso caráter, raivoso, apegado ou neutro, e assim vamos moldando continuadamente nosso próprio destino.

É importante lembrar que todo tipo de motivação, mesmo sem que tenhamos consciência dela, deixa a marca do veneno que a caracterizou. Este veneno será levado para a formação da ação que faremos em seguida, mesmo que esta seja ainda uma simples "re-ação", sem nenhum grau de consciência. Assim, vale a pena repetir, os venenos das nossas motivações, mesmo sem o nosso conhecimento, contaminam nossas próximas re-ações. Esta é a lei da ação e reação chamada Lei do Karma, que veremos mais detalhadamente no estudo do Terceiro Elo da corrente kármica.

Toda motivação, inconsciente ou não, repetida, cria um hábito ou tendência ou padrão motivacional para repetir a mesma ação, do mesmo tipo da motivação que a impulsionou: raivosa ou apegada. Por intermédio dos padrões motivacionais físicos, verbais e mentais damos forma, momento a momento, às nossas próximas re-ações e à nossa futura consciência individual, como veremos no próximo Elo.

O Terceiro Elo

O Terceiro Elo é a *Consciência Relativa* ou *Nascimento Relativo* ou *Re-Ação* ou *Pensamento* ou *Palavra*.

O nome usado para designar essa terceira etapa da formação da corrente kármica é geralmente consciência. Eu chamei também de re-ação ou pensamento ou palavra com nível baixo de consciência, pois, ao ouvirmos falar em consciência, podemos equivocadamente entender que estamos descrevendo um pensamento ou ação ou palavra elaborados, escolhidos, com clareza de raciocínio pela pessoa que optou por ela. Mas, nesse estágio da corrente, estamos longe disso!

O nível de consciência referido neste Elo da cadeia interdependente é o mesmo nível de consciência que tem o macaco da figura que representa este Elo. Ao pular de galho em galho, chama a atenção de como nós passamos de uma situação para outra, de um relacionamento para outro sem sabermos, ao certo, o por quê e para quê. É uma consciência ainda parcialmente estruturada, uma simples decorrência da motivação ignorante que a impulsionou. É a energia de base sobre a qual estão nossos pensamentos.

Descreve o processo decorrente de uma motivação para agir, mas não necessariamente de uma motivação consciente para agir. Portanto, primeiro pensamos, falamos e agimos e, somente depois, mais tarde é que vamos conhecer o que pensamos, falamos, agimos e, geralmente bem mais tarde, é que ficamos sabendo para onde nos levaram tais ações, pensamentos, palavras e obras.

Falando a mesma coisa de outra maneira: o processo se dá, na maioria das vezes, na seguinte sequência nas nossas vidas; primeiro, nos sentimos confusos (ignorância) e, por estarmos confusos, sentimos uma motivação para reagir levados pela ilusão de que vamos assim sair da confusão; essa re-ação é urgente e impensada, então, num círculo vicioso, temos uma consciência vaga, motivados por energias confusas, vindas de uma confusão!

Ao re-agirmos com motivações confusas, teremos consequências confusas, porém, quando nos damos conta disso, já nos encontramos envolvidos na situação. Isto é típico da condição de ignorância, isto é, nos encontramos, "de repente", em determinada situação sem saber como, de fato, chegamos nela. E aí, então, tentamos resolvê-la. Mas porque os caminhos que escolhemos para solucioná-la foram frequentemente os caminhos contaminados dos três venenos (ignorância que leva ao apego e à aversão), nos colocamos em novas situações confusas. Sem saber ao certo como tudo aconteceu, tentamos, novamente, sem parar para meditar, resolvê-las com as mesmas soluções envenenadas usadas anteriormente e, assim, recaímos em situações confusas, e continuamos nesse círculo vicioso repetidamente, sem saída. O que acaba acontecendo é que utilizamos todo o tempo de nossa vida e a nossa energia tentando resolver problemas criados por nós mesmos em função do desconhecimento dos nossos padrões motivacionais. Tornamo-nos "contínuos solucionadores de problemas", mas esquecemos que, geralmente, procuramos resolvê-los usando as mesmas atitudes e intenções que os causaram. É como correr atrás do próprio rabo o tempo todo! Estamos constantemente buscando na mesma fonte e, digamos assim, tampando o mesmo buraco com o mesmo estuque que o fez!

Prosseguiremos o entendimento das nossas reações, pensamentos ou palavras com baixo nível de consciência, no próximo Elo, o quarto da cadeira samsárica.

O Quarto Elo

O Quarto Elo é o *nome e forma ou corpo/mente ou nascimento propriamente dito*.

Da Consciência Relativa (Terceiro Elo) decorre uma dupla de Elos (Quarto e Quinto) que são, na verdade, duas especificações que formam a consciência propriamente dita, mas, são uma só, uma mesma consciência, que é a primitiva, a original. Consciência propriamente dita é a energia básica necessária para um ser nascer e viver. A consciência relativa é também chamada *continuum* mental.

A imagem do Quarto Elo é composta por duas pessoas em um barco, sendo levadas por um barqueiro. E cada uma delas tem um total simbolismo em si, e significam um aspecto específico da nossa experiência e ao mesmo tempo também significam como nos tornamos do jeito que somos. São duas pessoas navegando, atravessando o oceano, este simbolizando as águas do *samsara*. Esta é a ideia proposta na figura. Expressa, através da ideia do remar, a necessidade de compasso para que não sejamos levados pelo vento para qualquer lugar, isto é, a necessidade de termos um método de vida. Precisamos também de orientação (simbolizada pelo barqueiro), isto é, princípios, valores, uma sabedoria que nos guie enquanto atravessamos as turbulentas águas do *samsara*. Geralmente não temos os princípios claros e o que acaba nos guiando são padrões confusos. *Samsara* significa também andar em círculo, de um lado para o outro, reagindo aos nossos sentidos e imaginação, isto é, a nossos impulsos confusos.

Mente/Corpo indica o íntimo funcionamento das funções físicas e mentais como um todo. Esta dupla inseparável (as duas pessoas no barco), mais a Consciência Relativa (o barqueiro) que nos orienta no dia a dia e que é a base para esta combinação, são as pré-condições para a existência do organismo psicofísico que forma a consciência propriamente dita.

A consciência propriamente dita, chamada consciência primitiva, num nível de fagulha divina ou sopro de vida, digamos assim, já é formada pela *energia de base* e orientação, mais as qualidades físicas subdivididas nos quatro elementos: solidez (terra), coesão (água), calor (fogo) e movimento (ar). É desta união total, inseparável, que nasce um ser humano no momento da fertilização. O óvulo fertilizado é a união da Mente/Corpo (forma + a energia de base + a orientação) com o ingresso da consciência (nome).

Baseados nos três Elos vistos até aqui, podemos compreender o processo de renascimento ocorrendo quando a consciência, simbolizada pelo macaco, após ter deixado uma certa forma de vida (Mente/Corpo de alguém) simbolizada por um galho, entra em nova forma de vida

(Mente/Corpo de "outra pessoa") simbolizada pelo próximo galho, formando o núcleo, isto é, o ovo, que é o início desta nova vida.

Também podemos, através dos três *nidanas* anteriormente estudados, compreender a consciência (o macaco) pulando de um galho (uma situação de vida sofrida) para outro galho (outra situação, igualmente sofrida) continuamente, numa cegueira sem fim.

Relembrando, estamos aprendendo neste Quarto Elo que, no Budismo Tibetano, quando falamos em consciência (a ação consciente de pular do macaco confusamente motivada), estamos falando também das especificações da consciência, isto é, que ela necessita de orientação (um padrão motivacional representado pelo barqueiro) e de uma mente e de um corpo (as duas pessoas no barco). No Budismo Tibetano, a consciência está na mente e no corpo, orientando-os.

O Quinto Elo

O Quinto Elo é *Os Seis Sentidos* (cinco mais um). O íntimo funcionamento psicofísico (Mente/Corpo) é responsável pela formação e pela ação dos Seis Sentidos que temos: os cinco que estão no nosso corpo, como visão, audição, olfato, paladar, tato e o sexto sentido, que está na mente, compreendido como aquele sentido que possibilita experimentar o mundo sem utilizar os cinco primeiros. O sexto sentido, por ser mental, refere-se, sobretudo, à capacidade de pensar, conhecer, memorizar, imaginar, visualizar etc. Através do sexto sentido é possível, por exemplo, visualizarmos claramente alguma coisa mesmo de olhos fechados, sem nem termos conhecimento anterior dela. Por exemplo, quando uma mãe descreve o que está acontecendo com o seu filho naquele momento, lá em alto-mar, em outro país: ela afirma e acerta que seu filho está morrendo afogado sem que nem soubesse de antemão de seu passeio marítimo.

Estas seis faculdades estão representadas na figura, como as janelas de uma casa, através das quais, podemos contatar o mundo exterior. O interessante deste simbolismo é que a casa está vazia. Isto significa que nossa consciência, os seis sentidos, neste nível de formação a que estamos nos referindo, são ainda somente faculdades de consciência: são faculdades para sentir, num futuro próximo. Ainda estão vazias e abertas. Na pintura, não tem nada em volta da casa e não tem ninguém dentro dela.

A analogia feita é que nós somos esta casa. Não há nada como uma alma, por exemplo, que mora nela, portanto não há nada como uma alma que mora em nós.

O Budismo diz que não existe uma alma interna nos seres. O que existe é um nível de consciência primitiva, original, uma fagulha de vida, intrinsecamente ligada à nossa Mente/Corpo, que anima esta Mente/Corpo, mas faz parte da sua formação real. Formamos seis faculdades de sentir, de conhecer o mundo. A nossa consciência tem seis faculdades de sentir.

No momento da concepção, a faculdade corporal (tato) e a faculdade mental já estão presentes, mas as outras quatro fontes (visão, audição, olfato e paladar) irão se desenvolver gradualmente, em conformidade com o crescimento da forma de vida dentro do útero. Depois de serem geradas, as seis faculdades constituem-se nas fontes das seis consciências, embora estas ainda não estejam acordadas neste estágio.

Assim, podemos dizer que as seis fontes vazias, somente faculdades neste estágio, são como cômodos vazios à espera das seis consciências que as ocuparão quando as experiências começarem a acontecer.

O Sexto Elo

O Sexto Elo é o *Contato dos Sentidos com os Objetos*. Este Elo representa o contato dos sentidos com seus objetos (externos): a vista, o contato com as cores e formas; a audição, com os sons; o olfato, com os odores; o paladar, com os gostos; o tato, com as texturas; e a mente, com as imagens, ideias, pensamentos, lembranças etc. Este contato causa impressões internas correspondentes ao modo particular de sentir de cada um, que foi ativado.

O contato é simbolizado por dois amantes se contatando pela primeira vez.

Durante a formação do feto, em função da evolução completa dos seus órgãos sensoriais, as seis faculdades se desenvolvem e, quando estas entram em contato com seus objetos, são geradas as seis consciências. Quando a faculdade, o objeto e a consciência se unem, o feto conhece o objeto como agradável, desagradável ou neutro. O fator mental que conhece seu objeto como agradável-desagradável ou neutro chama-se contato.

O Sétimo Elo

O Sétimo Elo é a *Sensação-Sentimento*. A Sensação é o resultado do contato dos sentidos com seus objetos exteriores.

A sensação é uma função mental que surge em função do contato. Enquanto o contato conhece seus objetos como agradáveis, desagradáveis ou neutros, a sensação experiencia, de fato, a intensidade do agradável, desagradável ou neutro. Para descrever esta intensidade, foi utilizada a imagem de um homem sendo atingido por uma flecha dentro do seu olho! É uma imagem com grande intensidade de sensações!

O Oitavo Elo

O Oitavo Elo é o *Desejo* resultante da sensação. Em geral, desejo é uma mente atraída ou repulsiva que se desenvolve na dependência da sensação. Quando temos sensações agradáveis, ansiamos nunca nos separar delas; quando temos sensações desagradáveis, ansiamos por nos livrarmos delas, e, quando temos sensações neutras, ansiamos por sua continuidade, sem degeneração. O desejo (anseio) descrito neste estágio da formação da mente é um desejo instintivo, pode ser de atração e/ou repulsão.

Um exemplo dele é o desejo que aparece na hora da morte. Na morte, os seres comuns geram o desejo de não se separarem de seu próprio corpo, ambiente, prazeres ou posses; por outro lado, desejam se livrar das sensações e experiências desagradáveis da morte.

Ao sentirmos atração ou aversão por algo ou alguém, imediatamente, em seguida, de maneira automática e compulsiva, sentimos desejo atrativo ou aversivo.

O Nono Elo

O Nono Elo é o *Apego/Aversão resultantes do Desejo*. Em geral, apego/aversão é uma forma intensificada de desejo. Os momentos iniciais das Sensações são o Desejo. Chamamos de desejo tanto o apego, que é a vontade imediata de agarrar, grudar, possuir o objeto agradável, quanto a aversão, que é a vontade de rejeitar ou eliminar um objeto desagradável. Juntos, apego/aversão ativam as potencialidades impressas na mente pelas ações feitas, isto é, ativam o karma que nos arremessa ao próximo renascimento *samsárico*, como veremos mais para a frente.

O Nono Elo é simbolizado por um macaco colhendo frutos avidamente de uma árvore. Novamente nos deparamos com o macaco na pintura. Ele já apareceu no terceiro *nidana*, simbolizando a faculdade de consciência rudimentar, que está sempre presente no aparecimento de uma nova vida. O macaco pulava de um galho para o outro, cegamente, significando a faculdade de conscientizar-se, que sai de um corpo e entra em outro, continuamente.

Aqui o macaco reaparece, mais desenvolvido. Em algumas pinturas da Roda da Vida já se vê desenhado um homem no lugar do macaco, pois este já adquiriu as faculdades de Mente/Corpo (Elo Quatro) dos Seis Sentidos (Elo Cinco) de Contato (Elo Seis) de Sensação (Elo Sete) e de Desejo (Elo Oito).

No Elo Nove, o macaco (ou um homem) anda para lá e para cá com uma cesta, cheia de frutos. O macaco (homem) nunca vai conseguir comer tantos frutos. Ele não sabe o que fazer com tanta abundância. Seu principal objetivo não é saciar sua fome ou partilhar sua riqueza com quem está com fome e não tem o que comer. Seu prazer está em possui-los. Neste sentido é que Sensação (Elo Sete), Desejo (Elo Oito) e Apego (Elo Nove) estão tão interligados.

A tendência do Desejo (Elo Oito) é transformar-se em apego ou ganância pelo objeto desejado, quando se consegue obtê-lo e desejamos acumulá-lo. O problema é quando não se consegue obtê-lo. Na mente apegada, a possibilidade da não obtenção do objeto desejado pode desencadear um comportamento psicopático de destruí-lo, eliminá-lo pelo desencadeamento do ódio.

O Décimo Elo

O Décimo Elo é a *Existência, o vir a ser*. O Apego (Elo Nove) engendra a continuidade existencial de ações com tendências kármicas as quais darão frutos no futuro. É quando o karma está de fato acontecendo.

É o início do próximo estado, mostrado por uma mulher grávida, com um fruto na barriga, uma criança esperando pelas condições adequadas para nascer.

Os Doze Elos da Existência Interdependente: a mania de sofrer

Antes (Elo Dois) a re-ação era somente um impulso. Neste estágio, a ação já tem uma tendência kármica, já é uma existência. Essa existência dependente-relacionada é uma ação mental, ou intenção, que tem o poder de, imediatamente, produzir o próximo renascimento. É uma causa designada pelo nome do efeito que produz, isto é, a próxima tendência *samsárica*.

No Segundo Elo, já tínhamos visto a faculdade de agir do homem, do impulso para a re-ação, simbolizada por um oleiro fazendo vasos de cerâmica. O nascimento desta re-ação impulsiva, e kármica (Elo Dois) é a causa distante do renascimento *samsárico*, ao passo que a ação com tendência kármica deste Décimo Elo é a causa mais próxima. Não é certo que uma Re-Ação Impulsiva (Elo Dois) amadurecerá, pois ações não virtuosas podem ser purificadas, assim como potencialidades virtuosas podem ser destruídas. Entretanto, já neste estado (Elo Dez) de tendência kármica, o Budismo fala de uma ação já concreta, chamada de existência codependente, pois é certo que ela produzirá seu resultado.

A ação no estado descrito no Décimo Elo pode ser virtuosa ou não virtuosa, embora sempre seja induzida pelas faculdades de desejar e apegar-se. Por exemplo, se depois de gerar apego, a pessoa que está morrendo fizer uma ação mental virtuosa, como refugiar-se em Buda, isso garantirá a ativação de potencialidades virtuosas. Quando isto acontece, é certo que essa pessoa terá um renascimento nos reinos superiores. Se, ao contrário, o moribundo gerar apego e isso induzir a uma ação mental não virtuosa, como pensamento prejudicial ou visão errônea, tal ação acarretará a ativação de potencialidades não virtuosas. Nesse caso é seguro que renascerá nos reinos inferiores.

O Décimo Primeiro Elo

O Décimo Primeiro Elo é o *Nascimento de Fato*, simbolizado por uma mulher dando à luz.

A formação de tendências kármicas leva ao nascimento para uma nova existência. Essa afirmação refere-se ao amadurecimento e frutificação das tendências. Em termos de Psicologia Budista, é a primeira aparição do novo padrão existencial (renascimento num dos seis estados psicológicos).

Em termos de ciência espiritual, este Elo descreve o primeiro instante de qualquer renascimento *samsárico*, quando a consciência ingressa na nova forma, ou seja, o instante da concepção.

O Décimo Segundo Elo

O Décimo Segundo Elo é o *Envelhecimento e a Morte*, simbolizados por um homem carregando em suas costas um cadáver enrolado num lençol, rumo ao cemitério (ritual de acordo com as tradições tibetanas).

O envelhecimento codependente começa no segundo momento após o nascimento e continua até a morte. Envelhecimento é a transformação, momento a momento, de nossa condição física. Não se restringe àqueles que viveram muitos anos. A morte dependente relacionada é a cessação final da relação entre mente/corpo e ocorre no exato momento em que a consciência sai do corpo. Pode ocorrer nos momentos seguintes ao nascimento.

O processo de desintegração, desestruturação e dispersão produz um Elo (*nexus*) de obscuridade o qual é a condição primordial da ignorância (avidez) que, por sua vez, é o Primeiro Elo interdependente da corrente kármica, ou dos padrões situacionais da existência. Desta forma, a estrutura dos padrões faz retornar (*feedback*) a informação a si própria. E por isso esses padrões situacionais da existência (*nidanas*) são representados por um círculo na Roda da Vida Tibetana, o qual não possui nem princípio nem fim.

Compreendendo a dinâmica interdependente dos Doze Elos

Um fenômeno dependente-relacionado é aquele que existe na dependência de suas partes. Visto que todos os fenômenos têm partes, e que todos existem na dependência de suas partes, todos os fenômenos são dependente-relacionados.

Existem três níveis de relacionamento-dependente: grosseiro, sutil e muito sutil. Qualquer coisa funcional que percebemos diretamente é um fenômeno dependente-relacionado grosseiro. Por exemplo, a rosa que nasce a partir de suas causas (qualidade da semente, do clima, da terra etc.) dizemos que ela é dependente-relacionada grosseira. Mas a

Os Doze Elos da Existência Interdependente: a mania de sofrer

rosa que existe na dependência de suas partes (o caule, as pétalas, o vaso em que se encontra, a quantidade de água colocada etc.) já dizemos diferentemente: ela é dependente-relacionada sutil. E, ainda, a rosa que existe como um mero conceito do pensamento é dependente-relacionada muito sutil.

Uma rosa nasce na dependência de suas causas, existe na dependência de suas partes e é como um mero conceito do pensamento. Não existem três rosas diferentes, mas uma única rosa, que existe de três diferentes modos. Porque há três diferentes maneiras de entender como a rosa existe, há três tipos de rosa dependente-relacionados; o grosseiro, o sutil e o muito sutil. Todas as coisas funcionais possuem esses três modos de existência.

Entender os fenômenos dependentes-relacionados grosseiros nos ajuda a entender os fenômenos dependente relacionados sutis; e entender os fenômenos dependente-relacionados sutis nos ajuda a entender os fenômenos dependente-relacionados muito sutis.

Por se relacionarem principalmente como causa e efeito, os Doze Elos dependente-relacionados costumam ser apresentados somente como exemplos dos fenômenos dependente-relacionados grosseiros. Mas, estudando e contemplando os Doze Elos e meditando sobre eles, compreenderemos também com mais facilidade os fenômenos dependente-relacionados sutis e muito sutis.

Os Doze Elos dependente-relacionados ou codependentes são assim chamados porque inter-relacionam-se sem nenhuma quebra, como uma corrente circular de doze anéis a nos amarrar no *samsara*.

O karma é uma função dinâmica, variável, e é uma característica essencial da vivência do ser humano. Toda ação produz uma reação, toda causa produz um efeito, toda situação produz uma nova situação.

Ser humano é estar sempre numa determinada situação existencial kármica. A experiência de uma situação após outra é o que compõe a existência humana. Pela atenta observação, podemos perceber a íntima relação entre uma situação e outra, tanto no fluxo contínuo da nossa existência quanto no mundo à nossa volta e na vida de outras pessoas, por exemplo. A busca da ligação kármica entre os acontecimentos é uma atitude mental sadia que deve ser tomada sempre que nos encontrarmos confusos, escorregando em atitudes mentais insanas, sem entendermos o porquê dos acontecimentos.

Além disso, os doze padrões situacionais da existência *samsárica,* que compõem a originação codependente, nos mostram que nossa experiência particular da vida não é determinada pelo fatalismo e, sim, por condições que podem ser conhecidas e transformadas. A relação condicional é intrinsecamente causal. Isto quer dizer que não existe nada externo ao desenvolvimento da situação existencial atual em que ora nos encontramos. Todo efeito possui uma causa.

É interessante notar, nesta parte do ensinamento, a explicação budista sobre como acontece o processo da nossa reencarnação, etapa por etapa, desde a formação do feto até o nascimento do ser humano. Descreve o início, o momento da concepção, como sendo o encontro da mente (méritos e hábitos acumulados em outras vidas) com o óvulo e o espermatozoide; continua mostrando Elo por Elo, como se dá a formação das faculdades que cada um de nós teremos para sentir, conhecer o mundo e nos relacionarmos.

O ensinamento mostra como este processo é dinâmico e específico, de pessoa para pessoa, e, principalmente, demonstra como se dá a influência dos atos passados na formação da próxima vivência. Esclarecidos sobre esta formação tão individual, poderemos compreender a profundidade da sabedoria de Siddhartha Gautama, o Iluminado, quando disse: "Somos o que pensamos".

Durante a leitura da descrição das características gerais de cada Elo, nos deparamos com nomes tais como primeiro nascimento ou nascimento grosseiro (Elo Um). Depois, encontramos a denominação nascimento relativo (Elo Três). Mais para frente, achamos nascimento propriamente dito (Elo Quatro). Mais a frente ainda, *existência ou vir a ser* (Elo Dez); por fim, nascimento de fato (Elo Onze).

Como um nascimento pode ser grosseiro, relativo, propriamente dito, um *vir a ser* e nascimento de fato? Pode parecer difícil o entendimento, porém torna-se mais simples na medida em que percebemos a graduação da formação do que chamamos nascimento.

Costumamos dar um exemplo simples da nossa experiência cotidiana para esclarecer esta complexidade; é quando vamos ao supermercado para comprar massa de bolo *pronta,* sabor baunilha. É verdade que a massa está pronta, está escrito no invólucro, ninguém está nos enganando. Porém, a palavra *pronta,* neste momento, refere-se à parte grosseira do bolo, isto é, somente a massa está pronta, não é o bolo que

Os Doze Elos da Existência Interdependente: a mania de sofrer

está pronto. Ali, é verdade, já existe uma clara tendência daquilo se tornar um bolo de baunilha, mas, por enquanto, apesar de ser chamada de pronta, ainda é uma candidata a bolo. Já existe, é real e, ao mesmo tempo, é uma tendência, um vir a ser que vai necessitar de algumas condições para nascer de fato; por exemplo, uma xícara de leite, fôrma untada e forno quente, como diz nas instruções.

A analogia com o nosso assunto seria assim: a palavra pronta, referindo-se às diversas etapas do bolo, seria análoga à palavra *nascimento*, referindo-se às diversas etapas do nascimento na corrente kármica da existência de tudo que vive no *samsara*.

O quarto círculo da Roda da Vida nos mostra a formação da vida, desde o nascimento do óvulo, passando pelo nascimento do ser consciente dentro do útero, passando pelo nascimento deste ser consciente fora do útero, pronto para viver sua vida independentemente da mãe, até a morte e, como acontece, o renascimento. Os Doze Elos representam o mecanismo psicológico e físico do processo de karma (causa e efeito) que atua em todas as situações de nossa existência...

A analogia da formação do bolo e do ser ou ação kármica já está no Primeiro Elo. A ignorância diz respeito à massa pronta para bolo, sabor baunilha. É o momento da fertilização do óvulo que já é um ser humano real a partir deste momento, porém somente no nível grosseiro da existência. Ao mesmo tempo que nasceu de fato um ser humano, ele é também, pode-se dizer, somente um candidato a ser humano, com tendências a ser um indivíduo. Suas características genéticas e hereditárias (Elo Um) vão se desenvolver e serão também influenciadas pela qualidade da experiência que o óvulo tiver durante a sua vivência dentro do útero (Elo Dois).

Quando falamos em nascimento relativo (Elo Três) pelo amadurecimento da motivação do ser, seria como quando misturamos o leite à massa pronta do supermercado e aí dizemos: "Ah, agora está pronto mesmo". Mas, neste momento, ele está relativamente pronto, isto é, pronto para ir para assadeira untada de manteiga.

Já no Quarto Elo, o nascimento propriamente dito, referimo-nos ao ser já ter uma estrutura de consciência pronta, uma estrutura psicológica a ser ainda desenvolvida e influenciada pelas próximas etapas e condições presentes para seu desenvolvimento. Pronto o nosso bolo para ir para a fôrma untada é o momento em que a motivação do ser

Mania de sofrer

deixa de ser ignorante, impulsiva, só querendo fugir do sofrimento e buscando sensações ilusórias agradáveis e já consegue ter orientação própria, ainda que ingênua, para buscar maneiras mais duradouras de atingir suas metas de felicidade.

Nos Quinto, Sexto, Sétimo, Oitavo e Nono Elos, chamamos de surgimento das condições necessárias para o ser consciente nascer. Seria preparar o forno na temperatura ideal para assá-lo e o tempo da massa descansando, no exemplo do bolo.

No Décimo Elo, chamamos de existência ou presença das condições para o fenômeno já consciente poder nascer. É quando o bolo está pronto para entrar no forno; é o *vir a ser*. Dizemos que o Décimo Elo é análogo ao quarto Elo, no sentido de ambos representarem o momento, a presença das condições necessárias para um próximo surgimento de maturidade do óvulo, isto é, do ser já existente.

No Décimo Primeiro Elo, chamamos de nascimento de fato. Agora, todas as condições estão presentes para se dar o parto do indivíduo ou da ação kármica. Já foram reunidas as condições pré-existentes de outras vidas (Elo Um), mais as condições condicionadas da existência pré parto (Elos Dois, Três, Quatro, Cinco, Seis, Sete, Oito e Nove), mais as condições de tempo e espaço necessárias para o amadurecimento de todas estas condições kármicas (Elo Dez) e, aí sim, finalmente acontece o nascimento de fato do ser, através da experiência do parto em si (natural ou cesariana). É quando tiramos o bolo do forno, viramos a fôrma numa badeja e vemos o bolo em forma de coração, corado e com cheiro e sabor de baunilha!

No Décimo Segundo Elo, chamamos de condições necessárias para o próximo renascimento (Elo Um).

O ser nascido no Décimo Primeiro Elo precisa passar pelo envelhecimento ou pela doença para poder morrer (Elo Doze), e, aí, então, poder renascer (Elo Um). Portanto, podemos entender que é o Décimo Segundo Elo que dá, fornece, as condições necessárias para o (re) nascimento ignorante (Elos).

Assim, o estudo da função interdependente dos fenômenos nos faz compreender o processo kármico gradual e interinfluenciado do nascer e morrer de todo e qualquer fenômeno da existência.

Por isso, a denominação de existência intermitente quando nos referimos à nossa vida.

Este ensinamento, além de nos ajudar a compreender estes fenômenos, também nos possibilita e encoraja a poder interferir com a nossa consciência sutil e orientada, no direcionamento e na qualidade das nossas próximas vidas ou nos momentos em que recebemos uma segunda chance de viver alguma experiência significativa nesta mesma vida.

Interdependência

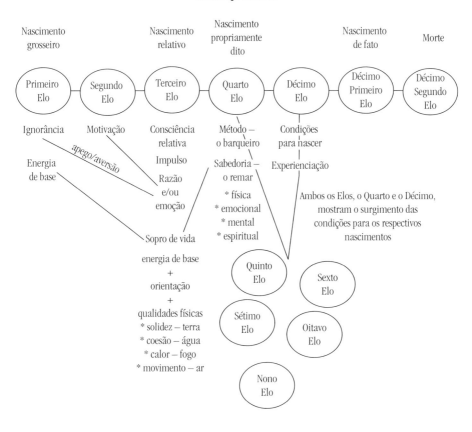

X

Primeiro Elo Interdependente: a ignorância do apego a si mesmo

Segundo Buddha, a *ignorância do apego a si mesmo* é o início e o fim de todo e qualquer sofrimento. Por isso, o ciclo dos Doze Elos é interminável. Ele poderá ser rompido apenas quando pudermos "relaxar a mente no espaço absoluto da vacuidade", isto é, quando conseguirmos ver a realidade dos fenômenos, sem nos deixarmos levar pelo hábito de dar concretude às nossas projeções mentais.

Naturalmente, temos dificuldade para entender o que isto realmente significa. Afinal, esta é a causa original do sofrimento que estamos vivenciando neste exato momento! Se fôssemos capazes de compreender e superar a *ignorância do apego a si mesmo*, já teríamos quebrado a cadeia de nossa mania de sofrer: estaríamos iluminados!

Por isso, não devemos nos desesperar quando não compreendemos um ensinamento. Muitas vezes, ao ler textos budistas, tenho a impressão de que não estou entendendo quase nada. Em outra ocasião, quando retomo a leitura do mesmo texto, sinto-me facilmente sintonizada com ele. Creio que isto ocorre justamente porque os textos estão nos falando sobre nós mesmos, e, portanto, refletem nosso amadurecimento naquele momento.

Este Primeiro Elo, *a Ignorância do Apego a Si Mesmo*, refere-se exatamente a este bloqueio inicial, a crença de que somos limitados. Algo semelhante ocorre quando nos vemos refletidos em um espelho: algumas vezes temos abertura para contemplarmos nossa própria imagem; outras vezes, no entanto, nos sentimos imediatamente indisponíveis para nos observarmos e começamos logo a implicar com o que *vemos*: nós mesmos.

Na iconografia da Roda da Vida, esta limitação aparece representada pela imagem de uma pessoa cega e manca, andando sem rumo, tateando o caminho com uma bengala. Como ela, nós também vivemos na escuridão, sem saber para onde estamos caminhando; não sabemos onde renasceremos ao morrer.

Lama Gangchen Rinpoche compara esta escuridão com o que sentimos na ausência da luz do sol: "No nível grosseiro, do ponto de vista do dia, da noite e das estações do ano, temos um problema com a escuridão. A mente de muitas pessoas 'afunda' quando o sol se põe e a escuridão aparece. Quando a noite chega, nossa mente se fecha e sentimos necessidade de ir para casa dormir. No escuro, sentimos ainda mais medo, depressão e bloqueios internos. Quando o sol nasce, ficamos mais felizes, alegres e energizados e nossa mente desperta. Da mesma forma, a destrutividade da escuridão de nossas ilusões e emoções negativas faz a energia de nossa mente 'afundar', enquanto a luz curativa da nossa mente e ações positivas desperta e energiza o corpo e a mente. Por essa razão, precisamos dispersar a escuridão interna e desenvolver nossa luz. A principal causa de nossa escuridão interna é o fato de que, mesmo desejando ser feliz e eliminar a confusão, fazemos exatamente o oposto do que pode nos trazer a felicidade. Isso mostra a profundidade de nossa ignorância".[1]

A natureza da ignorância é sempre densa. De fato, é interessante observar o que ocorre quando estamos perto dos mestres budistas que romperam a cadeia dos Doze Elos: sentimos logo um certo alívio, um estado de relaxamento natural.

---

1. Lama Gangchen Rinpoche, *Ngelso – Autocura tântrica III*, São Paulo, Gaia, p. 228.

Quando somos tocados pela energia leve e agradável daqueles que se libertaram da pressão do espaço e do tempo, recuperamos a confiança de que é possível fazer algo por nós mesmos, na mesma direção.

É bom lembrar que os Lamas costumam nos alertar para não acelerarmos o caminho espiritual. Saber estar à vontade com nossa própria evolução e fazer apenas o que for possível a cada momento é fundamental para cultivarmos nossa sanidade mental.

A atitude egocentrada é a causa-raiz de todo sofrimento

Vocês se lembram da comparação de Lama Gangchen entre a essência de nossa mente e um pano branco luminoso, energeticamente totalmente positivo, que ganhou uma aparência escura e suja devido às inúmeras manchas causadas pelo apego, pela raiva e pela ignorância? Pois é, o Primeiro Elo surge quando pensamos que somos as manchas em vez do pano... A raiz de toda nossa ignorância encontra-se nesta atitude egocentrada, a percepção errônea da realidade: agarramos-nos à ideia de que possuímos um eu sólido e autoexistente.

Como vimos no Capítulo II, segundo a visão budista, a origem do sofrimento encontra-se no fato de termos nos distanciado de nossa consciência primordial. Por não reconhecermos que no nível absoluto somos todos um só contínuo mental, nos vemos separados uns dos outros. Pensamos que nós, assim como todos os fenômenos, existimos de modo autônomo.

A intenção dos ensinamentos budistas é ajudar-nos a desenvolver a sabedoria necessária para romper os hábitos mentais de uma atitude egocentrada, incapaz de reconhecer a interdependência entre tudo e todos.

Cabe ressaltar que não se trata aqui de uma visão moral, na qual acusamos a atitude egoísta como a causa de todo nosso sofrimento. Se fosse assim, bastaria refrearmos esta tendência autorreferente e praticarmos comportamentos generosos para sermos felizes. Mas, infelizmente, esta questão não é tão prática e simples assim, pois esta atitude egocentrada está profundamente arraigada em nossa autoimagem. Será preciso remover *totalmente* suas manchas do pano para nos libertarmos delas!

À medida que lidamos diretamente com nossos hábitos mentais, sentimos o alívio gradual de nos libertarmos deles. Segundo a Escola Budista Mahayana, esta libertação surge quando percebemos honestamente que todos nós sofremos pela mesma causa: a ignorância do apego a si mesmo.

Somente quando formos tocados pela vontade de ajudar os outros a se libertarem deste sofrimento comum a todos nós é que despertaremos uma atitude naturalmente compassiva que, em si mesma, é o início da superação da visão egocentrada.

O sofrimento não existe por si mesmo

Os ensinamentos budistas estão sempre nos alertando para um único ponto: a dor do sofrimento não está no mundo real, mas na maneira como o interpretamos. Portanto, é em nosso mundo subjetivo que cultivamos constantemente a mania de sofrer!

Por exemplo, podemos entender intelectualmente que, em essência, *somos todos um*, mas no momento que nos sentimos sós, agimos como se existíssemos separados de tudo e todos. Isso ocorre por que estamos demasiadamente identificados com uma autoimagem egocentrada: neste momento, *só existe "eu"*...

O mesmo se dá quando nos sentimos presos a um determinado sofrimento. Não vemos saída para ele, por que pensamos e agimos de modo rígido e isolado: "*Só existe esta* situação", "Eu sou *assim mesmo*"...

Podemos até mesmo nos sentir ridículos quando descobrimos que não precisaríamos sofrer tanto por algo. Mas, de nada adianta a autocrítica repressora; aliás, ela apenas dificulta nosso processo de evolução interna. Todos nós já sabemos, por experiência própria, que mudar um padrão de pensamento requer paciência e constante dedicação!

Neste sentido, os ensinamentos budistas nos incentivam a romper a mania de sofrer por meio da consciência da conexão kármica existente entre causas e efeitos. Isto é, ter clareza e serenidade para aceitar as coisas como são na sua interdependência. Este é um processo profundo, lento e gradual. Ao ler estas três palavras, podemos até mesmo pensar que o processo de evolução interior é sempre denso e pesado.

No entanto, nem sempre é assim. Nos momentos em que temos "pequenos estados de iluminação" ganhamos energia e bem-estar.

É curioso, mas quando começamos a encarar nosso sofrimento de frente, passamos a notar o quanto, até então, evitávamos olhar certos aspectos da vida, vivências emocionais inacabadas que ainda pedem soluções definitivas.

O processo de autoconhecimento é doloroso e ao mesmo tempo extremamente gratificante. Quanto maior nossa determinação para conhecer a natureza daquilo que nos causa sofrimento, mais nos envolvemos em nosso processo de evolução interna. Como já não brigamos mais com o próprio sofrimento, perdemos o medo de sentir a inevitável dor da mania de sofrer!

Isto é, deixamos de medir a nossa qualidade de vida pela presença ou ausência da dor, mas sim pelo prazer da consciência de vivê-la com clareza.[2] "Certa vez estávamos aflitos porque Lama Gangchen Rinpoche precisava colocar um remédio, que ia arder muito, em uma ferida que tinha no pé. Mas ele disse: A dor não é problema, o importante é o resultado."

A ignorância da verdade absoluta e a ignorância do karma

Existem dois tipos de ignorância: a ignorância da verdade absoluta e a ignorância do karma.

A *ignorância da verdade absoluta* nos mantém presos ao sofrimento pois nos faz acreditar que poderíamos existir apenas por nós mesmos, de modo independente e separados de todos os fenômenos.

A *ignorância do karma* é consequência da *ignorância da verdade absoluta*. Enquanto não soubermos como romper os Elos da cadeia interdependente, estaremos sempre presos nela: no ciclo interminável de mortes e renascimentos involuntários.

---

2. Bel Cesar, *Oráculo I – Lung Ten*, São Paulo, Gaia, p. 58.

No primeiro Elo, trata-se da *ignorância da verdade absoluta*. Portanto, refletir sobre ele nos inspira a cultivar a sabedoria de que tudo está interligado. Desta forma, podemos observar atentamente como nossas ações de corpo, palavra e mente se inter-relacionam; como, por exemplo, o clima frio ou quente, a chuva e o sol atuam sobre nossos humores e o ambiente à nossa volta; como as quatro fases da lua se associam à dinâmica dos acontecimentos.

Observando esses fatos, aprendemos um pouco sobre o efeito que aquilo dizemos e fazemos é capaz de gerar em nosso ambiente.

Lama Gangchen Rinpoche nos alerta: "A interdependência dos fenômenos é muito simples e fácil de entender, mas difícil de aceitar, porque nossa mente e coração são muito complicados e endurecidos. Sempre sentimos que a solução deve ser alguma coisa muito complicada e trabalhosa".[3]

Quando reconhecemos que tudo está interligado e é, portanto, ao mesmo tempo impermanente, começamos a iluminar a escuridão do Primeiro Elo, isto é, a transformar nossa escuridão interna em luz e energia de cristal puro.

É como Rinpoche nos inspira a fazer: "Quando deixamos de nos apegar às manifestações transitórias dos fenômenos, podemos relaxar (*NgalSo*) e transformar cada movimento de nosso corpo, palavra e mente na dança-vajra, encontrando assim, momento após momento, a libertação, o relaxamento e regeneração *Ngalso* no espaço ilimitado da verdade absoluta: a bem-aventurança e vacuidade de todos os fenômenos".[4]

A alegria diante do desconhecido
nos relaxa e nos regenera

Enquanto não atingimos o estado de relaxamento profundo *NgalSo*, podemos aprender a relaxar e nos regenerar internamente por meio da alegria. Recentemente, fui viajar para lugares onde nunca havia estado.

---

3. Lama Gangchen Rinpoche, *Ngelso – Autocura tântrica III*, São Paulo, Gaia, p. 142.

4. Idem, p. 346.

Que surpresa boa constatar o poder de gerar alegria que tem o desconhecido!

Foram dias de descoberta e muita curiosidade: estava relaxada e dinâmica ao mesmo tempo! Observei que um sentimento de bem-estar permaneceu em minha mente enquanto me mantive atenta apenas ao momento presente. Sem pensar nos detalhes da rotina de minha vida, estava livre do passado e do futuro! Férias!

Agora, de volta ao cotidiano, apesar de conscientemente querer preservar este estado "livre leve e solto", senti a energia da *alegria diante do novo* se esvaindo... Um sinal de alerta soou em minha mente: "Perigo à vista: não deixe que as pressões externas levem embora a sua alegria de viver!". No entanto, assim que comecei a lidar com as tarefas inacabadas deixadas há um mês, a força dos padrões antigos invadiu a minha mente sem pedir licença. Senti-me inquieta, "presa ao passado", sem falar da pressão do futuro, ao ver *quanto* trabalho ainda estava por vir!

Passei, então, a observar o quanto esta ansiedade estava levando embora a calma da mente espontânea e relaxada conquistada nas férias. Até o momento em que, como um *insight* libertador, a questão-chave veio à tona: "Como manter o estado de alegria interna, diante da pressão cotidiana?". Encontrei a resposta quando perguntei a mim mesma: "*quem* sente a alegria?", e logo me vi respondendo: "o lado da minha mente que *sabe* brincar".

A dica estava dada: o segredo para manter o estado de alegria interna está na conexão com a nossa *criança divina*, a capacidade inata de rir e de sentir prazer.

Interiormente, então, evoquei minha *criança divina,* pedindo a ela que não me abandonasse frente à vida tensa da cidade! Aos poucos, timidamente, ela retornou trazendo inspiração até mesmo para escrever este texto...

Todos nós temos uma porção do arquétipo da *criança divina*. Quando nos conectamos com ela, geramos automaticamente inspiração e coragem para lidar com o desconhecido, pois ela detém a inocência e a flexibilidade necessárias para não resistirmos ao futuro.

Quando estamos apenas a serviço de nossos deveres e obrigações, tornamo-nos rígidos e sem graça. Por isso, precisamos sempre levar em consideração a necessidade de literalmente brincar, para ativar nossa *criança divina*!

Paule Salomon esclarece: "Poderíamos dizer que a criança interior é o nosso cérebro direito – intuição, imaginação, entusiasmo – que vive no presente, que sente as coisas, enquanto que o adulto é o nosso cérebro esquerdo, que aprendeu a raciocinar logicamente, a acumular saber, que pensa e age. Esse adulto aprende a amar a criança que está em nós, de modo a ouvir suas necessidades e a equilibrar a sua ação".[5]

Infelizmente, aprendemos a ser adultos quando ainda éramos crianças! Desde cedo nos foi ensinado a pensar, em vez de sentir. Agora, porém, para nos tornarmos adultos saudáveis, teremos que fazer o contrário: sentir nossos pensamentos. Só assim não cairemos nas exigências que internalizamos na infância, quando não considerávamos nossos sentimentos como algo de valor.

Todos nós temos uma *criança ferida*, isto é, um *quantum* de energia bloqueada devido à memória de negligências e abusos vividos na infância, que nos impede de relaxar diante das constantes mudanças da vida.

A *criança ferida* surge quando duvidamos de nossa capacidade de sermos felizes. Por exemplo, quando estamos vivendo momentos felizes, acabamos "do nada" criando problemas...

Precisamos deixar de ver nossas vulnerabilidades internas como fraquezas ou derrotas! Se escutarmos nossos medos, eles não precisarão ser expressos por meio de somatizações que nos deixam seguir em frente.

O fato de não valorizarmos nossos sentimentos como autênticos e significativos, nos impede de acessarmos com mais frequência nossa *criança divina*.

Aliás, evitar o contrário também é importante, pois se nos considerarmos invulneráveis, estaremos deixando de ouvir nossas necessidades internas!

De qualquer modo, se quisermos resgatar nossa criança interior teremos que implicar menos conosco. Pema Chödrön nos alerta: "O mais doloroso é que, quando desaprovamos, estamos praticando a desaprovação. Quando somos severos, estamos reforçando a severidade. Quanto mais o fazemos, mais fortes tornam-se esses aspectos. É muito triste ver

---

5. Paule Salomon, *A sagrada loucura dos casais*, São Paulo, Cultrix, p. 130.

como nos tornamos especialistas em causar mal a nós mesmos e aos outros. O truque está em praticar a delicadeza e deixar fluir. Podemos aprender a encarar tudo o que surge com curiosidade, sem fazer disso algo muito importante. Em vez de lutar contra a força da confusão, podemos ir ao encontro dela e relaxar. Quando agimos assim, gradualmente descobrimos que a clareza está sempre ali".[6]

No entanto, como recebemos uma educação dominadora, tendencialmente, não relaxamos porque aguardamos por ordens externas para agir. O importante é aprendermos a fazer companhia para nós mesmos: deixar de agir como se estivéssemos sós interiormente, ou seja, podemos informar nossa *criança ferida* a respeito do que ela ainda precisa saber para sentir-se segura diante do seu crescimento. Podemos afirmar para nós mesmos algo que gostaríamos de ter escutado, mas que nunca nos foi dito! Repetir interiormente mensagens positivas diversas vezes é uma excelente maneira de nos nutrirmos emocionalmente.

Vale a pena testar: escreva algo que você queira dizer para sua *criança ferida*, deixe-o à vista para que possa ler várias vezes durante o dia e tente observar o que acontece! Quanto maior for o contato com nosso mundo interno, maiores serão as chances de ocorrerem sincronicidades positivas em nossa vida. A vida flui a nosso favor quando deixamos de lutar contra nós mesmos!

---

6. Pema Chödrön, *Quando tudo se desfaz*, Rio de Janeiro, Gryphus, p. 29.

XI

Segundo Elo Interdependente: o condicionamento – Ações que criam renascimentos

O Segundo Elo, o *Condicionamento*, trata-se do *Impulso ou Motivação Inconsciente*, resultante de ações passadas. Assim como nos explica Lama Gangchen Rinpoche:

"Realizamos essas ações que causam renascimentos como um ceramista faz seus vasos. A beleza do vaso depende exclusivamente das ações do ceramista. Da mesma forma, uma vida bonita ou feia depende das ações de luz ou de sombra que criamos momento após momento do dia e da noite. Nossas ações de surgir interdependente que nos projetam fazem com que as sombras de nosso apego e raiva egoístas se desenvolvam e cresçam: a autodestruição – o oposto da autocura".[1]

Apesar de nos referirmos às ações passadas, não necessitamos voltar atrás para conhecê-las. Como Buddha dizia: "Se quiseres conhecer o seu passado, olhe para o estado de seu corpo no presente; se quiseres conhecer seu futuro, observe sua mente no presente".

---

1. Lama Gangchen Rinpoche, *Ngelso – Autocura tântrica III*, São Paulo, Gaia, p. 292.

Portanto, para estudar o Segundo Elo, basta observar a natureza dos impulsos de nossa mente atual. O que nos leva a querer fazer algo por alguém? O que nos leva a amar? Conhecer nossas tendências mentais é a base para o autoconhecimento.

Estes impulsos referem-se às impressões kármicas em nosso *contínuo mental* capazes de ativar o movimento em direção a um objeto. O contínuo mental é a nossa energia muito sutil que transmigra de uma vida para outra – e com ela, todas as marcas da intenção ou da motivação com que nos dirigimos para determinada ação.

Voltando ao exemplo de Lama Gangchen sobre o pano branco manchado: o contínuo mental é o pano e as suas impressões mentais são as manchas.

A força dos hábitos encontra-se na motivação

A força que faz surgir uma mancha em nosso pano mental é a motivação pela qual agimos com nosso corpo, palavra e mente. Isto é, não é a ação em si que gera a natureza positiva ou negativa de nosso karma, mas sim a motivação que se encontra por detrás de nossas ações.

Se esta motivação está contaminada pela aversão, pelo desejo ou pela ignorância, geramos manchas não virtuosas; quando agimos com uma motivação baseada no amor, na generosidade e na compaixão, criamos impressões virtuosas. Podemos considerar estas últimas como *manchas positivas*, pois, a partir delas, geramos energia positiva. Mas ainda assim são manchas, pois são experienciadas por nossa mente relativa, isto é, por nossa mente impura.

Neste sentido, experimentamos sofrimento ou alegria como o efeito de uma causa que criamos um dia a partir da motivação com que geramos uma ação. Não é incrível perceber que estamos – a todo o momento – criando as causas de nosso futuro, ao mesmo tempo em que vivenciamos os efeitos de nossas ações passadas?

Por isso, é importante reconhecer que assim como um sofrimento tem origem em nossa mente, a partir dela é que iremos solucioná-lo.

Nossa mente está extremamente condicionada pela cultura em que vivemos, mas ainda assim podemos buscar o entendimento claro em meio à intensa confusão. Se quisermos evoluir interiormente, teremos que parar para nos auto-observar. Enquanto não o fizermos, não seremos *indivíduos,* mas apenas o resultado de um pensamento coletivo.

Cabe ressaltar que devido à ignorância do Primeiro Elo, todas as nossas ações estão, de algum modo, contaminadas pela visão errônea da realidade. Mas ainda assim é importante lembrar que nossa mente obedece às ordens que lhe dermos.

Todas as informações percebidas pelos sentidos são interpretadas pelo cérebro de acordo com padrões anteriormente registrados. Em outras palavras, somos o resultado de nosso autocondicionamento. Por isso, podemos mudar.

Diante de qualquer situação sempre podemos nos perguntar: "O que tenho que fazer agora para mudar a minha mente?". Neste sentido, a cada segundo temos uma nova chance de nos autocurar. Um condicionamento básico a ser removido é a mania de reclamar. Muitas vezes não o fazemos em voz alta, mas a lamúria interna contamina nossas motivações interiores.

Reclamar é uma mania que se reforça por si mesma

Lama Michel, quando esteve no Brasil, em junho de 2006, nos alertou em seus ensinamentos sobre quanto tempo e energia perdemos com a mania de reclamar. Fiquei tocada ao escutar os seus conselhos sobre a importância de não ficarmos presos aos problemas na falsa-tentativa de *conhecê-los* melhor: "Em geral, ficamos presos em nossos problemas em vez de nos concentrar na solução. Ficamos *mastigando-os* tempo demais... Até parece que gostamos do sabor que os problemas têm! Se eu estou comendo uma coisa ruim, deveria me focar em saber o que fazer para me livrar disso, em vez de me envolver cada vez mais com o problema".

Reclamar aumenta nosso sentimento de insatisfação, pois alimenta a visão negativa dos problemas. Assim, eles crescem cada vez mais. Reclamar não é solução, pois é uma forma de auto-hipnose: ficamos intensamente convencidos do que dizemos a nós mesmos. Reforçamos a carga negativa de um problema à medida que nos indignamos com ele.

Mania de sofrer

Para nos libertarmos do problema teremos que desistir dele! Pode parecer até simples demais o que vou dizer, mas acredito que faz muita diferença pensar sobre a seguinte pergunta: "Como seria minha vida sem esse problema? Isto é, o que ganho em dar tanto peso a esta questão?"

Em geral, não nos desapegamos de nossos problemas porque eles tornam-se um meio importante de expressarmos a nossa existência: *quem somos* em relação aos outros e a nossa própria autoimagem. De fato, um problema reflete tanto a nossa vulnerabilidade quanto nossa força interior.

Se um problema nos faz sentir fracos, iremos resistir em encará-lo de frente. Reclamar parecerá, então, um modo de *atacar* o problema. Mas, fazendo isso, estaremos dando voltas sem solucioná-lo e acabaremos nos tornando vítimas em um processo infindável.

Reclamar é um jeito de justificar o fato de não mudarmos porque não sabemos fazer de outro modo. Certo, pode ser verdade que se soubéssemos agir de forma diferente, já o teríamos feito. Mas, para caminhar em direção à solução de um problema, em vez ficar patinando nele, teremos que, antes de tudo, cultivar a humildade de ceder com relação a nossas próprias convicções. Isto é, teremos que nos desapegar da visão que até então tivemos do problema! Afinal, se esta visão fosse positiva, e nos trouxesse reais benefícios, não estaríamos ainda presos a ele.

A mania de reclamar só termina quando nos desapegamos da resistência em aceitar a própria mudança. A partir da real intenção de nos libertar de nossos problemas, teremos mais facilidade em encará-los, pois, assim, sentiremos menos medo de nos arriscar em novas soluções.

Neste sentido, conseguimos parar de reclamar quando reconhecemos o potencial de gerar mudanças em nosso interior. Assim como diz Lama Michel: "Em geral, nossa autoimagem é tão estática que achamos que é mais fácil mudar o que está à nossa volta. Mas já sabemos que isso é uma ilusão. Se não podemos mudar as coisas fora de nós, ainda assim temos a liberdade de aceitar viver de maneira diferente uma mesma situação". Quando mudamos internamente, tudo muda à nossa volta. É a tal velha história: sermos nós mesmos a mudança que queremos ver no mundo.

Toda ação repetida cria um novo hábito: neste sentido, a repetição é um método de transformação. Para ter bons hábitos, basta repeti-los! Podemos criar o hábito de não reclamar!

Quando, devido à clareza de pensamento, encontramos força interior capaz de gerar um novo olhar, diminuímos a resistência em lidar de frente com nossos problemas. Gradualmente nos tornamos mais flexíveis. Quando esta compreensão racional amadurece e aceitamos *emocionalmente* o novo ponto de vista, sentimos o frescor do bem-estar: um sinal de que adquirimos espaço interior.

Lama Gangchen costuma nos dizer: "A natureza positiva da mente é como o espaço infinito. No entanto, ele diminui com a presença dos pensamentos negativos. Se quisermos nos sentir bem, teremos que cultivar pensamentos positivos para relaxar em nosso confortável espaço interior".

XII

Terceiro Elo Interdependente: a consciência relativa

Devido à força do condicionamento gerado no Segundo Elo, agora, o contínuo mental (*Consciência Relativa*) irá se mover. Neste sentido, a consciência é a pré-condição para que possamos renascer. Ela possui a propriedade de moldar-se, de se agarrar e se soltar incessantemente dos objetos dos sentidos e da mente; assim, representa a habilidade do nosso contínuo mental de transmigrar de uma vida para outra. Por meio da *consciência* surge uma nova forma de vida, seja ela no Reino Humano ou não.

A *consciência relativa* é simbolizada por um macaco com uma fruta na mão, pulando de árvore em árvore. Tal simbologia indica que a consciência é a portadora das impressões kármicas, que unem o passado ao presente e o presente ao futuro.

Lama Gangchen Rinpoche descreve a natureza inquieta da consciência: "O resultado da causa e condição do surgir interdependente negativo das ações projetoras é nossa consciência-macaco surgida interdependentemente, que se move ininterruptamente para cima e para baixo da árvore do *samsara*, sem conseguir ficar quieta nem por um momento. Nosso fluxo de consciência e de energia de vida está sempre instável, sempre movendo-se em meio à escuridão e à luz dos reinos inferiores e superiores".[1]

Como explicou Heloisa C. K. Gioia no Capítulo IX, o Terceiro Elo refere-se ao processo decorrente de uma Motivação para agir, mas não necessariamente de uma motivação consciente para agir. Apesar de associarmos a palavra consciência a um estado de clareza mental, a *consciência relativa* em questão no *Terceiro Elo de Interdependência* indica um baixo nível de elaboração mental, pois ele refere-se à dinâmica do movimento de nossa mente e não ao conteúdo que ela revela.

Meditar é ensinar a nossa mente a tornar-se estável

A mente inquieta, movida pelo condicionamento, isto é, pela *energia motivadora* acumulada por todas as nossas ações passadas surge sob a forma de um pensamento que desencadeia outro pensamento, sem cessar. Neste sentido, cada pensamento é o resultado de uma causa kármica positiva ou negativa acumulada por nossas ações passadas de corpo, palavra e mente!

Nossa mente condicionada, em geral, está agitada, lembrando do passado e preocupando-se com o futuro. Certa vez Lama Gangchen nos disse: "Nossa mente é como uma bolinha solta no ar: ao mais leve toque ela se agita e move-se sem parar. Meditar é ensinar a nossa mente a tornar-se tão estável quanto uma bola parada no ar".

Para tanto, teremos que, inicialmente, desacelerar a nossa mente para aprender a observá-la. Só então saberemos como nos libertar da cadeia de pensamentos negativos e como estabilizar a nossa mente de modo pacífico. Esta é a meta de todo praticante, pois, se impressões kármicas da *consciência relativa* forem positivas, o resultado do impulso de nossos pensamentos também o será.

Lama Gangchen denomina este resultado como uma *mente de paz*. Ele nos diz: "Uma mente tensa é como estar com as mãos tensas: você não consegue tocar nada. Por isso, precisamos nos decidir por não cultivar uma mente estúpida e nos programar com algo muito preciso. É só

---

1. Lama Gangchen Rinpoche, *Ngelso – Autocura tântrica III*, São Paulo, Gaia, p. 293.

uma questão de não seguir as emoções negativas, e de aceitar e seguir a paz. Depois de ter paz, tudo passa a vir automaticamente de modo positivo. Assim, é possível criar a interdependência positiva. Se você quer deixar o seu namorado feliz, esteja interiormente bem, porque assim criam-se condições de harmonia para a relação. Nossa inquietação afasta o outro". De fato, a inquietação interna nos afasta até de nós mesmos: ficamos perdidos.

A falta de rumo interno muitas vezes se expressa através de uma grande dificuldade de concentração. É interessante saber que quando isto ocorre, estamos sofrendo a queda da produção de um neurotransmissor chamado dopamina.

A dopamina orienta a atenção e produz uma sensação de expectativa prazerosa. Ela age diretamente sobre os neurônios responsáveis pela memória de trabalho. Stefan Klein explica: "Na opinião de alguns cientistas, uma das principais funções dessa substância é fazer com que o cérebro saiba distinguir entre informações importantes e ruídos, definidos como estímulos que não contêm dados relevantes para nós. É possível que o ato da concentração esteja associado a um lubrificante do intelecto. Sob sua influência, reagimos e pensamos com mais rapidez. Além disso, fazemos associações com mais facilidade, e as ideias nos surgem aos borbotões, pois o cérebro é capaz de processar as informações com mais eficiência. Isso explicaria o aparente paradoxo de que uma concentração intensa e um máximo de esforço mental produzam simultaneamente sentimentos agradáveis".[2] Portanto, o que nos desgasta não é o esforço mental em si, mas vivenciar uma dinâmica mental desordenada e confusa.

A *mente-coração* pensa melhor

Se quisermos evoluir internamente não é suficiente encontrarmos atividades mentais que organizem nossa mente. Iremos precisar nos aproximar de nossos sentimentos para desenvolvermos um bom coração.

---

2. Stefan Klein, *A fórmula da felicidade*, Rio de Janeiro, Sextante, p. 211.

Os mestres budistas nos ensinam a diferenciar a *mente-coração* da *mente-pensante*. A *mente-pensante* está sempre insatisfeita, enquanto a *mente-coração* manifesta-se sempre tranquila. Quando acessamos a *mente-coração* vemos tudo com clareza – pois ela é o fluxo natural de nossa energia de base positiva, a mente de paz.

Procuro ressaltar o valor desta *mente-coração* em meu trabalho psicoterapêutico, pois noto que quando um paciente está falando de seu problema sem senti-lo verdadeiramente, a conversa torna-se um simples bate-papo, que num contexto terapêutico é perda de tempo... É como se ele estivesse se lamentando de algo, mas evitando sentir a dor de seu lamento. "Discutir sobre a relação" ou "discutir sobre os problemas" gera poucas mudanças, se não houver a presença da *mente-coração*.

A verdadeira mudança ocorre somente quando o que pensamos está em sintonia com o que sentimos.

No entanto, em geral, estamos tão sobrecarregados pelas tarefas diárias, que nem nos damos conta do quanto nos tornamos automatizados, frios, isto é, sem expressão afetiva. A concentração diária pode nos tornar pessoas práticas e eficazes, mas, se não pararmos para nos sintonizar com nossos sentimentos, correremos o risco de nos tornar pessoas menos empáticas, mais egocentradas. Desta forma, rebaixamos a capacidade de sentir afeto e gradualmente perdemos a espontaneidade que nutre afetivamente nossos relacionamentos. Consequentemente, passamos a nos sentir distantes uns dos outros e *nem sabemos o porquê...*

Lama Gangchen costuma nos alertar para o fato de que deveríamos sentir amor com mais frequência. Nossas palavras perderam sua força, justamente, porque não estão mais imantadas de amor verdadeiro: "Palavras ditas com amor possuem o poder de transformar a realidade; pelo poder da verdade as coisas se manifestam".

Acredito que nos falta praticar mais atividades contemplativas, que nos levem a desacelerar a mente para que possamos nos aproximar do tempo do coração. Estar em contato com a natureza nos ajuda muito a acessar nossa *mente-coração*. Quando nos emocionamos diante da beleza de um pôr do sol, entramos em sintonia com seu tempo lento e constante, o que naturalmente desacelera a nossa *mente-pensante*.

Quando relaxamos em nossa qualidade de base energética positiva, conseguimos pouco a pouco romper o hábito de atacar ou defender, seja a nós mesmos ou aos outros. Uma vez menos reativos, nos tornamos mais suaves, mais disponíveis para os outros. A suavidade é uma qualidade inerente a nossa base de energia pura: ela indica que finalmente acessamos a *mente-coração*: nos sentimos vivos e bem despertos.

Ansiedade: a inquietação diante de um futuro ameaçador

Sábado, dia 13 de maio de 2006, inauguramos a hospedagem e o gompa (sala de meditação) do Sítio Vida de Clara Luz, com a presença de Lama Michel. Éramos um grupo de mais ou menos 150 pessoas. Por quase uma hora, sentados na grama ao redor das estátuas dos *Cinco Dhyani Buddhas*, ouvimos os ensinamentos de Lama Michel sobre a relação entre a mente, o corpo e o meio ambiente. O sol estava suave, o céu azul com poucas nuvens. Todos estavam naturalmente atentos e silenciosos. O bem-estar geral era notório. Podia-se reconhecer no grupo a presença de três qualidades que evidenciam a total ausência de ansiedade: o equilíbrio, a mente atenta ao momento presente e a espontaneidade amorosa.

Esta experiência de calma e satisfação tornou-se contrastante, dois dias depois, quando vivenciamos em São Paulo momentos de susto e intenso alarme com a rebelião dos presos. Neste dia, ao contrário, o mal-estar geral era notório!

Saber o que se passa em nosso cérebro, quando estamos diante de situações ameaçadoras, pode nos ajudar a compreender melhor como estas situações estressantes nos desequilibram.

Quando nossa percepção torna-se alerta para uma situação de ameaça, surge a ansiedade. Ela é decorrente de uma descarga de noradrenalina, um neurotransmissor produzido nas suprarrenais que nos ajuda a focar a atenção para a defesa. Enquanto nos preparamos para fugir, há um aumento do cortisol e da adrenalina. No entanto, assim que o susto passa, a taxa destes hormônios diminui e ocorre um aumento de serotonina para reconstituir o bem-estar. Portanto, um corpo equilibrado sabe lidar tanto com as situações de ameaça como as de repouso. Mas, infelizmente a maioria de nós perdeu esta habilidade porque vive em constante estresse!

Não podemos esquecer que, evolutivamente, faz pouco tempo que saímos do período das cavernas. Naquele contexto, a ansiedade era um estado positivo da mente pois, enquanto um sinal de alerta diante do perigo iminente, capacitava o indivíduo a tomar as providências necessárias para enfrentá-lo. A excitação do Sistema Nervoso Central era necessária para estimular o nosso corpo, fosse para lutar ou para fugir.

No entanto, o que interpretamos hoje como ameaçador transcende em muito o perigo de vida biológico. Hoje em dia, o receio de perder conforto, poder econômico, afeto ou, até mesmo, privilégios, é suficiente para nos tornar ansiosos!

Quando há um desequilíbrio emocional até mesmo o simples contato com o novo ou com situações inesperadas pode gerar ansiedade.

A ansiedade é uma forte sensação de incômodo e inquietação quanto ao futuro. Quando ela se torna intensa, pode provocar diferentes sintomas para cada pessoa: falta de ar, taquicardia, suores, problemas digestivos (prisão de ventre, enjoos, gases), fome exagerada ou, até mesmo, ausência de fome.

Os medos que surgem durante um ataque de ansiedade costumam ser irracionais e sem sentido. Quando nos sentimos sozinhos, o imaginário tem mais efeito sobre o corpo do que a própria realidade!

A ansiedade aumenta na medida em que surgem exigências conflitantes e paradoxais, isto é, quando queremos e não queremos uma mesma coisa ao mesmo tempo! Por exemplo, às vezes, quando queremos muito fazer algo, acabamos ficando ansiosos por querer fazê-lo com muita perfeição. Devido ao medo de errar, nos sentimos incapazes de agir e acabamos por perder nossa vontade inicial. Assim, já não queremos mais realizar aquilo que gostaríamos que fosse tão bem feito... A ansiedade nos rouba o prazer da realização.

Às vezes, nem nos damos conta de que estamos ansiosos. Isso ocorre porque estamos ligados no piloto automático e agimos sem ter consciência do que pensamos e sentimos. Nossa mente está solta, inquieta, perdida em pequenas fantasias irreais que roubam nossa energia vital e estabilidade emocional. Nestes momentos, corremos o risco de retroalimentar nossos medos e dúvidas, transformando-os em uma bola de neve que cresce à medida que o tempo passa, até chegar ao ponto em que nosso coração e respiração se aceleram, e nos surpreendemos vivendo um ataque de pânico!

A ansiedade surge à medida que alimentamos suposições que antecipam o futuro. Sejam boas ou más, as fantasias nos impedem de lidar com a realidade. Desta forma, sofremos antes do tempo ou idealizamos a felicidade como o milho pendurado na frente do burro que o estimula a não parar de andar! Ter consciência de nosso próprio ato imaginário pode, por si só, nos ajudar a superar a ansiedade.

Cabe ressaltar que é benéfico pensar sobre o futuro. Planejar não é sonhar, mas sim gerar metas e estratégias que orientam o momento presente. Imaginar problemas futuros pode servir de base para reflexões importantes sobre o que devemos evitar. No entanto, prever uma dificuldade não quer dizer vivê-la por antecipação. A ansiedade surge quando nos desconectamos da realidade imediata.

Uma mente acelerada é uma mente desequilibrada

Quando estamos ansiosos nossa mente fica mais acelerada e, numa tentativa insólita, buscamos, por meio dos pensamentos, viver antecipadamente o futuro que ameaça nosso equilíbrio. Queremos desesperadamente vivenciar os acontecimentos futuros como forma de amenizá-los! Mas, sabemos que este esforço é em vão.

Segundo pesquisas médicas, uma pessoa poderá ter uma tendência maior para a ansiedade quando houver uma predisposição genética em sua família. Nestes casos, as manifestações podem ser bastante precoces: nota-se desde cedo que a criança é hiperativa, chora com facilidade e tem dificuldade para dormir. Uma criança ansiosa tem mais dificuldade de incorporar situações novas ou de lidar com o desconhecido. Afinal, o conhecido sempre traz a sensação de segurança e controle.

Ficar momentaneamente ansioso é uma reação normal, necessária para ativar nossas forças e defesas diante da conquista do novo. No entanto, quando a ansiedade nos impede de pensar e agir, de forma construtiva, temos que buscar ajuda terapêutica.

A ansiedade normal não é generalizada, pois ela se restringe a uma determinada situação, que diminui à medida que a pessoa se adapta a ela, mesmo que a situação se mantenha desconfortável. Segundo tratados médicos, se uma pessoa permanecer apreensiva por um período superior a seis meses, ainda que tenha um motivo para tanto, deve buscar ajuda médica, pois o transtorno de ansiedade generalizada pode tornar-se crônico. As mulheres são duas vezes mais acometidas pela ansiedade generalizada do que os homens.

Como vimos, a principal característica psíquica do estado ansioso é a aceleração do pensamento, como se estivéssemos elaborando a maneira mais rápida de nos livrarmos do perigo. No entanto, a mente acelerada torna-se confusa, desequilibrada, sem clareza para agir. Definitivamente, com a mente acelerada não conseguimos agir de modo construtivo.

Aliás, é melhor aceitar conviver com a insegurança quando ela surge. Quanto menos resistirmos em reconhecê-la, melhor poderemos senti-la em nosso corpo, e desta forma, poderemos fazer algo por nós. A ansiedade é assim: não adianta ter pressa de se livrar dela, quanto mais tentamos fazer isso, mais ela se instala em nós.

Nestes momentos, o melhor é parar de seguir os pensamentos e observar o corpo. De fato, uma atitude importante para superar a ansiedade é prestar atenção ao corpo: identificar qual região do corpo está sendo paralisada por esta emoção e voltar a atenção para ela, massageando-a ou simplesmente respirando algumas vezes profundamente. A respiração lenta desacelera fisiologicamente o cérebro e, por consequência, a mente.

Outra técnica muito simples, e bastante eficaz, é a de visualizar a forma, a cor, a textura, a densidade, o peso e até mesmo o cheiro e o sabor desta região do corpo mais tensa. Em seguida, devemos pensar qual seria a cor capaz de dissolver este ponto de energia paralisada, e, na próxima inspiração, imaginar que esta cor penetra como um raio laser dissolvendo todo este complexo de energia parada. A diferença é marcante.

Movimentar o corpo também é muito bom. Bocejar, emitindo um som amplo e espontâneo é excelente para soltar qualquer energia parada. Por fim, devemos nos concentrar em algum ponto à nossa volta. Trazer o foco para algo que nos chame atenção. Só então, quando estivermos centrados, poderemos fechar novamente os olhos e voltar a lembrar o que estava nos deixando ansiosos. Mas, desta vez, sabendo que o susto passou, poderemos nos manter conscientes de nossa capacidade de avaliar e refletir: "Ok, para onde mesmo isto estava me levando?". É possível até sermos surpreendidos pela vontade de rir de nós mesmos...

Terceiro Elo Interdependente

Meditação para romper a cadeia de pensamentos negativos

Um pensamento negativo é seguido de outro pensamento negativo apenas porque possui um impulso de natureza semelhante em sua formação de origem. Para romper uma cadeia de projeção surgida interdependentemente, temos que aprender a relaxar a mente no espaço *entre* os pensamentos.

Os grandes meditadores observaram em suas práticas que existe espaço entre um pensamento e outro. Isto é, há um intervalo silencioso entre cada pensamento. Mas, como estamos sempre concentrados nos pensamentos em si, não nos apercebemos deste espaço existente entre eles. Por exemplo, quando imaginamos dois pinheiros, nossa concentração imediatamente fixa-se na imagem dos pinheiros e não no espaço que os separa!

Esta meditação é extremamente simples: imagine ou visualize dois objetos, e simultaneamente, concentre-se no espaço existente entre eles.

É justamente esse espaço que torna possível romper a cadeia de pensamentos de nossa mente. É nesse intervalo que se abre a possibilidade de atuarmos formando uma nova sequência de pensamentos que nos liberta da mania de pensarmos sempre a mesma coisa.

Apesar de silencioso, esse espaço é cheio de possibilidades: um campo de potencialidade pura e ilimitada. Por isso, podemos mudar as nossas ideias. Neste sentido, somos capazes de escolher a direção de nossos pensamentos, mesmo que nos pareça impossível romper a terrível cadeia de pensamentos negativos.

XIII

Quarto Elo Interdependente: nome e forma – Como nos tornamos do jeito que somos

No Quarto Elo, *Nome e Forma*, a bagagem kármica que trouxemos em nosso contínuo mental começa a ter um formato próprio: surge a percepção de *ter* um corpo físico. Enquanto a consciência relativa encontrava-se no *Bardo*, o estado intermediário entre a morte e o renascimento, possuía apenas um corpo e uma mente sutil. Agora, a partir do Quarto Elo, ocorrerá o momento da concepção, no qual a consciência relativa irá encontrar um corpo e uma mente grosseira que servirá de base para expressar a sua individualidade.

Antes de continuar, gostaria de fazer uma observação: na concepção budista, é fundamental compreender a ideia de reencarnação. No entanto, se ela lhe trouxer algum estranhamento, não se deixe levar por isso. Como o próprio Lama Gangchen me disse certa vez: "Enquanto não houver um certo sentimento sobre a reencarnação, é melhor ainda não se ocupar com ela". Na realidade, não é necessário nos determos em grandes questionamentos sobre a existência de outras vidas antes ou depois desta: basta observarmos quantas vidas já vivemos e viveremos nesta mesma vida! Eu, pessoalmente, sinto que já nasci e morri pelo menos umas cinco vezes!

Cabe ressaltar que o Budismo não admite a existência de uma alma ou de uma *entidade única* e *imutável* que transmigra de uma vida para outra, ou que seja reabsorvida pela consciência universal para depois renascer. Mas, sim, em um fluxo de *continuum mental sutil*, exemplificado por Lama Gangchen como um pano branco cheio de manchas.

O *continuum mental* é da mesma natureza que a consciência que temos no momento presente: uma corrente ilusória de hábitos e impressões sutis, reconhecida por nós como *nosso eu*. Assim como Lama Gangchen nos esclarece: "Todos nós recebemos um nome quando nascemos e, por toda a nossa vida, respondemos a ele, embora nosso corpo e mente aos dez, vinte, trinta, quarenta, cinquenta ou setenta anos, sejam bastante diferentes. Somos a mesma pessoa, mas não somos a mesma pessoa. A natureza interna mais essencial de nossa mente é vazia de uma existência por si mesma independente. Nossa natureza mais essencial é como um cristal puro, e nela são gravadas muitas marcas. Assim, momento após momento, vida após vida, estamos sempre nos manifestando de formas diferentes".[1]

Para compreender melhor a visão tântrica sobre a natureza do Universo (macrocosmos) e do Homem (microcosmos), teremos que considerar os três níveis de densidade do corpo e da mente: grosseiro, sutil e muito sutil. Eles se dão de modo simultâneo.

No *nível grosseiro* de nosso corpo e mente vivenciamos tanto as sensações físicas como os estados mentais de modo limitado, permanente e imutável, pois, eles surgem a partir da percepção dual da realidade. Uma vez que os fenômenos se apresentam para nós enquanto pares de opostos, habitualmente nos atemos unicamente a um aspecto da realidade, ou seja, nossa atenção é sempre parcial; portanto, perdemos a percepção da totalidade. Devido à experiência sensorial dos cinco sentidos, temos uma mente grosseira que vivencia, avalia, classifica e nomeia o que percebe como bom, ruim ou neutro.

Já no *nível sutil* de nosso corpo e mente, apesar da percepção ainda ocorrer sob o viés da dualidade, temos uma vivência mais ampla, menos sólida da realidade.

---

1. Lama Gangchen Rinpoche, *Ngelso – Autocura tântrica III*, São Paulo, Gaia, p. 97.

"Mesmo enquanto estamos acordados nossos pensamentos, sentimentos e percepções estão continuamente aparecendo e desaparecendo, subindo e descendo através dos níveis grosseiros e sutis de consciência. Todos os fenômenos surgem da infinita potencialidade do vazio, através dos níveis sutis, até que aparecem no reino grosseiro, e tudo se dissolve de volta no vazio em um processo interminável de transformação."[2]

A *mente sutil* manifesta-se durante os sonhos, na meditação, quando ocorre a telepatia, nos estados mentais positivos – que surgem como resultado de uma mente aberta e relaxada: como o amor, a compaixão e a sabedoria intuitiva –, e nos estados negativos subliminares, assim como exemplifica Lama Michel: "Não estar com raiva, não quer dizer ter eliminado a raiva em nosso interior. Ela está lá pronta para vir à tona quando encontrar uma condição apropriada...".

O *corpo sutil* é formado por canais, ventos de energia, chakras e gotas conforme explicarei logo mais adiante.

O *nível muito sutil* não pode ser compreendido por meio de palavras ou imagens, pois está além de nossa percepção ordinária. Ele surge no último estágio do processo da morte, quando todos os elementos do corpo e mente grosseiros e sutis tornaram-se inativos. Lama Gangchen explica: "É apenas nossa mente muito sutil unida ao vento contínuo de energia *sogdzin* que passa, sozinha e nua, para a próxima vida. [...] A mente muito sutil unida ao vento contínuo de energia é muito pequena, mais ou menos do tamanho de uma semente de mostarda. Nem por isso devemos pensar que ela não pode conter todo o espaço do universo. Talvez você imagine que para conter todo esse espaço, essa mente tão pequena tenha que se expandir até explodir. Pequeno, porém, significa mais concentrado, mais poderoso. Os níveis mais sutis e fundamentais de nossa consciência são muito mais poderosos que os níveis grosseiros superficiais".[3]

O *corpo muito sutil* é o *vento muito sutil* que serve de suporte para a *mente muito sutil* – a Mente de Clara Luz que se manifesta quando ocorre a percepção da natureza ilimitada e absoluta do universo.

---

2. Franchesca Freemantle, *Vazio luminoso*, Rio de Janeiro, Nova Era, p. 239.

3. Lama Gangchen Rinpoche, *Ngelso – Autocura tântrica III*, São Paulo, Gaia, p. 90.

Aqueles que, através da meditação profunda, conseguiram experienciar a natureza última do universo o fizeram por meio da *mente muito sutil*. Quando eles deixam este estado profundo de concentração e retornam a mente consciente, voltam a perceber o mundo a partir dos níveis grosseiros e sutis. Mas, uma vez que tiveram uma percepção direta da vacuidade, sabem que a realidade dual é ilusória. Algo semelhante a alguém que, enquanto sonha, é capaz de reconhecer a qualidade ilusória do sonho. Vale ressaltar que quando falamos em qualidade ilusória da realidade, não queremos dizer que as coisas em si mesmas não existam, mas sim que a forma como as percebemos é ilusória.

Quando estamos acordados, vemos o mundo sob o domínio de nossa percepção grosseira: *preto no branco*, as coisas têm nomes e funções determinadas. Mas, quando dormimos, nossa percepção grosseira cessa e a percepção sutil fica mais ativa: nos sonhos ultrapassamos as noções limitadas de tempo e espaço – podemos voar, estar em diferentes lugares num curto espaço de tempo, a imagem de uma pessoa pode tornar-se outra ou duas ao mesmo tempo em segundos! Como são gratificantes os sonhos que nos levam a sentir a liberdade de uma mente que flui sem obstáculos! No entanto, quando temos pesadelos nos sentimos ainda intensamente presos ao sofrimento.

Os padrões mentais podem ser grosseiros e sutis. Os grosseiros são os padrões emocionais criados nesta vida: todas as nossas "manhas e manias". Já os sutis são nossas "manhas e manias" tanto desta como de outras vidas.

Todos nós podemos reconhecer estes diferentes níveis de consciência. No entanto, não estamos acostumados a nomeá-los. Por exemplo: como chamaríamos o estado mental que faz uma mãe acordar segundos antes do seu bebê começar a chorar?

Certa vez, ao pedir a Lama Gangchen Rinpoche que me explicasse algo sobre a natureza de nossa energia sutil, ele calmamente me respondeu: "O mundo interno é tal como o mundo externo". Fiquei até meio zonza. Com uma simplicidade surpreendente, ele me revelou um grande segredo. Foi como se me dissesse: "O que você sempre quis saber estava à sua frente, só que você não via".

Lembro-me, então, de ter fixado o olhar no movimento dos galhos das árvores que eu podia ver pela janela e escutar Lama Gangchen me dizer docemente: "O mesmo movimento que você percebe agora lá fora, está acontecendo agora dentro de você. O tempo todo é assim. Por exemplo, antes de chover, quando o céu escurece e o ar fica mais pesado, também o seu corpo e a sua mente ficam mais tensos. No entanto, o contrário também ocorre: o que se passa em seu interior tem uma influência direta sobre o mundo exterior".

Em outro momento, Rinpoche disse: "Assim como hoje em dia há menos florestas no planeta, as pessoas estão ficando mais carecas. Se os cientistas investigassem, observariam que desde que a água doce está mais poluída, o ser humano vem sofrendo com mais problemas no líquido amniótico da medula. O mundo fora de nós é um reflexo de nosso mundo interno. A troca é contínua. O mundo interno influencia o mundo externo e o mundo externo transforma o mundo interno". Intrigada, lembro-me que lhe perguntei: "Como é a TPM (Tensão Pré-Menstrual) no mundo externo?". Ele me respondeu: "Como o calor abafado e as nuvens pretas antes de uma forte chuva!".

Desde então, procuro observar estas semelhanças. Outro dia, ocorreu uma incrível coincidência. No momento exato em que estava assistindo, no filme *Quem somos nós*, quando os cientistas explicam que nossas células nervosas se comunicam por meio de descargas elétricas (sinapses) semelhantes aos raios antes da chuva, pude ver pela janela de casa inúmeros relâmpagos no céu. Este momento me fez refletir sobre como somos presos a uma visão limitada de nós mesmos! Aliás, assistir a este filme nos ajuda muito a ampliá-la!

Mas, recentemente, ao ver os enormes relâmpagos no céu escuro pouco antes de chover, associei-os ao que sentimos quando estamos diante de uma grande mudança em nossa vida. Nestes momentos, não há dúvida de que os mundos interno e externo se comunicam: podemos sentir a tensão dentro e fora de nós! Associei os raios às notícias inesperadas que prenunciam a realidade de que "o tempo vai mudar", é melhor nos refugiarmos em algum lugar!

Reconhecer a realidade externa como um reflexo de uma rede interdependente que contém a mente de cada um de nós, nos ajuda a nos sentirmos momentaneamente despertos. Quando a nossa mente abre-se para uma nova percepção da realidade, tudo parece muito claro e óbvio. Mas, logo em seguida, perdemos esta percepção energética da realidade e voltamos a perceber o mundo da forma como estamos normalmente habituados.

A natureza da mente muito sutil é pura, luminosa e sabedora de tudo. No entanto, não podemos acessá-la porque ela está encoberta pelos padrões mentais grosseiros e sutis negativos. Eles impedem que a mente muito sutil e a sutil positiva possam se manifestar. Por exemplo, quando estamos irritados, somos incapazes de sentir amor!

Em geral, pensamos que a energia grosseira tem mais poder do que a sutil. Este é um dos motivos para a medicina alopática ser mais aceita do que a homeopatia em nossa cultura ocidental. Mas, na realidade, a mente sutil tem muito mais poder de transformação do que a grosseira, pois a matéria é uma expressão condensada da energia sutil: a energia flui do nível mais sutil ao mais material. Por exemplo, a vitalidade de nosso corpo físico é mantida pela qualidade energética de nossa aura.

Assim como nosso corpo físico torna-se fraco e opaco quando a energia sutil de seu campo áurico está fraca, nossa mente grosseira torna-se depressiva e negativa quando não consegue acessar a sua força sutil.

No nível grosseiro, nossa consciência opera por meio dos sentidos sensoriais: conceitualizamos a realidade e intuitivamente a incorporamos. Justamente porque operamos sistematicamente neste nível, não nos damos conta de que são os nossos sentidos que atribuem as qualidades ao mundo externo. Por exemplo, pensamos que o sabor de um bolo é doce somente devido ao açúcar que *ele* contém, não consideramos que é a nossa consciência sensorial que atribui ao bolo este sabor.

Apesar de não sabermos definir muito bem o que é energia espiritual, *sabemos* que necessitamos dela para nos sentirmos confiantes, com disposição para enfrentar os desafios da vida.

Os métodos de Meditação Tântrica visam atenuar e eliminar os efeitos colaterais da mente grosseira. Permitem assim a manifestação das qualidades energéticas positivas de nossa mente sutil.

Na medida em que a força opressora da mente grosseira negativa diminui, começamos a sentir a qualidade energética do elemento espaço puro mover-se em nossa mente: nos sentimos regenerados e em paz porque estamos mais livres das pressões internas. Uma vez que a mente sutil *positiva* pode mover-se livremente, nossa sabedoria e intuição inatas se manifestam.

Quando estamos perto de pessoas evoluídas espiritualmente, religiosas ou não, somos tocados pela força de seu campo energético sutil. Naturalmente, passamos a nos sentir felizes e relaxados. No entanto, este efeito não é uma via de mão única. Ele será maior ou menor de acordo com o nível grosseiro de intoxicação interna em que nos encontramos naquele momento e, principalmente, conforme a nossa conexão kármica com a pessoa com quem estamos em contato.

Por exemplo, algumas pessoas sentem um alívio imediato e um profundo bem-estar quando se encontram com mestres sagrados, entram em templos e igrejas ou até mesmo quando escutam rezas e cantos sagrados. Outras simplesmente não sentem nada.

As experiências positivas ou negativas serão sempre resultado de nossa experiência kármica. Cabe a cada um de nós encontrarmos as pessoas, os lugares e as palavras que irão despertar o que temos de mais belo em nosso interior: nossa natureza pura e sutil, livre de qualquer negatividade.

A anatomia do corpo sutil: canais, ventos de energia, chakras e gotas

A Meditação Tântrica visa transformar nosso *Corpo-Vajra,* ou corpo sutil, no Corpo-Vajra Verdadeiro, o Corpo da Forma de Buddha. *Guie* significa *Tantra* em tibetano, mas significa também o *continuum mental* indestrutível da energia sutil de nosso corpo e mente, localizado em nosso chakra do coração.

Esse *continuum* indestrutível de energia é o que passa de vida para vida e, quando transformado por meio dos métodos tântricos, torna-se o *Corpo-Vajra* e a *Mente-Vajra* de Buddha.

Estas práticas meditativas milenares visam a purificação dos corpos e mente sutis, formados por canais, ventos de energia, chakras e gotas brancas e vermelhas.

A título de esclarecimento e informação sobre nosso corpo e mente sutis, transcrevo abaixo algumas definições sobre a anatomia do *Corpo-Vajra* (canais, ventos de energia, chakras e gotas) extraídas do glossário do livro *Fazendo as pazes com o meio ambiente*, de Lama Gangchen Rinpoche.[4]

Os *canais* são as "veias" de nosso *Corpo-Vajra* ou corpo áurico, que conectam as diferentes partes do corpo aos muitos chakras ou centros de energia. Através dos canais flui a energia de vida e os ventos elementais que permitem ao nosso corpo mover-se e funcionar.

Os canais contêm também as essências sexuais que igualmente recebem o nome de "gotas". Os canais são como uma casa, os ventos são correntes de energia de vida sensória e elemental que permitem ao nosso corpo funcionar. As gotas são os tesouros preciosos existentes nesta casa.

O *chakra* é um centro de energia de vida essencial ou sutil. Trata-se de um ponto de junção de muitos canais de energia sutil, por onde fluem ventos de energia e gotas de *Bodhichitta*.

Os chakras principais localizam-se em pontos específicos ao longo do canal central ou vital, que, por sua vez, localiza-se no centro de nosso corpo, à frente de nossa medula espinhal.

Os chakras, canais, ventos de energia e gotas são fenômenos de nosso *Corpo-Vajra,* ou corpo áurico, não podendo, portanto, ser detectados pelo olho humano ou pela tecnologia científica.

As *gotas* são as essências masculina e feminina que fluem para dentro e fora de nossos canais sutis de energia. Elas se desenvolvem a partir do espermatozoide e do óvulo de nossos pais. As gotas masculinas concentram-se principalmente no chakra da coroa, cérebro e fluido vertebral, enquanto as essências sexuais femininas localizam-se principalmente no umbigo e no sistema circulatório sanguíneo.

As gotas grosseiras saem do corpo sob a forma de sêmen e sangue menstrual, mas as gotas sutis permanecem nos 72 mil canais de energia sutil de nosso corpo áurico.

O caminho do tantra ou mantra secreto refere-se à condução das gotas masculinas e femininas para dentro do canal central através dos cinco chakras principais. No canal central, as gotas são purificadas e

---

4. Lama Gangchen Rinpoche, *Fazendo as pazes com o meio ambiente*, São Paulo, Centro de Dharma da Paz Shi De Choe Tsog, p. 240.

transformadas em grande bem-aventurança (a essência da energia masculina) e espaço absoluto (a essência da energia feminina).

Quando conseguimos unir todos nossos ventos e gotas no chakra do coração, podemos despertar nossa mente de cristal puro, a mente de bem-aventurança e vacuidade, e atingir a Iluminação.

O Quarto Elo sob o ponto de vista da existência física

O Quarto Elo, sob ponto de vista da existência física, refere-se ao momento em que o óvulo é fertilizado, atribuindo à consciência relativa um corpo (*forma*) conectado a uma mente (*nome*).

Segundo o Budismo Tibetano, o processo da concepção é presidido por uma reação emocional: o sentimento duplo de atração-aversão agirá como fator que provocará o renascimento.

Depois de vagar no *Bardo* por, no máximo, 49 dias, vemos nossos futuros pais em união sexual. "Quando a pessoa renasce como ser humano, vê seus futuros progenitores como se estivessem deitados juntos. Se a pessoa vai renascer como homem, esta visão produz desejo pela mãe e ódio pelo pai – e vice-versa, caso vá renascer como mulher. Sentindo desejo, a pessoa se dirige rapidamente para lá, a fim de copular; lá chegando, porém, vê apenas o órgão sexual do parceiro desejado. Isso provoca raiva, o que causa a cessação do estado intermediário e a conexão com a nova vida. A pessoa adentrou o útero materno e iniciou uma vida humana. Quando o sêmen do pai e o sangue da mãe se juntam a essa vida ou consciência, desenvolvem gradual e lentamente os elementos de um ser humano."[5]

A consciência é inicialmente engolida pelo pai e, depois, ejaculada dentro do útero da mãe, onde então, cavalgando sobre o esperma do pai, une-se ao óvulo.

Na formação do feto, derivam do pai as características de sua estrutura óssea, a espinha dorsal e os vasos seminais. A carne, o sangue e a pele derivam da mãe. A própria consciência e os cinco órgãos sensoriais –

---

5. Lati Rinpoche e Jeffrey Hopkins, *Morte, estado intermediário e renascimento no budismo tibetano*, São Paulo, Gaia, p. 13.

audição, visão, olfato, paladar e tato – vêm do *continuum mental* que passou pelo estado intermediário.

Todas estas contribuições do pai, da mãe e da consciência se unem no momento da concepção. As energias dos cinco elementos do pai e dos cinco elementos da mãe começam, então, a funcionar em união com a Consciência Relativa.

A influência do efeito do elemento *terra* consiste em reter o embrião e criar sua consistência de dureza e firmeza.

A influência do elemento *água* fornece coesão ao embrião com toda sua parte líquida.

A influência do elemento *fogo* manifesta-se no embrião como o calor que favorece a maturação e garante a não putrefação.

A função de o elemento *ar* fornecer ao feto o seu crescimento, a circulação e sua respiração. Se o elemento ar não estivesse presente no embrião, ele morreria.

A função do elemento *espaço* é gerar tanto o feto como qualquer processo de criação.

O Quarto Elo sob o ponto de vista da existência do processo mental

Sob ponto de vista da existência dinâmica do processo mental, o Quarto Elo refere-se ao momento em que a mente passa a gerar as formas-pensamento. Podemos identificar também a qualidade dos cinco elementos na dinâmica mental:

1. O elemento *espaço* dá sustentação para que os demais elementos possam se manifestar. Em essência, o elemento espaço puro é a manifestação da ilimitada sabedoria da vacuidade. Uma mente com *espaço* é paciente, estável, disponível, aberta. Já uma mente com elemento espaço impuro é instável, irritada, vê em tudo um obstáculo.

2. O elemento *água* traz para a mente a qualidade de adaptabilidade e a capacidade de continuidade. Assim como a água diante da queda não retrocede, o elemento água permite o fluxo mental fluir.

3. O elemento *terra* dá à mente a capacidade de sustentação: tanto dos pensamentos negativos como dos positivos. A devoção também é um aspecto do elemento terra na mente.

4. O elemento *fogo* traz para a mente a qualidade de perceber com clareza. A paixão, empatia, entusiasmo são qualidades do elemento fogo na mente. É interessante saber que o som de uma risada é uma expressão do elemento fogo na mente, pois ele aquece, anima e realça.

5. Por fim, o elemento *ar* traz para a mente movimento contínuo, ação, assimilação rápida e ágil de novas ideias. *Insights* e perspicácia indicam qualidades do elemento ar na mente.

Nomear significa dar forma às ilusões

No Quarto Elo, a mente encontra nos nomes uma forma de manifestar-se. "Em algum ponto do passado, seres humanos começaram a reconhecer contrastes de luz e sombra como formas isoladas, às quais podiam dar nomes. Contrastando, identificando e nomeando formas, eles criaram um mundo de polaridades interdependentes: grande e pequeno, duro e macio, macho e fêmea. Embora todas estas distinções, bem como os rótulos aplicados a elas, fossem criação da mente humana e variassem em caráter de cultura para cultura, com o tempo adquiriram maior substância e passaram a ser vistas como efetivamente sólidas e reais."[6]

Nomear significa dar *forma* às ilusões, concretizá-las, torná-las visíveis. Quando nomeamos algo ou alguém, afirmamos para nós mesmos o que vemos e sentimos. Delineamos qualidades subjetivas que atribuem qualidades aparentemente objetivas aos fatos e pensamentos. Ao nomear, estamos rotulando as experiências: definindo seu perfil.

Na designação do Quarto Elo, *Nome* refere-se à *mente*, e *Forma*, ao *corpo*. A imagem de dois homens em um barco, transportados por um

---

6. Tarthang Tulkuu, *Conhecimento da liberdade: tempo de mudança*, São Paulo, coedição Instituto Nyngma do Brasil e Associação Palas Athena do Brasil, p. 351.

barqueiro, que está associada a este Elo, indica que são necessárias muitas condições tais como o barco, o remador, o oceano, para que o fenômeno se manifeste.

Assim como explica Lama Gangchen Rinpoche: "O resultado da causa e condição do surgir interdependente negativo das incontáveis consciências que contêm os registros de nossas ações projetoras de luz e de sombra são nosso nome e forma comuns surgidos interdependentemente. O corpo e a mente impuros e cheios de sofrimento que recebemos a cada nova vida são o barco do qual precisamos para sustentar nossa existência no tempestuoso oceano do *samsara*".[7]

Precisamos aprender a nadar no oceano do *samsara*! Como disse Rinpoche certa vez: "Nadar sem engolir água".

Apesar de criarmos *nomes* para podermos nos comunicar, a maior parte de nossos problemas surge quando atribuímos qualidades fixas às situações, pois, uma vez que a *cara* da situação está delineada, passamos a agir de acordo com as experiências mentais associadas a esta projeção inicial. Quantos problemas começam *só* porque demos *nomes aos bois!*

Nomes criam formas, assim como ideias fixas nos aprisionam ao conhecido. Bloqueados, somos incapazes de perceber qualquer coisa nova. Por isso, ao reconhecer que os *nomes* que demos às *formas* à nossa volta, como, por exemplo, aos relacionamentos, não estão mais adequados, temos que atualizá-los! No entanto, existem períodos em que o melhor é aceitar ficar sem nomear, pois a nova forma ainda está em gestação!

Quando não há nada a fazer, o melhor é descansar

O Budismo nos incentiva a aprendermos a direcionar nossa mente para que ela siga padrões claros e positivos. O simbolismo do Quarto Elo representado por duas pessoas num barco sendo levadas por um barqueiro, indica que podemos "remar" a mente na direção que desejarmos, mesmo que as condições sejam adversas. Não estamos conde-

---

7. Lama Gangchen Rinpoche, *Ngelso – Autocura tântrica III*, São Paulo, Gaia, p. 294.

nados a sofrer infinitamente. Podemos usar a interação corpo-mente a nosso favor. Mas é preciso treinar a navegar nas turbulentas águas do oceano samsárico!

Direcionar não significa *controlar a qualquer custo*, isto é, forçar os acontecimentos, mas sim confiar no enorme poder de direcionamento que surge quando nossas intenções são claras.

Confiar que a intenção de nossa mente (nome) é capaz de gerar e atrair as condições (formas) necessárias para dar continuidade aos nossos propósitos é um ato de autorresponsabilidade, pois, desta forma, assumimos a porção energética que nossa mente projeta à nossa volta.

Não há, porém, espaço para exageros: não podemos inflar, ao ponto de crer que nossa força seja capaz de moldar magicamente a realidade externa, nem nos manter vítimas passivas de nossa "co-criação" no mundo.

A cada instante temos sempre uma nova oportunidade de dar continuidade ao impulso gradual de nossa evolução interna. Isso não significa atingir a cada momento condições maiores e melhores de expansão, seja física ou de realização social, mas sim criar cada vez mais harmonia entre nossa mente e as condições em que ela se encontra.

O aprimoramento de nossa mente pode continuar mesmo durante os períodos adversos e sem sucesso. No entanto, em geral, associamos o bem-estar mental ao bem-estar físico. Porém, nossa mente pode *subir* enquanto nosso corpo *desce*. Em outras palavras, mesmo quando estamos perdendo nossa energia física, quando, por exemplo, estivermos enfrentando o processo de nossa morte física, a mente pode manter-se positiva, continuar a *subir*.

"Quando não há nada a fazer, o melhor é descansar." A primeira vez em que ouvi Lama Gangchen dizer essa frase, estávamos diante de uma situação aparentemente "sem saída". Ele, então, calmamente nos disse: "Não saber o que fazer é como estar perdido, à noite, numa floresta escura. O melhor, então, é encontrar um lugar seguro, em cima de uma árvore, e dormir até o sol nascer. Quando não há nada a fazer o melhor é descansar, sem esquecer que o sol nasce *sempre todos os dias*".

Existem momentos em que precisamos nos render diante de nossas expectativas e desejos, pois sabemos intuitivamente que estamos impossibilitados de avaliar o que quer que venha a acontecer.

Quando estamos diante de situações nas quais não temos condições de prever nosso próximo passo, finalmente temos que aprender a dizer "Agora, eu não sei". Paradoxalmente, só quando reconhecemos que não sabemos é que começamos a nos abrir para uma atitude totalmente nova. Admitir *não saber* é o primeiro passo para sentir um grande alívio.

Márcia Mattos escreve muito bem em seu *O livro das atitudes astrologicamente corretas*[8] sobre a necessidade de adotarmos uma atitude de entrega autêntica: "Sabemos que, em alguns casos, forças tão poderosas estão em jogo que só podemos nos render a elas, e esta sujeição ou contrariedade aos desígnios do 'Eu' é que pode parecer aterradora. O mais indicado a fazer diante de tal realidade é convergir, comungar com ela, jamais combatê-la. Saber-se parte de um grande todo e não renunciar a esta condição, operar de acordo com este todo, pulsando com ele, como um feto dentro de uma grande barriga cósmica, me parece o melhor a fazer. Em vez de derrotados, devemos nos sentir incluídos".

Quando a vida perde a fluidez, não adianta apressá-la. Seria como tentar acelerar uma música sem ritmo. Parar, nestes momentos, não significa perder tempo, mas sim agir de modo eficaz para observar melhor a natureza da situação sem a influência de nossa ansiedade.

Somente quando deixamos de alimentar nossa ansiedade é que começamos a nos soltar.

Para me desconectar da ansiedade, procuro vagar: "andar por aí", com a mente e/ou com o corpo!

Inicialmente, faço algo que permita meus pensamentos vagarem sem um destino certo: *deixo* minha mente ficar neste estado meio zonzo, pois *sei* que não é de benefício analisá-los quando estou inquieta. À medida que me acalmo, reconheço o quanto estava contaminada pela ansiedade interna. Mal percebia o que se passava à minha volta!

Como um modo de recuperar a percepção do mundo externo, ouço uma música, vejo o noticiário da TV, assisto a um filme ou tomo um banho perfumado... Procuro fazer algo que não me exija esforço, nem

---

8. Márcia Mattos, *O livro das atitudes astrologicamente corretas*, São Paulo, Campus, p. 144.

concentração, isto é, que seja tão simples quanto minha mente possa assimilar. Desta forma, *me esvazio* e, gradualmente, a ansiedade diminui. Neste momento, algumas vezes, sinto tocar os limites entre a calma e a melancolia. Noto, então, que é hora de parar de contemplar e voltar a agir. Em outras vezes, aproveito a calma conquistada para meditar.

Frente à ansiedade, só podemos relaxar, mas diante da calma já podemos meditar! Sem dúvida, este é um grande passo: quando recuperamos as rédeas do mundo interior, podemos voltar a escolher para onde queremos nos levar. No entanto, nos momentos em que nossa mente encontra-se *sem saber para onde ir*, é preciso parar de remar contra a correnteza e continuar *sendo* e, se soubermos seguir os conselhos de Lama Gangchen, nos entregarmos e aproveitarmos para descansar!

XIV

Quinto Elo Interdependente: o poder dos seis sentidos

"O Quinto Elo são as seis esferas dos sentidos, os promotores internos de consciência, que são o olho, o ouvido, o nariz, a língua, o corpo e os sentidos mentais. Eles são representados no quadro da Roda da Vida por uma casa vazia, porque os órgãos estão se desenvolvendo, mas ainda não estão funcionando, ou seja, como numa casa vazia, as circunstâncias externas requeridas para o funcionamento das consciências dos sentidos estão se desenvolvendo, mas, internamente, elas ainda não estão funcionando."[1]

Lama Gangchen nos alerta para a realidade de que o mundo, tal como o conhecemos, é criado por nossas mentes: "O resultado da causa e condição do surgir interdependente negativo de nosso renascimento com uma mente e corpo impuros (nosso *samsara* interno) é o desenvolvimento em nossos órgãos embrionários dos seis ventos de energia poluídos ligados aos seis sentidos. No útero de nossa mãe, nosso corpo e mente são como uma casa recém-construída com seis entradas: olhos, ouvidos, nariz, língua, ventos do sentido do tato e vento de energia

---

1. Sua Santidade, o Dalai Lama, *O sentido da vida*, São Paulo, Martins Fontes, p. 37.

Sogdzin de sustentação da mente (sem os sentidos grosseiros nem consciência mental). Nossos ventos de energia dos seis sentidos surgidos interdependentemente fazem com que as sombras de nosso apego e raiva egoístas se desenvolvam e cresçam: a autodestruição – o oposto da autocura".[2]

As práticas budistas nos estimulam a purificar nossa percepção sensorial como forma de purificar a nossa mente. Lama Gangchen Rinpoche sempre nos diz: "Olhe com paz, escute com paz, toque com paz, cheire com paz, saboreie com paz. Assim, vocês poderão mudar suas vidas positivamente".

A primeira vez que escutei Rinpoche dizendo isto, estávamos na sala de meditação de seu Centro Albagnano Healing Meditation Centre, na Itália, quando inesperadamente ele parou de falar e percutiu uns címbalos (tubos sonoros) que ressoaram sons graves e agudos por toda sala. Ele apenas nos disse: "Escutem com paz". Nas primeiras vezes, percebi que minha mente ficou mais agitada. Sem saber como lidar com estes sons inesperados, senti-me mais ansiosa ao *tentar* relaxar. Mas, aos poucos, a cada vez que Rinpoche tocava inesperadamente os címbalos, enquanto continuava os ensinamentos, eu me sentia melhor, havia *algo,* como um aviso de trégua que me emocionava ao sentir que me abria para escutar com paz.

Esta experiência ficou marcada em mim até hoje. Ela me ajuda a observar a frequência com que minha mente critica antes de apreciar, reclama do que nem experimentou ou mesmo evita o que poderia ser bom. De fato, nossa percepção sensorial está tão sobrecarregada de imagens violentas e sons agressivos que estamos estressados de apenas ver e ouvir o mundo. Por isso, acabamos nos fechando para novas ideias e oportunidades. Sem nos darmos conta, afastamos as pessoas de nós, apenas por olhá-las com um olhar crítico. Não saboreamos mais o que comemos por estarmos demais acostumados com os alimentos de nosso cotidiano.

Ao observarmos como nossa mente tem escutado, saboreado, tocado, olhado o mundo à nossa volta, poderemos perceber o quanto nos tornamos automatizados e sem graça. Anestesiamos nossa capacidade

---

2. Lama Gangchen Rinpoche, *Ngelso – Autocura tântrica III*, São Paulo, Gaia, p. 295.

de percepção sensorial! Mas, podemos superar essa tendência, se olharmos o mundo com a disposição interna de apreciá-lo!

A mente sob o domínio dos estímulos sensoriais

O cérebro processa as informações transmitidas pelos órgãos sensoriais e as transforma em imagens e pensamentos. Por exemplo, quando escutamos uma música que nos desagrada, o nível de cortisol (o composto químico do estresse) aumenta. Sentimos mal-estar e ficamos irritados. No entanto, quando escutamos uma música que nos agrada, o nível de cortisol diminui e a DHEA, o hormônio sexual produzido principalmente nas suprarrenais, aumenta, colocando as moléculas sexuais em movimento. Começamos a sorrir. Assim como relata a Dra. Theresa Crenshaw: "E você fica sorrindo com tanto prazer que sua dopamina também deve estar fluindo. A dopamina lhe motiva e mobiliza. De fato, um aumento de dopamina é a razão pela qual as pessoas pulam de alegria e dançam, quando estão felizes. Talvez seja também a razão pela qual elas se movem com a música. E então o que acontece? Dê as boas-vindas à ocitocina. Quando dançamos, nos tocamos. Ou, pelo menos, esperamos tocar em alguém, mais cedo ou mais tarde. Seus peptídeos entram na dança. A ocitocina aumenta. Algumas músicas animadas – exercício físico – e outros hormônios vão subindo. Sua temperatura sobe demais e a vasopressina lhe diz para fazer uma pausa. Quando você se cansa vem uma música lenta. Você está pingando suor e exalando feromônios. Você volta a ter contato físico, desta vez um contato frontal completo – sobrecarga de ocitocina. Suas endorfinas aumentam. Você vai às nuvens...".[3]

Daí ser tão importante nos conscientizarmos do poder dos estímulos sensoriais sobre nossas decisões e escolhas. A mente integra, traduz, decodifica as impressões dos cinco sentidos. Enquanto vivermos sob o domínio dos estímulos sensoriais, estaremos à mercê de nossa química interna!

Mas podemos usar o estímulo sonoro a nosso favor. Assim como Joseph Campbell respondeu à seguinte pergunta: "Por favor, como será

---

3. Theresa Crenshaw, *A alquimia do amor e do tesão*, Rio de Janeiro, Record, p. 137.

possível explicar de onde vem a capacidade e a sensibilidade humanas para a música, considerando-se que a música não tem nenhuma função ligada à sobrevivência?". Ele respondeu: "Ela tem a função de despertar. A vida é ritmo. A arte é a organização dos ritmos. A música é uma arte fundamental que mobiliza nosso sistema da vontade. [...] O ritmo da música desperta certos ritmos da vida, modos de viver e de experienciar a vida. É essa a razão: a música desperta a vida".[4]

Escute sua música interior

Você já se flagrou escutando uma melodia espontânea, sem começo, nem fim, entoando em seu interior? Se isso já aconteceu com você, lembre-se: este é um sinal de que você está em paz consigo mesmo, e, portanto, com o mundo à sua volta!

Por vezes, podemos estar aparentemente calmos, sentados frente à TV, mas internamente nossa mente não soa bem: escutamos sons, palavras soltas e pensamentos desconexos que revelam a inquietude de nosso mundo interior.

No entanto, quando nossa mente está descansada, calma e aberta, podemos escutar melodias criadas por nós mesmos. Todos nós somos compositores de nosso mundo interior!

Como um eco de nossa alma, escutar a música interior é uma das formas mais íntimas de sentirmos a vibração da própria vida. O tom, o ritmo e a cadência desta desconhecida melodia nos revelam mensagens de nosso corpo e de nossas emoções: expressões de sentimentos profundos que estão além das palavras. E como nos faz bem escutá-los!

A escuta da melodia interior purifica a mente dos pensamentos negativos e gera bem-estar. Finalmente relaxamos: não temos mais a necessidade de seguir os impulsos da mente crítica, que nos impede de sentir e intuir soluções criativas. A música estimula o hemisfério cerebral direito!

Enquanto o hemisfério cerebral esquerdo está ligado à experiência humana da racionalidade – uma função própria da energia masculina –,

---

4. Joseph Campbell, *A jornada do herói*, São Paulo, Ágora, p. 256.

o direito refere-se ao subjetivo, afetivo, imaginativo e intuitivo – funções da energia feminina.

Apesar dos dois hemisférios agirem concomitantemente, algo mágico ocorre quando o princípio feminino criador se sobrepõe à dinâmica racional do princípio masculino: estamos livres para ir além da autocrítica, podemos intuir e nos sentir inteiros.

Para ativar a mente sensorial que nos aproxima do mundo interior, precisamos aquietar a mente racional, viciada em avaliar e julgar tudo que ouve e vê.

O simples fato de permanecermos quietos, numa posição confortável, prestando atenção à nossa respiração, já é uma maneira rápida e eficiente de diminuirmos as atividades da mente acelerada e estressada. No entanto, estamos tão viciados nos estímulos do mundo exterior que nem lembramos de nos oferecer este alívio regenerador! Desconhecemos as melodias de nosso mundo interior porque raramente paramos para escutá-las!

Infelizmente, uma das grandes perdas em nossa evolução humana tem sido justamente a queda de nossa sensibilidade musical: estamos mais toscos, mais grosseiros. Nossa capacidade auditiva está menos seletiva. Muitas vezes a música está presente e nem nos damos conta de que há uma música sendo tocada.

É impressionante a capacidade que temos de suportar tamanha poluição sonora em qualquer lugar que estejamos. Nas lojas e supermercados, as músicas ambientes são agitadas e provocadoras, tocadas em alto volume. Nosso cérebro não pode descansar!

Já foi comprovado que o sistema auditivo está intimamente ligado ao nervoso; logo, o som interfere nas ondas cerebrais. A música é um dos estímulos mais potentes para ativar os circuitos do cérebro. No entanto, uma sobrecarga sonora pode causar o aumento da concentração de suco gástrico, gerando dor de cabeça, fadiga e irritabilidade. A relação desgastante entre o homem e o seu meio ambiente sonoro é uma das grandes fontes de seu desequilíbrio.

Músicas com ritmos excitantes, repetitivos e acelerados, apesar de serem apreciadas por quem dança ao seu som, são prejudiciais à saúde, principalmente quando tocadas em alto volume. O volume elevado e ininterrupto desgasta as células sensoriais do ouvido, até que elas se

Mania de sofrer

tornem incapazes de reagir. A deficiência de audição é difícil de ser constatada por ser indolor e por se desenvolver lentamente.

Uma das razões pelas quais os sons da natureza nos fazem bem é que eles simplesmente não ultrapassam o limite tolerado pelo ser humano! Os sons dos pássaros, da água, do vento batendo nas folhas são naturalmente relaxantes e regeneradores.

Robert Sardello ressalta: "A música se concentra no sentido da audição. Ela não é, no entanto, uma imitação de sons ouvidos no mundo. As canções dos pássaros, por exemplo, são sons melodiosos, mas não são verdadeira música. A audição deve ser elevada ao domínio da alma para se tornar música, dando ao som uma forma nova e imaginativa. [...] O domínio da música nos ensina muito a respeito da vida inspirada. Nós nos sentimos inspirados quando somos aquilo que fazemos, quando não sobra espaço em nosso ser para pensamentos e fantasias aleatórias. Então, estamos sintonizados com nossas ações, em harmonia com nossos propósitos, e fazemos coisas no ritmo correto, com o exato senso de oportunidade. É necessário escutarmos atentamente para ouvir o que nos inspira".[5]

Portanto, precisamos urgentemente nos conscientizar do enorme poder que o ambiente sonoro tem sobre nós. Aliás, quem não conhece a experiência de recuperar uma forte emoção ao escutar uma determinada música? E o que diremos da memória das emoções antigas guardadas em nossas melodias interiores... vale a pena escutá-las!

O poder dos mantras de proteger a mente

Podemos não ter uma definição exata sobre o que é o *poder da energia espiritual*, mas intuitivamente todos nós *sabemos* que esta energia é necessária para nos sentirmos em paz e em comunhão com o mundo à nossa volta. Aliás, outro dia, ao perguntar a um paciente se ele já havia sentido estar em comunhão com a natureza, ele me disse: "Não tenho a menor ideia do que você está falando". Rimos juntos. Mas, ao aprofundar a conversa, concluímos o quanto a nossa

---

5. Robert Sardello, *Liberte sua alma do medo*, Rio de Janeiro, Fissus, p. 227.

Quinto Elo Interdependente

mente inquieta e perturbada pelos afazeres do cotidiano nos impede de simplesmente relaxar e sentir um natural estado de bem-estar, onde quer que estejamos.

Certa vez Lama Gangchen nos alertou em seus ensinamentos: "Paz significa uma energia natural e preciosa de bem-estar que não pertence a ninguém em particular, pertence a todos! Precisamos nos acostumar a reconhecer esta paz natural sempre disponível. Às vezes sentimos esta paz natural quando estamos sozinhos no banheiro, mas o problema é que não a levamos conosco quando saímos dele: assim que abrimos a porta já voltamos a nos sentir nervosos".

Isto ocorre porque nossa mente está sobrecarregada de informações inúteis. Nossa ignorância nos impede de enxergar a realidade com clareza e por isso sentimos que estamos carregando um peso extra em nossa mente que podemos chamar de *preocupação*.

Por exemplo, agora mesmo, se puder, responda com toda sinceridade: "Com que frequência tenho sido tomado pela energia da preocupação?". É importante nos questionarmos desta forma, pois, na maioria das vezes, não estamos conscientes do hábito de nos preocuparmos.

A preocupação é uma espécie de estresse autoaplicado. Sua energia é densa e pesada. Torna nossos pensamentos fixos, paralisados, e seu retorno é constante, surge como pensamentos obsessivos e mais preocupações. Mas a preocupação é um peso extra do qual podemos nos libertar!

Lama Gangchen nos alerta que seguir "sons sem sentido" é muito perigoso, pois nos faz desperdiçar nossa preciosa energia vital. Se quisermos sentir a leveza de uma mente saudável teremos que nos livrar do peso extra das preocupações, dúvidas e angústias. Para tanto, precisamos nos deixar tocar pela força da energia positiva sutil, pois ela age como um bálsamo curativo sobre nossa mente cansada.

Podemos nos nutrir de energia espiritual por meio dos mantras: na qualidade energética de sons sagrados. Na meditação budista, trabalhamos mais com sons e imagens do que com o sentido das palavras. As palavras estimulam a mente conceitual; já os sons e as imagens "tocam" a mente. Assim como Lama Gangchen costuma nos dizer: "Nossa mente é muito 'dura'. Por isso ela precisa ser massageada com os mantras, para dissolver a sua rigidez e os seus bloqueios".

A palavra sânscrita *mantra* é formada de duas sílabas: *man*, significa mente, e *tra*, significa proteger. O seu significado é, portanto, "proteger a mente".

O poder sutil das palavras recitadas num mantra é uma qualidade abstrata que só pode ser observada por meio de seus efeitos. Neste sentido, o mantra age em um plano secreto, pois seu poder está além das imagens e das palavras.

A força secreta do mantra depende de algumas condições. Como, por exemplo, se o praticante recebeu ou não a *transmissão oral* deste mantra por um mestre que tenha realizado o poder sutil do mesmo.

Na tradição budista tibetana, a transmissão oral é muito importante, pois é por meio dela que irá se dar a *transferência de poder* que possibilita praticar o mantra. Isto é, o mestre irá ativar a força secreta do mantra para o discípulo poder praticá-lo.

Assim como explica Lama Gangchen Rinpoche: "Quando usamos o termo 'secreto' não queremos dizer que as palavras, melodias ou explicações sejam secretas. Todos os tibetanos podem ir a uma livraria e comprar livros sobre todos os assuntos mais incríveis e secretos do Tantra Tibetano. 'Secreto' significa que é necessária uma transmissão de coração para coração para que as instruções funcionem. A experiência interna que cada um tem é secreta, pois é uma experiência meditativa, e quando nos dirigimos às pessoas que não a tiveram, podemos apenas sugeri-la por meio de palavras. 'Secreto' significa que a mente não tem forma e que, portanto, é muito difícil expor uma experiência mental. Tradicionalmente, todos os meditadores tântricos mantinham secretos os resultados de suas práticas, contando-os apenas aos seus melhores amigos, para assim guardar sua energia interna. Como resultado, tudo que eles desejavam fazer com a mente (desenvolver a compaixão, a experiência da vacuidade ou a iluminação) sempre dava certo. Esse é o motivo por que aconteciam tantos milagres e experiências especiais no início das linhagens tântricas: os meditadores sabiam muito bem como cuidar de sua preciosa energia mental interna".[6]

A força do poder de cura de um mantra depende também *da clareza de intenções* daquele que o recita. A qualidade da motivação de quem recita um mantra revela seu desenvolvimento espiritual.

---

6. Lama Gangchen Rinpoche, *Ngelso – Autocura tântrica III*, São Paulo, Gaia, p. 402.

Uma pessoa pode recitar mantras para adquirir bens materiais e poder pessoal. No entanto, sua força será muito maior quando ela o recitar para desenvolver compaixão e amor, porque esta é a força original do mantra. Desta forma, ela estará em sintonia com a força secreta do mantra.

Durante séculos, os mantras têm sido usados na prática espiritual para enfocar e transformar a energia sutil.

As energias curativas despertadas pelo som do mantra são inerentes à psique. Na tradição budista, estas forças positivas são caracterizadas como divindades: manifestações de uma força transformadora que se encontra em nossa mente.

O primeiro mantra que recebi pela transmissão oral por meu mestre Lama Gangchen Rinpoche foi: OM MUNI MUNI MAHA MUNI SHAKYA MUNI SOHA. Este é o mantra de Buddha Shakyamuni. Vejamos o significado resumido de cada palavra do mantra:

- OM significa o corpo, fala e mente sagrada de Buddha Shakyamuni; a tranquilidade e a felicidade mental absoluta.
- MUNI: a determinação de renunciar aos pensamentos violentos.
- MUNI: a determinação de manter a uma grande mente capaz de ajudar a todos a fazer o mesmo.
- MAHA MUNI: representa a visão correta da realidade, isto é, a percepção de que todos os fenômenos são de natureza vazia e interdependente.
- SHAKYA MUNI: representa o caminho secreto tântrico, mais veloz para desenvolver nosso potencial positivo.
- SOHA: quer dizer "Por favor, dê-me estas realizações pelo benefício da cura".

Honestamente, a grande maioria de nós sente-se impossibilitada de desenvolver esta mente *grande*, capaz de incluir e amar todos os seres. No entanto, Lama Gangchen nos incentiva a cultivá-la, nos lembrando que justamente porque não usamos este potencial é que criamos interferências negativas.

Ao recitar este mantra estamos nos educando a nos conectar com nosso potencial mais elevado de crescimento. Tudo o que precisamos

Mania de sofrer

fazer é relaxar o máximo possível enquanto repetimos ritmicamente as sílabas do mantra, em voz alta ou silenciosamente.

Durante os dez primeiros anos, de 1982 a 1992, em que Lama Gangchen esteve no Ocidente ele propôs transmitir o Dharma por meio dos cuidados do *corpo físico*: atendia pacientes em consultas individuais. Nos dez anos seguintes, de 1993 a 2003, dedicou-se à transmissão dos ensinamentos por meio da *palavra*: escreveu livros e elaborou o sistema de *Autocura Tântrica NgalSo*. Desde 2004, ele tem se dedicado à transmissão do Dharma por meio da *mente*, ao realizar iniciações elevadas como de *Kalachakra* – uma prática do Tantra Ioga Superior conhecida por "Roda do Tempo".

Durante o período de seus atendimentos, trabalhei várias vezes como tradutora do inglês para o português. O paciente contava o que estava lhe acontecendo, Rinpoche media com os dedos o seu pulso, fazia-lhe algumas perguntas, dava-lhe conselhos e indicava os remédios tibetanos, se fosse necessário. Ao final da consulta transmitia o mantra de Buddha Shakyamuni. Depois lhe abençoava e lhe oferecia uma fita de proteção. A cada paciente repetia sempre a mesma mensagem, como se estivesse a dizendo como pela primeira vez: "Este mantra é seu amigo espiritual; se você recitá-lo não irá se sentir mais só".

Lama Gangchen enfatiza: "Neste século, os amigos sempre mudam, a cada momento temos novos amigos. A amizade tornou-se algo inconstante, é difícil encontrar amigos verdadeiros. O mantra é permanente, sempre nos ajuda, é sempre uma boa companhia, um amigo muito próximo".[7] "A vibração do mantra de Guru Buddha Shakyamuni estabiliza nossa energia interna, ajuda-nos a cultivar nosso sorriso interno e a sempre tomar a decisão certa, sem dúvida ou hesitação. Ele nos ajuda especialmente a aprender a amar e confiar em nós mesmos e nos outros, transformando nossos sofridos relacionamentos em alegre companhia espiritual. Não é necessário ser budista ou religioso para receber os benefícios deste mantra, pois ele contém muitas chaves de sabedoria poderosas e realiza a cura no nível energético sutil. Um Buddha não é um deus. Um Buddha é uma pessoa que desenvolveu completamente a energia de cristal puro de seu corpo, palavra, mente, qualidades e

---

7. Lama Gangchen Rinpoche, *Ngelso – Autocura tântrica III*, São Paulo, Gaia, p. 63.

ações e que tem a habilidade de transmitir essa energia aos outros. Precisamos compreender que o Buddha que visualizamos no céu à nossa frente é um símbolo do nosso próprio potencial humano, que despertamos através do poder transformador da energia de cristal puro de Guru Buddha, através do treinamento espacial, mantra, mudra e concentração".[8]

Meditação simplificada de Buddha Shakyamuni

Inicialmente, foque seu problema e peça clareza a Buddha Shakyamuni. Peça para que você e todos os seres possam superar os estados de dúvida e desenvolver estados mentais positivos, baseados na clareza de uma intenção que visa o benefício de todos.

Visualize, então, logo à sua frente, Buddha Shakyamuni manifestando--se como uma radiante luz branca, enquanto canta ou recita o seu mantra: OM MUNI MUNI MAHA MUNI SHAKYA MUNI SOHA.

Conforme você se concentra nesta luz à sua frente, ela se intensifica, e começa a penetrar no topo de sua cabeça, descendo agora do topo de sua cabeça, passando pela garganta, até fundir-se no interior de seu coração. Assim, a sua mente e a de Buddha Shakyamuni se tornam uma só mente. Agora, visualize que esta luz, a partir do coração, começa a se expandir até preencher todo o seu corpo de luz branca radiante. Sinta que todas as suas impurezas estão sendo purificadas.

Continue a visualizar esta luz se expandindo até naturalmente ultrapassar os limites de seu corpo, saindo por todos os poros e orifícios, formando um campo de luz à sua volta. Permaneça nesse estado o tempo que puder. Se quiser, visualize neste campo de luz ao seu redor a presença de todas as pessoas que necessitam desta mesma energia. Desta forma, sua meditação estará beneficiando-as também.

Esta visualização é particularmente útil quando nos sentimos impotentes frente às pessoas que sofrem muito. Esta visualização nos ajuda também a criar uma proteção áurica ao nosso redor. Desta forma, pode-

---

8. Lama Gangchen Rinpoche, *Ngelso – Autocura tântrica III*, São Paulo, Gaia, p. 192.

mos tanto nos proteger das energias negativas como manter em nosso interior energias positivas.

Para finalizar, dedique toda energia positiva que você acumulou por meio de sua motivação e concentração ao fazer esta meditação: visualize que luzes brancas saem de seu coração, e penetram no coração de todos aqueles que lhe ajudam no seu desenvolvimento interior. Visualize-os repletos de luz branca. Aos poucos, esta luz retorna e seu coração começa a diminuir, até que você não possa mais pensar nela. Então, consciente de que potencialmente seu coração está carregado de luz branca, expire e abra os olhos.

Alguns conselhos de Lama Gangchen[9]

Não é preciso ser budista para recitar e receber os benefícios do mantra. Se, por exemplo, tivermos dificuldades para tomar uma decisão, podemos rezar algumas vezes o mantra e observar que, algum tempo depois, algo aconteceu.

Quando estivermos doentes e ingerirmos algum remédio, podemos rezar esse mantra. Isso nos trará muitos benefícios. Pode acontecer que estejamos cantando o mantra sem nos dar conta de seus efeitos. Mas, internamente, ele está sempre atuando. Mesmo quando não o percebemos, ele atua dentro de nós. Para que sejamos seres totalmente realizados é preciso que tenhamos fé total nessa aspiração. Talvez não tenhamos fé total em nossa cura, mas é muito importante que não percamos a esperança para realizar a autocura.

Podemos usar esse mantra em qualquer situação: até uma pessoa que não entenda o significado das palavras, poderá ser beneficiada com a reza do mantra.

Principalmente neste século, as pessoas são muito curiosas. Querem saber e ter explicações para tudo, mas geralmente de forma superficial. Costumam se satisfazer com uma pequena explicação. Entretanto, se nossa curiosidade fosse verdadeira e profunda, seria muito mais interessante.

---

9. Extraídos de seu livro *Autocura I*, São Paulo, Gaia, p. 62.

Quinto Elo Interdependente

É melhor, então, ocupar a mente com sons que nos ajudam a recuperar a força interna, como, por exemplo, cantando internamente os mantras. Buddha Shakyamuni abençoou esse mantra tornando sua energia muito forte, especialmente nos momentos de degeneração.

XV

Sexto Elo Interdependente: o contato

O Sexto Elo está simbolizado no desenho da Roda da Vida por um casal de amantes se abraçando. O abraço simboliza o primeiro contato.

No Sexto Elo, o *Contato Interdependente* surge com o desenvolvimento dos órgãos sensoriais. Com dezesseis semanas o feto já é capaz de ouvir o som da voz, do coração e do estômago materno. O paladar e o olfato também se desenvolvem antes do nascimento.[1]

O sistema sensorial nos põe em contato com o mundo exterior. Por meio dos órgãos dos sentidos, percebemos todas as coisas que nos rodeiam: suas formas, cores, sons, cheiros e sabores.

O Contato Interdependente é um fator mental que acompanha cada momento da consciência. Ele surge do encontro entre o objeto, a faculdade sensorial e a consciência. Sua função é gerar o Sétimo Elo, *a sensação-sentimento* que irá perceber o objeto como agradável, desagradável ou neutro.

O Contato Interdependente resulta do contato dos órgãos sensoriais com o objeto de percepção; portanto, os sentidos sensoriais são vazios em sua natureza, pois eles são sem sentido, sem um objeto.

---

1. Robert Winston, *Human*, Editorial Consultant, p. 141.

Mania de sofrer

Existem sete formas de consciências sensoriais:

1. A consciência visual, que percebe as formas.
2. A consciência auditiva, que percebe os sons.
3. A consciência olfativa, que percebe os odores.
4. A consciência gustativa, que percebe os sabores.
5. A consciência tátil, que percebe os contatos.
6. A consciência mental, que identifica os fenômenos pelo pensamento.
7. A consciência perturbadora, que interpreta a percepção como desejo, aversão ou indiferente.

Desta forma, a visão, ao entrar em contato com as cores e as formas; a audição, com os sons; o olfato, com os odores; o paladar, com os sabores; o tato, com as texturas; e a mente (o sexto sentido) ao entrar em contato com as imagens, ideias e lembranças irão ativar a mente dual que analisa a realidade a partir da relação entre sujeito e objeto e passa a classificar a realidade como agradável, desagradável ou neutra.

Lama Gangchen ressalta: "Essa discriminação surge devido à programação positiva ou negativa ativada no computador interno de nosso coração e é completamente arbitrária e subjetiva. O contato surgido interdependentemente faz com que nosso apego e raiva egoístas se desenvolvam e cresçam: a autodestruição – o oposto da autocura".[2]

O contato com o objeto tem uma forte ação sobre nosso desejo. Algo semelhante como quem quer parar de fumar e não pode ver um cigarro por perto ou quem deseja esquecer uma paixão e por isso precisa retirar todas as fotos da "pessoa amada" da sua frente.

Lembro-me de uma paciente que fez corajosamente o contrário: manteve-se um longo tempo observando a distância o seu ex-marido com a nova namorada. Ela me contou que, de início, sentiu um forte mal-estar e chorou muito, mas permaneceu observando-os, pois estava realmente decidida a encarar esta nova situação. Até o momento em que disse a si mesma: "OK, já estou pronta para ir embora".

---

2. Lama Gangchen Rinpoche, *Ngelso – Autocura tântrica III*, São Paulo, Gaia, p. 296.

Sexto Elo Interdependente

Vale a pena ressaltar que o objeto que causa a manifestação da mente iludida possui sempre uma relação kármica com a pessoa; caso contrário, não atuaria sobre ela. Por isso, o contato é *interdependente*: ele desperta o efeito de uma causa que já criamos em nosso contínuo mental. Como explica Lama Zopa Rinpoche: "Por exemplo, vocês podem ter uma marca específica de atração em sua mente. Isso será ativado por um objeto com qualidades desejáveis, não por um que apresente qualidades repulsivas, detestáveis. Assim, é preciso haver a combinação apropriada entre a marca na mente do sujeito e as qualidades características do objeto. Sem o contato com um objeto conveniente é impossível uma ilusão atuar".[3]

Stefan Klein esclarece que esta relação entre causa e efeito é denominada pela neurociência de alça de retroalimentação (*feedback*): "Faça um teste: o seu mau humor matinal melhorou porque você passou a extrair mais e mais prazer das cores do amanhecer ou você percebe as cores no céu de forma mais intensa exatamente porque está mais bem-humorado? As duas coisas estão certas. No cérebro – e, por isso, na nossa vivência – causa e efeito, estão raramente separados. Assim como não há como responder o que vem primeiro, o ovo ou a galinha, a maior parte dos circuitos cerebrais está tão interligada que quase todos os eventos retornam a eles mesmos: isto é o que os especialistas chamam de alça de retroalimentação (*feedback*). Quando utilizamos esses mecanismos de forma correta, criamos um círculo eficaz que modifica progressivamente o cérebro, e assim aprendemos a ter sentimentos positivos".[4]

Daí a importância de cultivarmos um ambiente de paz e não violência à nossa volta.

Apesar do Budismo nos ensinar a encarar nossas emoções negativas – como, por exemplo, a inspirar e expirar conscientemente ao sentir raiva –, precisamos também aprender a selecionar as situações para as quais não estamos preparados. Pois, o fato, em si, de entrar em contato com a nossa dor não é uma garantia de cura. A cura surge à medida que trabalhamos a nossa consciência a respeito desta dor. Por isso, se não

---

3. Lama Zopa Rinpoche, *A energia da sabedoria*, São Paulo, Pensamento, p. 46.
4. Stefan Klein, *A fórmula da felicidade*, Rio de Janeiro, Sextante, p. 60.

estivermos prontos para encará-la precisamos, primeiro, nos fortalecer através de experiências positivas e prazerosas. Em momentos de grande dor emocional é preciso buscar fontes de regeneração.

Apesar de reconhecermos o poder do mundo externo sobre nós, não podemos nos esquecer da forte influência de nosso mundo interno sobre a visão que temos do externo! Lama Zopa Rinpoche ressalta: "Uma das principais dificuldades reside em nossa tendência a pensar em nossos problemas como se fossem entidades externas, fatos de algum modo existentes fora e dissociados de nós mesmos. Por consequência, as soluções que elaboramos também são externas. Embora tais soluções possam aliviar um determinado problema de forma temporária, outro problema parece sempre surgir em seu lugar. Portanto, apesar de nossos esforços acarretarem uma alteração nos sintomas, parecem exercer pouco efeito sobre o problema subjacente em si".[5]

Para finalizar, gostaria de compartilhar com vocês um dos ensinamentos mais preciosos que recebi de meu mestre Lama Gangchen Rinpoche. Certa vez, com orgulho e coragem, disse a ele: "Desta vez quero olhar para a negatividade de frente. Não vou negá-la". Ele, então, me respondeu: "Olhar é bom, mas não a toque. É como quando você assiste ao noticiário na TV. Você vê a negatividade, mas não deixa que ela entre na sua casa. Você pode encarar a negatividade de frente, mas não deixe que ela entre na sua mente".

Por que "o que é bom dura pouco" em nossa mente?

Quando escuto alguém comentar: "O que é bom dura pouco" me lembro de uma vivência que tive, em 1989, durante uma peregrinação com Lama Gangchen Rinpoche pela Índia. Durante dois meses, visitamos lugares sagrados onde Buddha havia estado há quase 2 mil anos: seu local de nascimento, onde recebeu a iluminação e onde faleceu.

Naquela época, as viagens com Lama Gangchen Rinpoche eram em grupos pequenos. Assim, tivemos a preciosa oportunidade de desfrutar

---

5. Lama Zopa Rinpoche, *A energia da sabedoria*, São Paulo, Pensamento, p. 54.

Sexto Elo Interdependente

de sua companhia com a calma e o tempo necessários para meditarmos e assimilarmos seus ensinamentos.

Lama Gangchen Rinpoche é um mestre de ação. Ele nos ensina o Budismo por meio de seu exemplo de vida. Sua coragem diante dos desafios, assim como a abertura e a gentileza com que trata as pessoas nos inspiram profundamente a sermos perseverantes e compassivos.

Estávamos em Varanasi, uma das mais antigas cidades do mundo, onde os peregrinos hindus costumam tomar banhos de purificação às margens do rio Ganges. Ao lado dos principais portões que dão acesso ao rio, existem locais de cremação e, sentados num barco, podemos ver, há pouca distância, os corpos mortos sendo cremados nas piras de fogo. Depois de permanecer contemplando esta cena, de forte impacto para nós ocidentais, entoamos mantras budistas e oferecemos arranjos de flores com pequeninas velas acesas sobre folhas que boiavam, então, pelas águas do rio Ganges.

Tomada pela consciência da impermanência, lembro-me de estar ainda meio "zonza" quando ancoramos o barco e ouvi Lama Gangchen nos dizer: "Sigam-me". Em seguida, ele saiu andando apressadamente. Éramos quase trinta pessoas tentando segui-lo por ruelas muito estreitas, lotadas de pessoas indo e vindo.

Ao mesmo tempo em que me concentrava para seguir o grupo, estava fascinada com TUDO que via à minha volta: as lojas, umas coladas às outras, pareciam pequenos palcos de cenários das *Mil e uma noites*: expunham tantos objetos atraentes que os meus cinco sentidos imediatamente foram estimulados! As cores fortes das túnicas de seda indiana (lembrem-se de que há 16 anos estávamos no auge da moda indiana...), o brilho das joias douradas, inúmeras pérolas amontoadas em pequenas vitrines... Sem falar do aroma dos incensos que queimavam a cada canto... Enquanto andava apressadamente, escutava minha mente proclamar: "Eu quero, eu quero comprar isso, eu quero voltar aqui... e ali".

Finalmente, chegamos ao local em que Rinpoche queria nos levar: de uma esquina estreita podíamos ver o telhado de um templo feito de ouro puro. Ele parou e apenas nos disse: "Olhem para este telhado, foi feito só de ouro. Naquele tempo, as pessoas não duvidavam da fé que tinham". Em silêncio meditamos sobre esta frase, até que ele nos disse: "Ok, agora vocês estão livres, podem andar por onde quiserem". Animada, não via a hora de retornar àquela ruela para comprar e comprar...

Mas, ao retornar ao local que tanto havia me fascinado, tive uma estranha percepção: nada me chamava mais a atenção! Fiquei chocada com a falta de entusiasmo que sentia por tudo aquilo que há tão pouco tempo havia me atraído tanto. Então, voltei ao hotel pensativa e perguntei para Lama Gangchen porque aquilo havia ocorrido. Ele me respondeu: "No caminho de ida, como você estava com pressa, não teve tempo para deixar que a negatividade brotasse na sua mente. Quando temos pouco tempo, não há espaço para a negatividade surgir. Mas basta focarmos nossa atenção um pouco mais em algo que logo começamos a encontrar defeitos... Isso ocorre justamente porque estamos habituados a buscar a negatividade!". Isso não quer dizer que a solução para ser feliz seja simplesmente levar a vida de modo rápido ou superficial, mas, sim, que devemos aprender a observar nossas tendências mentais para saber corrigi-las assim que for necessário!

Desista da frustração!

Quando nos pegamos dizendo: "Fiz tudo que podia e não deu certo" mais de três vezes sobre uma mesma questão, está na hora de desistir: cair fora, desconectar-se de sua fonte de frustração.

Desistimos de alguém ou de alguma situação quando tomamos a decisão de não querer mais sermos *tocados* por ela. Porém, não basta *não querer* mais. É preciso ir além e não *precisar* mais ouvir nem mesmo falar sobre algo ou alguém que nos levou a sentir que nossas atitudes são inúteis e, portanto, descartáveis.

Desistir da frustração não é uma atitude displicente, na qual aparentemente demonstramos fazer pouco caso de algo, mas, por dentro, continuamos a acumular cada vez mais ressentimento. Desistir da frustração é uma escolha que surge do amadurecimento de ter observado e refletido sobre como nos envolvemos continuamente em situações que não queremos mais vivenciar.

Se escutarmos nossos ressentimentos, eles revelarão nossas falsas esperanças: como *ainda* aguardamos por justiça e reconhecimento de pessoas que continuam *sempre* a nos prejudicar.

É como se tivéssemos a esperança secreta de fazer as pazes com o inimigo, de sermos amados por ele. No entanto, como diz o ditado: *não é possível agradar ao mesmo tempo a gregos e troianos.* Temos que encarar a realidade humana de que não seremos amados *por todos.* Afinal, amar é um reflexo de nosso interior: quem ama incondicionalmente já superou há muito tempo essa necessidade compulsiva de ser amado "de qualquer jeito".

Esperar por reforços positivos, como elogios e agradecimentos daqueles que nos frustram, é uma armadilha que nos faz ficar cada vez mais presos à frustração. Desista dela: dê a si mesmo uma nova chance, uma nova vida. Enquanto carregarmos a pesada carga emocional de nossas frustrações, teremos uma vida insatisfatória.

Chögyam Trungpa é bem realista a este respeito quando escreve: "Todas as promessas que temos ouvido são mera sedução. Esperamos que os ensinamentos resolvam todos os nossos problemas, esperamos receber meios mágicos para lidar com nossas depressões, dificuldades e fracassos sexuais. Mas, para nossa surpresa, começamos a compreender que isso não irá ocorrer. É muito decepcionante entender que devemos trabalhar em nós mesmos e com nosso sofrimento em vez de depender de um salvador ou dos poderes mágicos de técnicas iogues. [...] Devemos nos permitir ficar decepcionados, o que significa a rendição de nosso próprio ego, de nossas próprias conquistas pessoais. [...] É um contínuo desmascarar, um processo de retirar as máscaras camada após camada. Isso envolve injúria após injúria. [...] Essa sequência de desapontamentos nos desencoraja a abandonar a ambição. Vamos nos desmoronando mais e mais até tocarmos o chão, até entrarmos em contato com a sanidade básica da terra. [...] Quando estivermos ligados à terra, não haverá espaço para sonhos ou impulsos levianos e assim nossa prática finalmente se tornará viável".[6]

O segredo está em relacionar-se com o real: estreitar nossos relacionamentos com as pessoas que cumprem o que dizem e afastar-se daquelas que empacam nosso tempo, ou seja, é melhor sermos mais seletivos em nossos relacionamentos: devemos buscar estar com pessoas que sempre encontram um jeito de nos pôr para cima, porque têm

---

6. Chögyam Trungpa, *O mito da liberdade*, São Paulo, Cultrix, p. 23.

prazer em nos ver subir. Pois elas veem na competição uma perda de tempo e acreditam que privilegiar o outro é a melhor poupança para enriquecer sua participação neste mundo.

No entanto, são comuns os relacionamentos competitivos. Muitas vezes, aprendemos a buscar relações de confronto ainda quando crianças: o gosto pela brincadeira vinha do desafio, da capacidade de disputar o melhor lugar. Como na brincadeira de esconde-esconde: ganhava aquele que não se deixava achar porque aguentava mais tempo, em silêncio, no quarto escuro, ou seja, sabia aguentar a sua barra sozinho.

Claro que aprendermos a nos defender é necessário, mas também precisamos saber criar vínculos baseados no companheirismo, onde cada um doa a sua energia para o outro porque sabe que vale a pena somar forças. Mas, em nossa sociedade capitalista, vemos o mundo como uma constante ameaça, e por isso estamos mais propensos a nos defender do que a criar cumplicidades em prol do próprio mundo.

Portanto, precisamos mudar o foco: parar de *atacar* e aprender a *fazer* junto. Para tanto, basta perceber que já desenvolvemos nossa força: não precisamos mais de situações ou de pessoas que nos desafiem para lembrarmos do quanto somos capazes de suportar.

Só desistiremos do hábito de gerar desafios para mobilizar nossa força interior quando passarmos a usá-la com maior clareza de intenção, isto é, quando decidirmos não mais cultivar parcerias baseadas na dependência e no medo.

Neste sentido, devemos discernir a diferença entre os desafios que estimulam nosso desenvolvimento e aqueles que nos vulnerabilizam e nos tornam cada vez mais defensivos, carentes e frágeis.

Desistimos de uma frustração quando finalmente concluímos que nosso compromisso com a vida significa sermos capazes de eliminar totalmente aquilo que gera negatividade. Desta forma, se nos oferecerem um prato de arroz para comer e nos disserem que *um* grão está envenenado, vamos rejeitar o prato todo! Podemos até mesmo responder: "Obrigado, de negatividade já estou saciado...".

XVI

Sétimo Elo Interdependente:
sensação-sentimento

Na dependência do contato, geramos o Sétimo Elo, a *Sensação Interdependente*. Este Elo é simbolizado por um homem dramaticamente ferido por uma flecha no olho: ele sofre devido ao contato com o objeto. Sem contato, não temos sensações; por isso, podemos controlar nossa mente evitando o contato com os objetos que nos causam sofrimento. Tal como diz o ditado popular: "O que o olho não vê, o coração não sente". A sensação-sentimento é a vivência subjetiva que temos da realidade.

Enquanto o contato *conhece* um objeto como agradável, desagradável ou neutro, a sensação-sentimento é o fator mental que *experiencia* o objeto como agradável, desagradável ou neutro.

Lama Gangchen explica: "Nossos sentimentos esfaqueiam e perfuram nossos sentidos e nossa mente, momento após momento do dia e da noite, como flechas furando nossos olhos. Nosso sentimento surgido interdependentemente faz com que as sombras de nosso apego e a raiva egoístas se desenvolvam e cresçam: a autodestruição – o oposto da autocura".[1]

---

1. Lama Gangchen Rinpoche, *Ngelso – Autocura tântrica III*, São Paulo, Gaia, p. 297.

Mania de sofrer

É por meio do contato que as marcas mentais de nossa bagagem kármica, impressas no *continuum mental*, manifestam-se quando encontram as condições adequadas. Quando causas e condições estão maduras o efeito é inevitável!

A sensação é um fenômeno psíquico elementar que resulta da ação de estímulos externos sobre os nossos órgãos dos sentidos. Os sentimentos são estados afetivos que surgem a partir das percepções sensoriais ou de suas representações mentais, ou seja, os sentimentos surgem à medida que as emoções podem fluir naturalmente.

Tara Bennett-Goleman explica o modo pelo qual a neurociência descreve como se processa no cérebro uma informação sensorial visual ou auditiva: "Sempre que temos uma sensação, essa informação vai imediatamente do olho ou do ouvido para o tálamo, uma estação de relé que traduz ondas físicas primitivas para a linguagem do cérebro, bem como para a amígdala cerebral, o reservatório das memórias emocionais negativas, como as coisas que tememos. Quando a amígdala cerebral reconhece um estímulo emocional poderoso, semelhante a algo a que reagimos fortemente no passado, ela provoca uma torrente de emoção e um preparo para a ação. A amígdala cerebral atua como um depósito de hábitos emocionais negativos, inclusive dos nossos esquemas.[2] Todos os nossos intensos receios do abandono e da rejeição, da incapacidade de sermos amados ou do fracasso permanecem ocultos, de alcateia, prontos para se erguer e atacar a qualquer momento".[3]

Primeiro, olhamos, apalpamos, cheiramos, escutamos, degustamos e, então, analisamos se a experiência é desejável ou não, isto é, se queremos nos aproximar ou fugir dela. Aliás, os traumas emocionais surgem a partir das experiências ameaçadoras nas quais não tivemos chance de escolha: acuados, não pudemos fugir nem atacar. Tais experiências permanecem em nossa memória como parte do reservatório das memórias emocionais negativas, conforme citou Tara Bennett-Goleman.

A lembrança de um trauma permanece tão perturbadora quanto tê-lo vivido. A cada vez que a pessoa entra em contato com imagens, sons e

---

2. A autora refere-se aos esquemas de hábitos destrutivos elaborados no trabalho de esquematerapia por Jeffrey Young, fundador do Cognitive Therapy Center de Nova York.

3. Tara Bennett-Goleman, *Alquimia emocional*, Rio de Janeiro, Objetiva, p. 186.

cheiros associados com a cena traumática, volta a vivenciar medo e desconforto, isto é, mesmo que a realidade externa já tenha mudado, nós ainda a interpretamos como uma verdadeira ameaça.

Felizmente, hoje em dia, existem técnicas terapêuticas eficazes como a do EMDR – Dessensibilização e Reprocessamento através de Movimentos Oculares – que nos ajudam, de modo eficaz, a tratar destes bloqueios. Este método, criado pela psicóloga americana Francine Shapiro em 1987, é capaz de diminuir ou até mesmo fazer desaparecer imagens e pensamentos perturbadores advindos de eventos traumáticos, quando estes são associados ao estímulo de repetidos movimentos bilaterais, sejam eles oculares, auditivos ou táteis.

"Uma das premissas básicas do EMDR é a de que a maior parte das psicopatologias se baseia em experiências remotas de vida. O objetivo do tratamento com o EMDR é o de metabolizar de forma rápida o resíduo disfuncional do passado e transformá-lo em algo útil."[4]

Assim como explica a psicóloga Magda Pearson: "O EMDR utiliza uma capacidade inata de nosso cérebro para o processamento de situações traumáticas e de fácil integração com outros conhecimentos. A técnica do EMDR produz um efeito direto sobre o modo como o cérebro funciona. Uma sessão bem sucedida de EMDR permite que se normalize o processamento de informações, fazendo com que as imagens, sons, sentimentos e sensações não mais sejam revividos quando o evento é trazido à memória. O mesmo ainda pode ser lembrado, mas seu efeito perturbador desaparece ou diminui sensivelmente. O EMDR parece ser similar ao que ocorre naturalmente durante o sono REM, quando sonhamos. Portanto, EMDR pode ser visto como uma psicoterapia baseada na ativação de recursos fisiológicos, fazendo com que o material perturbador perca sua força, dentro do psiquismo".

De fato, eu mesma pude constatar a eficácia deste método ao passar por algumas sessões com Magda Pearson. A partir de então, aprendi também como aplicá-lo e os resultados são animadores. Quando aliviamos a percepção interna de uma experiência, somos capazes de entrar em contato com a realidade externa com menos pressão proveniente de nossos medos e ansiedades.

---

4. Francine Shapiro, *EMDR*, Rio de Janeiro, Nova Temática, Prefácio.

Ao enfrentar situações desagradáveis, será que precisamos inevitavelmente sofrer?

Toda vivência subjetiva é o resultado de tudo o que já assimilamos anteriormente. Isto é, vivenciamos o momento presente de acordo com as experiências que acumulamos no passado e os receios que temos com relação ao futuro. Portanto, a maioria de nossos problemas advém da interpretação que fazemos deles.

Segundo os mestres budistas, a maior parte de nossos problemas é intelectual, pois racionalizamos erroneamente os fatos de nossa vida. Vivenciar algo como agradável, desagradável ou neutro depende totalmente de nossa interpretação.

Assim como Lama Yeshe nos lembra: "A maioria dos problemas da humanidade são intelectuais, já que as relações sociais são excessivamente condicionadas pelo intelecto e pela racionalização. É claro que existem problemas oriundos da intuição, mas a causa principal dos problemas de nossa vida, como os desequilíbrios emocionais e a ansiedade, vem do intelecto, do nosso modo errado de pensar. Estamos sempre intelectualizando e esse é o nosso maior problema. [...] Podemos observar que, em nosso mundo moderno, a maior parte dos problemas humanos se origina dos relacionamentos conflituosos entre as pessoas. O problema é que usamos o intelecto de maneira antinatural; somos tão pouco realistas que estamos constantemente perdendo contato com a realidade. Por exemplo, quando descrevemos uma maçã dizemos: 'Ela é assim e assado, é fantástica, tem uma cor maravilhosa, e por isso eu gosto dela'. Descrevemos as coisas de uma maneira tão exagerada que acabamos com uma mente conturbada; pois tudo é resultado de nossas fantasias enganosas".[5]

Nossos problemas existem porque atribuímos qualidades exageradas à realidade externa. Exageramos tanto em nossas interpretações, que chegamos a esquecer que somos nós mesmos quem atribui as qualidades aos objetos! Só podemos achar alguém belo ou feio, agradável ou

---

5. Lama Yeshe, *La realidad humana*, Espanha, Ediciones Dharma, p. 4.

Sétimo Elo Interdependente

desagradável de acordo com os nossos padrões culturais e pessoais. Ninguém é belo por si mesmo!

De acordo com o Budismo, podemos nos libertar dos condicionamentos passados se aprendermos a examinar a nossa própria mente.

Diante de uma situação aparentemente desagradável, podemos parar e analisar: esta situação é de fato desagradável? Será que preciso vivenciá-la mesmo assim? Ou será que posso relaxar um pouco e encará-la de uma outra maneira?

Podemos fazer isso nas situações mais cotidianas como, por exemplo, quando estamos presos no trânsito. Será que precisamos inevitavelmente sofrer? De fato, intuitivamente sabemos que não. Podemos nos proporcionar uma nova visão.

O problema é que habitualmente pensamos: "Eu sou assim mesmo e nem sei como mudar". Mas, em vez de nos deixarmos levar pelo intelecto, podemos aprender a usar a nossa intuição.

Segundo a Psicologia Budista, todos nós possuímos uma sabedoria discriminativa inata, que sabe intuitivamente avaliar o que vale a pena ou não. Mas, em geral, não estamos em contato com nossa intuição, pois estamos dominados pelas ideias fixas e preconceituosas cultivadas pelo intelecto!

Para entrarmos em contato com esse potencial intuitivo de sabedoria discriminativa, precisamos aprender a relaxar a mente para observá-la com certo distanciamento.

A meditação é uma técnica extremamente útil para este propósito. Por meio dela, podemos observar nossa mente como um objeto externo a nós mesmos. Desta forma, iremos vivenciar nossos conflitos emocionais ao mesmo tempo em que poderemos observar como a nossa mente age em relação a eles. Assim, estaremos apenas observando a nossa mente, isto é, não iremos interpretar nossos pensamentos. É como escutar uma grande fofoca sem se deixar levar pelas avaliações costumeiras.

Este estado não significa estarmos indiferentes às nossas emoções, mas sim atentos a elas e altamente interessados em conhecê-las: desejando honestamente aprender como funciona nossa mente diante de determinado conflito emocional.

Uma das dificuldades que temos para observar nossa mente é o fato de que, ao nos interiorizarmos, estaremos sem o apoio dos estímulos externos. Em geral, a nossa mente flui quando segue um estímulo sensorial. Por exemplo, escutar uma música agradável é tão fácil, porque nossa mente entrega-se sem dificuldade a uma experiência auditiva agradável. Mas, quando fechamos os olhos e nos interiorizamos para observar nossas emoções, não temos uma experiência sensorial para seguir, o que nos dificulta manter nossa atenção apenas em nosso mundo interior. Mas, com treino, aprendemos a nos concentrar e assim adquirimos mais espaço interno, onde somos capazes de nos mover com mais flexibilidade e encontrar uma maneira de não sermos dominados pelos padrões mentais habituais. Lama Yeshe acrescenta: "Neste espaço interno podemos voltar a mover a nossa mente de maneira natural, livre da artificialidade criada pelos conceitos do intelecto. Por esta razão diz-se que a meditação não é criada para sustentar mais uma artimanha do intelecto, mas sim para a ação. Desse modo, qualquer ação pode se tornar uma meditação. Por exemplo: podemos varrer a casa pensando que estamos purificando nossas negatividades".

Na próxima vez que você sentir medo, por exemplo, lembre-se de que o medo em geral surge justamente de nossa tendência de interpretar os eventos que não precisam de interpretação. Interpretamos as coisas de antemão. Lembre-se de que o excesso de intelectualização prejudica nossa intuição. Relaxe, observe sua mente e pergunte a si mesmo: "Não será que estou exagerando?". É bem provável que sim. Então, simplesmente, leve sua mente para a ação mais próxima, na qual você pode agir naturalmente...

XVII

Oitavo Elo Interdependente: o desejo

A *sensação-sentimento* interdependente é seguida pelo Oitavo Elo: o *Desejo*. Este Elo é simbolizado por um homem bêbado *tentando* satisfazer sua sede. Do mesmo modo que o bêbado, a pessoa iludida pelo desejo está sempre em um estado de anseio: sente a constante falta de algo. É a esta avidez que o Oitavo Elo se refere.

Segundo a Psicologia Budista existem três tipos de desejo. Todos eles geram sofrimento:

1. O desejo de libertar-se do medo e de tudo que é considerado feio.
2. O desejo de manter-se próximo a tudo que é considerado belo.
3. O desejo de manter o nosso corpo vivo, isto é, temer perder o "Eu" com a morte.

Lama Gangchen Rinpoche ressalta: "No momento da morte, somos como bêbados na hora em que o bar fecha, avidamente desejando que os bons tempos e sentimentos felizes desta festa da vida continuem. Desejamos avidamente não abandonar esta vida e temos sair pela porta da morte, para um lugar onde imaginamos que encontraremos só momentos ruins e sofrimento. Essa sede de viver faz com que as sombras de nosso apego e raiva egoístas desenvolvam-se e cresçam: a auto-destruição – o oposto da Autocura".[1]

Certa vez, Rinpoche nos disse: "A terra necessita de água, como nosso físico sente sede. Os nossos desejos físicos e mentais sexuais também sofrem de sede. Quando necessitamos tanto de algo, significa que estamos em falta com aquilo. Por exemplo, é natural que uma flor se abra quando é regada. Precisamos fazer o mesmo com o nosso coração. Receber o que nos falta para abri-lo".

A constante expectativa de continuar vivo

O Oitavo Elo, sob ponto de vista da existência física, ocorre ainda durante a gestação. Mas, sob ponto de vista da evolução cíclica, também está presente na atitude mental que surge na hora da morte. Isto é, o *desejo de manter-se vivo* presente durante a gestação é o mesmo que iremos confrontar quanto estivermos morrendo.

Confesso que, por este motivo, este é o Elo que mais me impressiona. Em geral, temos uma visão romantizada do processo de gestação: como uma experiência de constante prazer e proteção. No entanto, por meio da reflexão deste Elo, compreendemos que passamos os nove meses de gestação sofrendo das mesmas aflições que iremos enfrentar durante a vida, e principalmente no momento da morte!

Gueshe Kelsang Gyatso afirma: "Na morte, os seres comuns geram o anseio de não se separarem de seu próprio corpo, ambiente, prazeres ou posses; por outro lado, anseiam se livrar das sensações e experiências desagradáveis da morte".[2] Neste sentido, precisamos reconhecer que também não podemos romantizar o momento da morte. Enquanto estivermos presos à força do Oitavo Elo, sentiremos inevitavelmente todos estes sofrimentos.

Toda a complexidade do sofrimento humano está baseada nos seus desejos, que resultam de uma cadeia de projeções mentais que tiveram

---

1. Lama Gangchen Rinpoche, *Ngelso – Autocura tântrica III*, São Paulo, Gaia, p. 298.
2. Gueshe Kelsang Gyatso, *Caminho alegre da boa fortuna*, São Paulo, Tharpa Brasil, p. 286.

início em um pré-julgamento gerado pelos Elos anteriores. Como dizia Lama Yeshe: "Na maior parte do tempo, pintamos imagens. Colocamos nossa própria interpretação limitada em tudo".[3]

De fato, se pararmos para observar, todas as vezes que nos frustramos com algo é porque havíamos anteriormente criado uma expectativa, uma imagem que não se concretizou ao entrarmos em contato com a realidade, ou seja, nos decepcionamos por não encontrarmos *fora* o que imaginávamos *dentro* de nós.

Grandes frustrações podem ter tido seu início em pequenas expectativas que cresceram rapidamente por ação deste Oitavo Elo: o desejo.

O desejo atua sobre nós com o mesmo poder que um mágico nos faz acreditar em suas manobras fantásticas: *sabemos* que há um truque por detrás de seus atos e que, por isso, tudo não passa de uma ilusão, mas, devido ao encantamento que ele nos desperta com sua agilidade e rapidez, acabamos por *acreditar* que tudo é verdadeiro, independentemente de nossas crenças. "Aí é que mora o perigo": o desejo reforça o hábito mental de ver o objeto desejado como algo sólido, externo a nós.

É este modo de perceber o objeto que nos faz sentir como se ele estivesse *separado* de nós, e, portanto, para alcançá-lo, precisamos persegui-lo. Surge, então, o forte anseio de nos movermos em sua direção. Intuitivamente, sabemos que não será possível *obter* o objeto, mas pela força do hábito, continuamos a *correr atrás* dele!

Nossa mente não é apenas feita de desejos

Segundo a Psicologia Budista, ela é composta por cinco fatores mentais *onipresentes* e cinco fatores mentais *que determinam o objeto*. Compreendê-los poderá nos ajudar a desenvolver nossa capacidade de direcionar a energia do desejo conforme acharmos melhor!

Os *cinco fatores mentais onipresentes* estão sempre ativados em nosso fluxo mental, não importa o que estivermos pensando, sentindo ou fazendo. São eles: a intenção, a sensação, o discernimento, a atenção

---

3. Lama Yeshe, *A energia da sabedoria*, São Paulo, Pensamento, p. 41.

Mania de sofrer

e a relação. O mais importante deles é a intenção, pois é o primeiro movimento da mente em direção a um objeto.

Os *cinco fatores mentais que determinam o objeto* também estão sempre presentes em nossa mente, mas em diferentes graus de intensidade. Portanto, será a sua força ou fraqueza relativa que determinará a qualidade de cada atividade mental. São eles: o desejo, a decisão, o cuidado, a concentração e o entendimento.

"Desejo é o elemento de atração pelo qual a mente é fortemente atraída em direção a algo; pode ser por assuntos mundanos ou pode ser pela iluminação e em benefício dos outros. Decisão é a aplicação firme da mente. Pode também significar devoção ou confiança; poderíamos dizer que a mente é devotada ao objeto e se confia a ele. Cuidado é trazer a mente repetidamente de volta ao seu objeto, e é a base da meditação. Concentração é mais completo do que cuidado, é a absorção da mente em seu objeto; entendimento é o conhecimento direto resultante dessa absorção."[4]

Em geral, somos tão imediatistas frente aos nossos desejos que exploramos pouco os demais fatores mentais *que determinam o objeto:* a decisão, o cuidado, a concentração e o entendimento.

O Budismo nos inspira a não ficarmos sob a custódia do desejo incontrolável. Neste sentido, toda vez que surgir o forte anseio por algo, podemos nos concentrar, aumentar nosso entendimento a respeito das vantagens e desvantagens em seguir este determinado desejo e, com cuidado, investigar a sua natureza, para, então, decidir o que fazer com ele! Isto é, com a gente mesmo!

Segundo o Budismo Tântrico, temos a capacidade de gozar da felicidade ilimitada ao nos libertarmos das ilusões que normalmente poluem nossa busca do prazer. Ao contrário do que comumente se pensa, não há nada de errado em experimentar prazer e gozar a vida. O erro está no modo confuso com o qual nos agarramos a estes prazeres, fazendo com que se transformem de uma fonte de felicidade em um motivo de dor e frustração.

Lama Yeshe nos esclarece: "Atualmente, a busca pelo prazer se dirige para objetos externos de nosso desejo. Quando não podemos encontrar,

---

4. Francesca Freemantle, *Vazio luminoso*, Rio de Janeiro, Nova Era, p. 143.

ou nos apegar, a esses objetos de desejo, ficamos frustrados e tristes. Muitos de nós, por exemplo, procuram o homem ou a mulher de seus sonhos, alguém que seria a fonte de felicidade ilimitada para nós, mas por mais namorados ou namoradas que consigamos ter, estes sonhos permanecem sem realização. O que não percebemos é que dentro de cada um de nós existe uma fonte ilimitada de energia, tanto masculina quanto feminina. Assim, muitos de nossos problemas surgem porque ignoramos, ou reprimimos, aquilo que existe em nós. Os homens tentam ocultar seu lado feminino e as mulheres temem a expressão de sua energia masculina. Por isso, sentimo-nos isolados de algo de que precisamos. Não nos sentimos inteiros, e assim procuramos ansiosamente noutras pessoas as qualidades cuja falta sentimos em nós mesmos, na esperança de obter algum senso de completação. E assim, boa parte de nosso comportamento fica contaminado pela insegurança e pela possessividade. Na verdade, todos os problemas do mundo, desde a ansiedade individual até a guerra entre nações, podem ter sua origem localizada nessa sensação de não completação".[5]

Enquanto nossas energias femininas e masculinas estiverem fragmentadas e desequilibradas, seremos dependentes da companhia dos outros, e, ao nos sentirmos incapazes de encontrar satisfação, estaremos presos ao apego interdependente.

Por um lado, quanto mais desejarmos um objeto, mais perturbados ficaremos por não obtê-lo. Por outro lado, quando chegarmos a obter aquilo que desejávamos tanto, passaremos logo a considerá-lo como imperfeito.

Se não soubermos nos compromissar com o amor, iremos logo procurar um novo relacionamento, gerando expectativas tão irreais quanto as anteriores. Desta forma, nossa vida torna-se um contínuo vaivém: trocamos uma coisa pela outra sem nunca nos aproximarmos realmente da felicidade desejada e da paz interior.

---

5. Lama Yeshe, *La via del tantra* (*O caminho do tantra*), Itália, Chiara Luce Edizioni, p. 33.

Não ter apego aos resultados

Toda vez que planejamos o calendário de nossas atividades, estamos diante do Oitavo Elo: o desejo de continuar vivendo. Sem dúvida, quando definimos espaço e tempo para cumprir nossas tarefas, sentimos que demos um passo importante para realizá-las. No entanto, a experiência nos ensina a manter um estado mental de flexibilidade e soltura para lidar com os imprevistos. Assim, sofremos menos quando precisamos nos adaptar às mudanças de planos que surgem "do nada".

Os Lamas são verdadeiros mestres em nos treinar a manter um estado de abertura diante do inesperado: eles mudam seus planos, geram um caos declarado na vida de quem organiza e participa de suas atividades, mas, ao final, *quase todos* concordam que tudo ocorreu da melhor forma. Isto acontece porque eles nos incentivam a incluir o autoconhecimento e o desenvolvimento interior nos desafios e frustrações que surgem a cada momento.

Não consigo deixar de comentar o quanto isso é trabalhoso e nem sempre agradável! A boa notícia é que, assim que digerimos nossas frustrações, quando lidamos com os desafios com abertura e flexibilidade, ganhamos força vital.

Eu diria que ocorre mais ou menos assim: surge o imprevisto e sentimos uma forte emoção negativa como irritação e ansiedade. Então, respiramos e lembramos que nosso desconforto é devido às nossas próprias expectativas. Respiramos outra vez e nos sentimos um pouco melhor conforme reconhecemos nosso desconforto emocional como um *processo natural* decorrente de nossa resistência em lidar com as mudanças. Somos habituados a não querer fazer esforço. Uma vez que aceitamos incluir o inesperado, começamos a nos sentir revigorados e gradualmente nos abrimos para uma nova postura diante dos fatos.

Pema Chödrön, em seu livro *Senza via di scampo* (*Sem caminho de saída*),[6] escreve um capítulo intitulado "Desconforto", no qual relata que

---

6. Pema Chödrön, *Senza di scampo* (*Sem caminho de saída*), Roma, Ubaldini Editore, p. 99.

Oitavo Elo Interdependente

Sawang Osel Mukpo Rinpoche contava que seu pai gostava de mudar a disposição dos móveis de seu quarto de modo a tornar mais complicado o acesso aos objetos de que necessitava cotidianamente. Preferia que não estivessem à mão, pois ele sabia que um pouco de esforço e desconforto é necessário para nos manter despertos e atentos.

O que os Lamas tibetanos estão querendo nos dizer é: sejam as experiências da vida agradáveis ou não, temos que lidar igualmente com todas elas. Portanto, o melhor é aprendermos a não implicar com os desconfortos.

O segredo parece estar em lidar diretamente com cada situação sem julgá-la de acordo com as vantagens que ela poderá ou não nos trazer.

Durante um congresso sobre a *Morte e o Morrer*, escutei Guelek Rinpoche dizer: "Temos constantemente medo de não estarmos preparados para lidar com a nossa morte, porque em geral procuramos controlá-la assim como tentamos controlar os eventos de nosso dia a dia. Acreditamos que seja possível nos preparar para tudo que está por vir em nossa vida. Estamos sempre buscando controlar os resultados futuros. Mas, como não podemos fazer o mesmo com a nossa própria morte, nos sentimos impotentes diante de sua imprevisibilidade". Por isso, os Lamas nos incentivam a não abandonarmos nossas práticas espirituais, pois são elas que nos mantêm abertos e confiantes para o que der e vier.

Quando acompanhamos uma pessoa no seu processo de morte, mantemos nossas rezas e visualizações de cura mesmo quando a pessoa já está em coma. Nesses momentos, não temos mais como avaliar o resultado de nossas ações. Por isso, "não ter apego aos resultados" é uma das regras que sempre busco seguir quando acompanho um paciente em estado terminal. Afinal, o que conta é a nossa intenção. Se ela é clara e positiva, não temos porque duvidar de que fizemos o melhor que podíamos. Muitas vezes na vida, ocorre o mesmo. Agimos de determinada forma e depois ficamos sem saber "no que deu". Só nos resta, então, rever e confiar na pureza de nossas intenções...

Pema Chödrön nos lembra que um dos ensinamentos mais poderosos da tradição budista diz que *nada mudará enquanto desejarmos que isso aconteça*. "Enquanto quisermos ser os melhores, não o seremos.

Mania de sofrer

Enquanto estivermos voltados para o futuro, não poderemos simplesmente relaxar no que já possuímos ou naquilo que somos. Um de nossos padrões habituais mais arraigados é o de achar que o momento atual não é suficientemente bom."[7] Esta é a crença do Oitavo Elo: o melhor está *sempre* ainda por vir.

---

7. Pema Chödrön, *Comece onde você está*, Rio de Janeiro, Sextante, p. 114.

XVIII

Nono Elo Interdependente: o apego

O desejo interdependente é seguido pelo Nono Elo: o *Apego*. Este Elo é simbolizado por um macaco apanhando uma fruta de uma árvore: ao prová-la, apega-se ao desejo de comer outra. Neste sentido, o Nono Elo refere-se a um estado de contínua necessidade.

Segundo a Psicologia Budista existem quatro tipos de apego. Todos eles geram sofrimento:

1. Apego ao que é considerado belo, aos prazeres sensoriais.
2. Apego às crenças e opiniões, à forma como vemos o mundo.
3. Apego à ética ou às condutas incorretas, acreditando que isto é suficiente para obter os benefícios que se deseja.
4. Apego à existência inerente de um "eu" independente.

O Nono Elo, sob o ponto de vista da existência física, ocorre ainda durante a gestação. Mas, sob o ponto de vista da evolução cíclica, devido ao apego a um "eu", sustentado pelo desejo de manter-se vivo, trata-se do impulso que nos arremessa à próxima experiência, sem que tenhamos uma oportunidade de escolha.

Lama Gangchen ressalta:[1] "À medida que os elementos começam a se dissolver, nossa mente aterrorizada e cheia de desejo, como um

---

1. Lama Gangchen Rinpoche, *Ngelso – Autocura tântrica III*, São Paulo, Gaia, p. 299.

macaco selvagem, agarra-se desesperadamente aos restos desta vida que estão desaparecendo. Essa necessidade de se agarrar à vida é a chave causal que abre diretamente a porta para a nossa próxima vida de sofrimento, projetando-nos dentro dela. As causas distantes (nossa ignorância, ações de projeção e consciência surgidas interdependentemente) não abrirão necessariamente a porta para nosso próximo renascimento. Elas podem ficar gravadas em nosso disco do espaço interior por centenas de vidas, até que se manifestem as condições necessárias para ativar esse programa específico em nosso computador da realidade. Por sua vez, as causas mais próximas (o sentimento, a avidez e a necessidade de se agarrar à vida que se manifesta quando morremos) seguramente abrirão a porta de nossa vida futura, lançando-nos dentro dela. A porta de renascimento que abrimos depende de qual programa positivo ou negativo selecionamos em nosso disco do espaço interior".

Há uma diferença entre sentir um desejo e estar apegado a ele. Esta é uma distinção que normalmente não fazemos, pois tendemos a nos apegar tanto aos nossos objetos de desejo quanto ao desejo em si. No entanto, para superarmos a dor do apego é importantíssimo entender que o apego é uma intensificação do desejo, mas não é o desejo em si mesmo!

O apego costuma estar presente em uma das experiências mais fundamentais da existência: o amor. De fato, é impressionante como é difícil distinguir amor de apego. Poderíamos até dizer que, de modo geral, avaliamos a intensidade de nosso amor pelo nível de apego que sentimos pela pessoa amada. No entanto, apego e amor são experiências distintas. O apego, ao contrário do amor que nos acalma e nos organiza internamente, nos torna inseguros e agitados.

O antídoto do apego é a mente que se dá por satisfeita. No entanto, reconhecer a satisfação é um sério desafio em nossa sociedade materialista, pois costumamos usar a insatisfação como uma espécie de motor na busca de obter mais e melhor.

Quatro tarefas para amar

Muitas vezes, quando um novo amor chega em nossa vida, não sabemos lidar com ele. Apesar de desconfiados, calejados por experiências passadas, queremos nos dar a chance de apostar que *desta vez vai dar certo.* No entanto, não basta ter boa intenção: é preciso superar os padrões que nos mantêm presos às frustrações. Quando não fazemos isso, sem percebermos, fazemos o universo conspirar contra nós!

Os textos budistas não se atêm às questões conjugais. Além de terem sido escritos em sua maioria por Lamas celibatários, eles visam o desenvolvimento espiritual do praticante independente de seu sexo, raça, estado civil ou nível social.

Neste sentido, não encontramos na literatura budista reflexões específicas sobre as questões amorosas. Aliás, segundo Joseph Campell, a celebração do amor como algo superior ao casamento foi uma invenção da tradição trovadoresca que surgiu no Sul da França, no século XII![2]

Os mitos são como mapas indicadores dos caminhos que precisamos percorrer para aprender a amar com maturidade. Incluo, a seguir, textos que escrevi para o site *somostodosum* inspirados no mito de Psiquê. Este mito nos estimula a realizar as quatro tarefas necessárias para superar a natureza ilusória do amor romântico, enquanto os ensinamentos budistas nos inspiram a amar sem a contaminação do apego. Apenas uma curiosidade: o primeiro registro desta lenda arquetípica data do século II d.C.

O mito

O mito de Psiquê e Eros é a expressão do amor que ocorre entre uma Mortal e um Deus. Na Grécia Antiga, Psiquê era uma mulher que não conseguia despertar a paixão em um homem, pois nenhum mortal se julgava digno de sua beleza e todos a cultuavam como uma nova Deusa Afrodite. Este fato despertou a ira de Afrodite, que ordenou a seu filho Eros, Deus do Amor, que fizesse Psiquê eternamente infeliz.

No entanto, quando Eros viu Psiquê no penhasco, condenada por um oráculo a esperar passivamente por seu casamento com a mais terrível das criaturas, apaixonou-se perdidamente por ela. Levou-a para o seu palácio como sua esposa, sob a condição de que ela mantivesse os

---

2. Joseph Campell, *A jornada do herói*, São Paulo, Ágora, p. 135.

olhos vedados sem jamais ver seu rosto. Assim, Psiquê só se relacionava com Eros no escuro; na claridade do sol, ele se ausentava.

Quando suas irmãs a visitam e lhe perguntam sobre seu marido, Psiquê o descreve como imagina que ele fosse. No dia seguinte, as irmãs lhe fazem a mesma pergunta e Psiquê se contradiz, descrevendo-o de outra maneira. Ao se sentirem injuriadas, elas provocam Psiquê dizendo-lhe que ela está dormindo com uma serpente asquerosa, e que é por esse motivo que ele a proíbe de vê-lo.

À noite, enquanto Eros dorme, Psiquê pega um punhal e, com uma vela, se debruça para vê-lo. Ao se deparar com a mais bela das criaturas, Eros – o seu amor – ela perde a razão e apaixona-se perdidamente por ele.

Porém, esquecendo-se que tinha uma vela nas mãos, deixa cair um pingo de cera sobre o peito de Eros, acordando-o. Assustado, ao ver que Psiquê o desobedeceu, ele a abandona e pede à sua mãe, Afrodite, que cumpra a sentença do oráculo.

Repudiada por Eros, Psiquê, fora de si, tenta se afogar, mas o rio a leva de volta à margem. Ela, então, começa a andar desesperada, de cidade em cidade à procura do marido. Acaba chegando ao palácio de Afrodite, que, enraivecida, a encarrega de cumprir *quatro tarefas* aparentemente impossíveis. No entanto, com a ajuda das forças da natureza, Psiquê será capaz de cumpri-las.

Na quarta e última tarefa, no entanto, Psiquê é mais uma vez traída por sua curiosidade e, desconsiderando à instrução que lhe havia sido dada pela torre, abre o pote que trazia em suas mãos. Ao fazer isso, ela desmaia, caindo em um sono profundo, próprio do reino da morte.

Quando Eros, que já havia superado seu sofrimento, toma ciência do ocorrido, voa até onde se encontra Psiquê, fecha o pote, extinguindo seus poderes e consegue despertá-la ao atingi-la com uma de suas flechas. Finalmente, o pote é entregue a Afrodite que, tocada pelo reconhecimento do esforço e da capacidade de Psiquê de cumprir todas as tarefas, a perdoa.

Por fim, Zeus transforma Psiquê em Deusa e aprova seu casamento com Eros. Assim, finalmente, tudo se resolve: Eros e Psiquê, ou seja, o Amor e a Alma, permaneceram juntos por toda a eternidade. Do casal nasce uma filha chamada Prazer.

A primeira tarefa para amar

Na primeira tarefa, Afrodite ordena a Psiquê que organize uma enorme pilha de sementes de tal forma que cada uma delas esteja "em seu lugar apropriado" antes do anoitecer.

Desesperada, Psiquê chora muito. Suas lágrimas atraem um batalhão de formigas que vêm ajudá-la a cumprir sua tarefa. Portanto, a primeira tarefa para amar *é confiar em nossa capacidade inata de selecionar, analisar e avaliar.*

A alquimia do amor é uma bênção, pois, quando estamos entregues a esta sensação de profundo bem-estar, quando sentimos amar e ser amados, nosso cérebro libera dopamina e norepinefrina: dois dos principais neurotransmissores do organismo. Eles aceleram nossa pulsação e aumentam nossa percepção. No entanto, não podemos deixar que o feitiço se vire contra o feiticeiro, nos deixando ser tomados pela magia do amor romântico. Precisamos manter a clareza de quem somos!

Assim como é importante vermos o outro como ele realmente é e não como gostaríamos que fosse. Para tanto, de tempos em tempos, devemos dar vazão aos nossos instintos: escutar frases soltas que eclodem em nosso interior quando contemplamos inocentemente nosso amado. Devemos, também, nos separar desta agradável sensação de estar fundido no outro e analisá-lo *friamente.*

Uma vez que não corrermos o risco de nos perder no outro, seremos capazes de um amor mais maduro, baseado na admiração consciente por quem ele é.

Os ensinamentos budistas constantemente nos alertam: as qualidades que projetamos sobre os objetos, situações ou pessoas por quem sentimos tanto apego são criadas em nossa própria mente. No entanto, resistimos a acreditar que elas sejam um subproduto de nossas projeções!

"A origem verdadeira da paixão é nossa natureza – a abertura para a realidade. Só nos apaixonamos porque nossa natureza é permeável. Inerente a esta abertura básica está o desejo de se estender e fazer contato com o mundo, com as outras pessoas, com a natureza e a vida em toda a sua selvagem beleza."[3]

---

3. John Welwood, *Em busca de uma psicologia do despertar*, Rio de Janeiro, Rocco, p. 278.

Neste sentido, o outro nos desperta interiormente, ativa nossas forças criativas que catalisam a vontade de viver!

No entanto, a dinâmica dos relacionamentos torna-se confusa à medida que se deixa contaminar pelo apego. O apego surge quando atribuímos qualidades falsas ou exageradas a um objeto, situação ou pessoa. Exaltamos as qualidades e negamos as imperfeições. Iludidos por nossas próprias idealizações, esquecemos que somos nós mesmos que atribuímos valores ao objeto e chegamos a acreditar que só ele poderá nos satisfazer. É uma loucura, mas é isso mesmo que fazemos: fornecemos aos objetos, situações e pessoas qualidades inexistentes e depois pensamos que não podemos viver sem eles!

O primeiro passo para mudar nossa atitude diante de um objeto de apego é transformar nossa maneira de nos relacionar com ele. Podemos começar por admitir que estamos exagerando, isto é, intensificando o desejo. Uma vez que aprendemos a observar a dinâmica de nossa mente, saberemos dar um peso justo ao que ocorre à nossa volta. Saber reconhecer o que nos faz bem e o que nos torna pessoas desequilibradas já é um bom caminho em direção à nossa sabedoria discriminativa.

Em outras palavras, nos tornamos prisioneiros de nossos desejos por não compreendermos a distinção entre desejo e apego. Somente quando começamos a superar a pressão do apego é que nos tornamos livres para escolher o que faremos com a energia do desejo em nossa mente!

A segunda tarefa para amar

Na segunda tarefa, Afrodite ordena a Psiquê que junte alguns tufos da lã dos agressivos carneiros dourados de sol que, enquanto pastam em torno do rio, dão-se marradas disputando o domínio do rebanho.

Inicialmente, Psiquê até crê que dará conta do recado, mas ao confrontar-se com a força poderosa da agressividade, mais uma vez se desespera e planeja jogar-se no rio. No entanto, o Deus Hélio (o sol) refletido nas águas do rio a alerta: "À noite, os carneiros adormecem. Você pode então colher a lã dos arbustos nos quais os carneiros se esfregaram durante o dia".

Nono Elo Interdependente

A segunda tarefa, portanto, consiste em saber lidar com o poder das forças destrutivas, assim como com a autoagressão. Para tanto, teremos que abandonar o espírito competitivo.

Esta tarefa nos inspira a *negociar* em vez de *agredir*. Isto é, a usar nossa astúcia e força pessoal no mundo competitivo sem nos deixar atemorizar por ele.

Quando o espírito de competição se estabelece em uma relação, ela já está fadada a gerar mal-estar. A irritação torna-se constante, alertando que não há mais energia disponível para a atração, pois o desejo de proximidade já terminou.

A competição também pode estar presente nos relacionamentos de forma subliminar, como, por exemplo, na tentativa de provar quem ama melhor. Isto geralmente ocorre quando um dos parceiros sente-se prejudicado por ter aberto mão de suas reais prioridades em prol do outro.

Quando se estabelece na relação um código de que "quem ama deve naturalmente ceder, isto é, se sacrificar", o casal passa a competir inclusive na dor: quem aguenta mais tempo calado, evitando expressar suas reais necessidades. No entanto, esta aparência tolerante e heroica torna-se uma barreira diante do outro, pois, o esforço em sustentar o suposto bem-estar torna-o cada vez mais tenso, voltado para si mesmo. Consequentemente, menos disponível para sintonizar-se com as carências do parceiro.

Se pararmos para analisar nossas atitudes competitivas, iremos constatar que grande parte delas está condicionada pelo apego à nossa autoimagem.

Sempre que nos apegamos a uma determinada expectativa, querendo *comandar o show*, exaltamos nossa atitude egocentrada. Desta forma, nos tornamos rígidos e avessos a qualquer mudança. Mas, como nos deixar tocar pelo amor alheio, se estivermos unicamente voltados para nós mesmos?

Para atenuarmos a força do egocentrismo, teremos que nos tornar mais receptivos e menos ocupados em controlar o futuro. Neste sentido, desapegar-se não significa renunciar radicalmente a tudo, mas, sim, manter uma relação mais fluida e leve entre o mundo interior e o exterior. Isto é, tornar-se mais livre da influência excessiva de algo ou de alguém.

Podemos nos chocar ao nos conscientizarmos do quanto estamos presos a este arraigado padrão de apego. No entanto, ao apontar nossas atitudes errôneas, o Budismo não pretende nos incutir nenhum mal--estar. O objetivo aqui é nos alertar para o fato de que o apego é uma atitude mental que precisa ser reajustada. Caso contrário, iremos sempre sofrer.

A terceira tarefa para amar

Na terceira tarefa, Afrodite entrega a Psiquê um recipiente de cristal que ela deve encher com as águas que alimentam o rio dos Infernos. Essas águas caem do mais alto penhasco de uma montanha imensa, praticamente impossível de ser escalada e que, além disso, é guardada por perigosos dragões, o que impede até mesmo uma rápida aproximação.

Mais uma vez, Psiquê se desespera por considerar-se incapaz de realizar essa tarefa. No entanto, Zeus manifesta-se como uma águia, voa até ela, pega a taça de cristal que está em suas mãos, enche-a no rio e a devolve para Psiquê.

A terceira tarefa para amar consiste em *adquirir visão para distinguir e alcançar o que se deseja*. "Como a águia, que tem visão panorâmica, temos de focalizar um ponto ao longo do rio, mergulhar e trazer uma só taça de água."[4] O mito também está nos alertando para o fato de que não podemos querer tudo ao mesmo tempo: temos que ter clareza de nossas prioridades para escolher corretamente.

Prioridade é simplesmente saber o que vem primeiro. Lembro-me de uma paciente com câncer que não conseguia deixar os filhos para fazer o seu tratamento de quimioterapia. Ela me dizia: "Os meus filhos vêm em primeiro lugar". Então lhe disse: "O que vem em primeiro lugar não é o que tem mais valor, mas sim o que, na ordem dos acontecimentos, deve ocorrer antes". Então, ao compreender que não estaria deixando os seus filhos em segundo plano ao se tratar, ela conseguiu mudar de atitude.

Quando nossa atenção sobre o outro se torna excessiva, também estamos contaminando o amor com apego. Por exemplo, quando que-

---

4. Robert Johnson, *She*, São Paulo, Mercuryo, p. 84.

Nono Elo Interdependente

remos estar a par da vida do parceiro em *todos* os seus aspectos, a relação torna-se sufocante.

O desapego saudável surge à medida que nos responsabilizamos por nossas expectativas insaciáveis. Conforme diminuímos o apego excessivo, aumentamos nosso respeito pelo outro, pois, por amá-lo, queremos poupá-lo das neuroses de nosso ego!

Não devemos confundir desapego com desinteresse. Desapegar-se não significa estar *desligado* do outro. O desapego é, ao contrário, a capacidade de *relacionar-se*, porém, com mais espaço, flexibilidade e liberdade.

Segundo o Budismo, amar é o desejo de ver o outro feliz. Neste sentido, liberá-lo das cargas negativas de nossos medos e manias é um bom modo de contribuir para a sua felicidade...

A quarta tarefa e última tarefa para amar

A quarta e última tarefa exige que Psiquê vá ao Reino dos Mortos e peça a Perséfone que lhe dê um pote de seu unguento de beleza.

Desesperada, desta vez Psiquê sobe no alto de uma torre com a intenção de suicidar-se, pois imagina que só assim poderá entrar no mundo dos mortos. Mas, será a própria torre que irá lhe informar onde está a entrada para o Reino dos Mortos e como deve proceder para chegar até lá. Como Lama Gangchen costuma dizer: "O mesmo obstáculo que faz você cair, serve de apoio para você se levantar".

Psiquê recebe várias instruções da torre, entre elas, a de não ajudar um homem coxo a apanhar do chão a lenha caída de seu jumento, nem ajudar a salvar um homem que está se afogando. E, por fim, ela é instruída a retornar imediatamente ao conseguir o unguento e, sob hipótese alguma, abrir o pote!

Esta última e mais complexa tarefa para amar nos ensina a importância de *não permitir que nada, nem mesmo a nossa generosidade, nos desvie de nossas prioridades*. Isto é, para amar não podemos dispersar nossas energias. Neste sentido, temos de ser capazes de dizer "não" até mesmo para aqueles que necessitam de nossa ajuda, se eles nos distanciarem de nossos propósitos de vida.

Quando nossas prioridades não são claras, nos "emprestamos" aqui e lá e ao final do dia não teremos cumprido nossas tarefas. Lama Michel Rinpoche disse certa vez em seus ensinamentos: "Generosidade sem benefícios em nada pode ajudar".

Algumas vezes pensamos estar agindo movidos pela generosidade, mas na realidade estamos invadindo o campo alheio. Temos que estar atentos ao delicado equilíbrio entre as *minhas, as suas* e as *nossas* necessidades. "Em geral, temos o hábito de olhar apenas para nossas necessidades, mesmo quando pensamos ser generosos. Esta é a razão por que é tão difícil ajudar os outros: temos dificuldade de percebê-los nas *suas* necessidades. Desta maneira, acabamos por criar vínculos desequilibrados e neuróticos, baseados na codependência."[5]

Codependência: quando uma pessoa suporta e incentiva a dependência do outro

"Codependente é a pessoa que tem deixado o comportamento de outra pessoa afetá-la, e é obcecada por controlar o comportamento dessa outra pessoa", esclarece Melody Beattie.[6]

A maioria dos codependentes não percebe que concentram mais energia nas atitudes e necessidades do outro do que nas próprias. Em outras palavras, se ao nos dedicarmos aos outros estivermos nos abandonando, mais à frente teremos de nos confrontar com as consequências de nossa atitude ignorante.

Muitas vezes, pensamos que somos a melhor pessoa do mundo porque agradamos aos outros e não a nós mesmos. Interrompemos nossas atividades para atender ao chamado alheio. Fazemos sempre mais do que os outros nos pedem, e, habilidosamente, antecipamos *seus* desejos e abrimos mão dos *nossos* com extrema facilidade. Depois, ficamos chateados quando os outros não fazem o mesmo por nós!

---

5. Bel Cesar, *O livro das emoções – Reflexões inspiradas na psicologia do budismo tibetano*, São Paulo, Gaia, p. 267.

6. Melody Beattie, *Codependência nunca mais*, Rio de Janeiro, Record, p. 49.

Atenção! Se você se identificou com esta situação, você pode estar sendo um *codependente*: alguém que acredita ser responsável pela felicidade alheia, mas que pouco cuida da sua...

Não é simples perceber que estamos fazendo este papel de salvador, pois os codependentes têm muita dificuldade de conhecer seus sentimentos: estão habituados a se sacrificar pelos outros e nem se dão conta de que, em vez de controlar a sua própria vida, dedicam todo o seu tempo a controlar a dos outros!

"Quanto mais a pessoa tenta controlar a situação, mais dano fará ao parceiro. Ele começará a se sentir distante e o relacionamento tornar-se-á uma rua de mão única."[7]

Como codependentes, dizemos *sim*, mas na realidade queremos dizer *não;* fazemos coisas que não queremos realmente fazer, ou fazemos o que cabia aos outros fazer.

Uma atitude codependente, por estar baseada em boas intenções, pode até parecer paciente e generosa, mas, na realidade, é inadequada por ser exagerada e intrusa.

A questão é que os codependentes estão viciados na vida alheia e não sabem mais viver a sua própria. Adoram dar, mas detestam receber, seja atenção, carinho ou ajuda. Desta forma, quanto mais se dedicam aos outros, menos autoconfiança possuem. Afinal, desconhecem os seus próprios limites e necessidades!

É preciso lembrar que ter uma atitude empática por alguém, não significa ter uma necessidade compulsiva de realizar seus desejos.

Sentir a dor do outro não quer dizer *ter* que repará-la. Este é nosso grande desafio: sentir a dor com o intuito simplesmente de nos aproximarmos dela, em vez de querer transformá-la de modo imediato.

A codependência se inicia quando uma pessoa, numa relação comprometida com um dependente, tenta controlar seu comportamento na esperança de ajudá-lo. Como consequência dessa busca mal-sucedida de controle das atitudes do próximo, a pessoa acaba perdendo o domínio sobre seu próprio comportamento e vida.

---

7. Sobonfu Somé, *O espírito da intimidade*, São Paulo, Odysseus, p. 99.

A troca equilibrada entre ceder e requisitar, dar e receber afeto e atenção nos aproxima de modo saudável das pessoas que nos cercam sem corrermos o risco de criar vínculos destrutivos.

Quando a dependência é saudável

O conceito de autonomia surgiu apenas no final do século XIX e tornou-se um forte referencial de liberdade para a sociedade ocidental após a Segunda Guerra Mundial, com a expansão dos princípios da democracia.

Normalmente temos preconceito com relação à palavra *dependência,* pois ela nos remete à ideia de que iremos perder nossa autonomia. No entanto, quanto mais negarmos nossa dependência, mais dificuldades teremos em perceber a trama que nos liga uns aos outros. É preciso conhecer como são feitos os "nós" para desatá-los!

Cada um recebeu, quando criança, uma certa dose afetiva que o torna mais ou menos capaz de responsabilizar-se por sua vida. Se esta dose tiver sido insuficiente, a tendência será de recuar diante das chances de crescimento oferecidas pela vida. A pessoa assusta-se com a ideia de assumir os riscos de suas escolhas e teme agir de um modo mais arrojado do que aquele permitido por seus pais.

Quanto menos tivemos nossas carências atendidas na infância, mais nos tornamos inseguros quando adultos, ou seja, quanto maior for a vivência de ter recebido aquilo que necessitávamos daqueles de quem éramos, literalmente, dependentes, maior será a confiança internalizada em nossa capacidade de sermos independentes.

John Bradshaw esclarece:[8] "Quando não podem confiar nas pessoas responsáveis por elas, as crianças desenvolvem um profundo sentimento de desconfiança. O mundo parece um lugar perigoso, hostil e imprevisível. Dessa maneira, precisam estar constantemente em guarda e no controle. Acabam por acreditar que, 'se eu controlar tudo, ninguém pode me apanhar desprevenido e me ferir'. Surge, então, uma espécie

---

8. John Bradshaw, *Volta ao lar,* Rio de Janeiro, Rocco, p. 34.

Nono Elo Interdependente

de mania de controle, o vício do controle. A mania do controle cria graves problemas nos relacionamentos. Não é possível a intimidade com uma pessoa que não confia em nós. A intimidade exige a aceitação do companheiro *como ele é*. Os distúrbios de confiança criam também problemas de excesso de confiança. A pessoa desiste de todo controle e confia ingênua e absurdamente, prendendo-se a outra pessoa e investindo nela um excesso de estima, ou isola-se completamente, construindo muros protetores e intransponíveis".

Portanto, se nossa noção básica de confiança ficou comprometida pela falta de segurança quando éramos crianças, teremos que reconstruí-la agora por meio de nosso próprio esforço. Mas isso não quer dizer que devemos fazê-lo a sós. Ao contrário, será justamente a vivência de uma relação baseada na *dependência saudável* que irá nos proporcionar esta autoconfiança que tanto nos faz falta.

Para avaliarmos nossos relacionamentos, precisamos aprender a reconhecer sua dinâmica. Eles exercem um importante papel sobre a capacidade de nos responsabilizarmos por nosso equilíbrio interno.

Uma relação que nutre a *dependência doentia* irá nos tornar cada vez mais inibidos, carentes da aprovação alheia. Já uma relação baseada numa *dependência saudável* está sempre nos estimulando a sermos nós mesmos, isto é, a mantermos nosso eixo de confiança interior. A *dependência saudável* nos torna cada vez mais ágeis, mais livres para fluir.

Para sermos altruístas será preciso reconhecermos nossas próprias necessidades

A última tarefa para amar verdadeiramente nos alerta para não confundirmos autoanulação com generosidade. Segundo o Budismo, agir de forma altruísta é percorrer o caminho que nos leva à iluminação. No entanto, temos que nos manter conscientes de que a intenção de nos dedicarmos ao outro não nos exclui da responsabilidade de cuidarmos de nós mesmos!

Por isso, quando me pego cansada *demais*, procuro relembrar o que ocorreu nos últimos dias e me responder: "Em que momento abandonei as minhas necessidades básicas?".

Básico não quer dizer o "mínimo de que necessitamos", mas sim o que é essencial para mantermos nosso equilíbrio.

Colocar o outro em primeiro lugar, por vezes, é um ato necessário de bondade, mas ainda assim não podemos nos esvaziar, seja de nossa energia vital, emocional ou até mesmo espiritual. Para tanto, precisamos saber balancear a dose entre *dar de si* e *dar para si*. É preciso bom senso para equilibrar as questões do dar e do receber.

Para cultivar uma atitude altruísta, precisamos aprender a reconhecer nossas próprias necessidades. Parece simples compreender *que só podemos dar aquilo que possuímos*, mas, na prática, erramos no cálculo, e nosso desejo de dar algo muitas vezes está acima de nossos recursos reais.

Ser altruísta é contagiante: há um grande prazer em dedicar-se ao outro. Incluir *o outro* em nossa vida nos faz crescer interna e externamente. Quando reconhecemos as necessidades alheias, sentimos nossa percepção de mundo se ampliar. A vida ganha cada vez mais sentido quando nos sentimos úteis e socialmente ativos.

No entanto, esta não é a realidade de nossa sociedade capitalista. Apesar de termos sido educados a *só fazer com o outro aquilo que gostaríamos que fizessem conosco,* raramente atingimos esta meta.

Creio que falhamos porque pulamos etapas de consciência: tendemos a dar valor ao outro sem termos reconhecido nosso próprio valor.

Normalmente temos certo pudor de reconhecer nosso próprio valor. Isto se deve ao fato de que associamos esta atitude com a ideia de nos tornarmos pessoas esnobes e orgulhosas. Desde pequenos, fomos educados a sermos humildes e não atuarmos de modo egoísta. É verdade que aqueles que são muito "cheios de si", e não reconhecem os valores alheios, causando danos à sociedade, sofrem de intensa solidão.

Reconhecer a riqueza de nosso potencial e dar valor a nós mesmos, porém, não quer dizer que devemos nos vangloriar, mas, sim, que precisamos ser capazes de identificar o que possuímos. Caso contrário, como poderemos oferecer algo aos outros?

Segundo estudos científicos, geneticamente somos programados para satisfazer seis necessidades psicológicas: sobrevivência, reprodução, amor e pertencimento (sensação de ser parte integrante de alguma coisa), poder (capacidade de atuação e realização), liberdade (capacidade de criar) e diversão (capacidade de aprender).

Quando não atendemos a estas necessidades, passamos a ter comportamentos agressivos por não poder dar vazão à insatisfação contida. Assim, nos tornamos pessoas inquietas, sem interesse por nossas atividades cotidianas. A má vontade e o pessimismo aumentam nossa resistência às modificações. A vida fica cada vez mais complicada quando nos sentimos impotentes e passivos.

O Budismo nos incentiva a reconhecer que nossos problemas surgem mais devido aos nossos desequilíbrios mentais do que aos físicos.

Lama Gangchen ressalta que nosso corpo é o contêiner e a mente o seu conteúdo. Portanto, se aprendermos a conhecer como funciona a nossa mente preciosa, iremos despertar o que há de mais profundo e verdadeiro em nosso potencial humano.

Não devemos pensar que estamos longe de nossa capacidade de sermos felizes ou que sermos verdadeiramente altruístas é algo tão elevado que jamais seremos capazes de realizar. Se continuarmos a agir assim, estaremos sempre nos afastando de nós mesmos. É como se estivéssemos empurrando a felicidade para mais longe a cada vez que nos esforçamos para nos aproximar dela!

Conforme deixamos de negligenciar a nós mesmos, e mantemos o foco em continuar evoluindo, até mesmo as quedas nos servirão de impulso para seguir em frente!

XIX

Décimo Elo Interdependente: a existência, o vir a ser

O Décimo Elo, a *Existência Interdependente* ou o *Vir a ser*, é uma ação mental, ou intenção, causada pelos dois Elos anteriores, desejo e apego, que ativam as marcas mentais que nos arremessam para o próximo passo: o *desejo condicionado de continuar existindo*. Denomina-se "existência" por ser a causa imediata de um novo renascimento na existência cíclica. Neste sentido, este Elo ocorre tanto no instante anterior ao nascimento como na hora da morte. Ele é simbolizado por uma mulher grávida.

Do ponto de vista da existência dinâmica de um processo mental, este Elo se refere à direção que o pensamento irá seguir. Se esta intenção for positiva, a mente que a acompanha também o será; o mesmo ocorre no caso da intenção ser destrutiva, ou seja, a intenção que sustenta uma ação gera a natureza mental da ação subsequente.

Segundo a Psicologia Budista existem quatro tipos do *vir a ser*. Todos eles estão sob o domínio da ilusão e do karma e, portanto, geram sofrimento:

1. O *vir a ser* do renascimento.
2. O *vir a ser* da morte.

Mania de sofrer

3. O *vir a ser* dos estados intermediários.

4. O *vir a ser* de uma vida.

Lama Gangchen explica o vir a ser da morte:[1] "Nosso estado mental, no momento em que a consciência grosseira se dissolve e a respiração cessa, determina o programa que selecionaremos em nosso disco do espaço interno. Por isso, é especialmente importante estar com a mente feliz e em paz durante a morte. Ligando-nos à energia de cristal puro do Lama Curador e da companhia espiritual nesse momento, poderemos selecionar um bom programa em nosso disco do espaço. Morrendo com uma mente feliz, positiva e em paz, garantimos um renascimento feliz dentro do *samsara*, mesmo tendo feito muitas coisas ruins durante a vida. No momento da morte, a única companhia útil será a energia pura de nossa mente cristalina natural, nosso Guru e os Seres Sagrados. Portanto, de hoje em diante, precisamos imediatamente cultivar a companhia espiritual, começando a nos apoiar nos amigos especiais que permanecerão conosco no momento em que nossos amigos comuns não poderão mais nos ajudar".

Acredito que nós também podemos nos tornar amigos especiais! Aliás, o vínculo de amizade que criei tanto com aqueles com quem compartilhei o processo de falecimento quanto com seus amigos e parentes é único. Comparo a vivência de estar ao lado de uma pessoa que enfrenta o processo da morte com a de assistir a extração de um puro óleo de rosas. Para obter um quilo de óleo essencial são necessárias quatro toneladas de pétalas; do mesmo modo, para depurar a mente que surge neste processo de finalização são necessários todos os pensamentos acumulados no decorrer da vida. A cada dia do processo de morte, assistimos a essência da pessoa sendo extraída: a sua energia mais pura é exposta, assim como o seu perfume.

A conexão com a próxima existência ocorre por meio da força do desejo, da raiva e da ignorância. Quando percebemos que somos capazes de contribuir para gerar condições que favoreçam um estado mental positivo na pessoa que está falecendo, nos sentimos extremamente úteis. Aqueles que, no decorrer da vida, aprenderam a direcionar a sua

---

1. Lama Gangchen Rinpoche, *Ngelso – Autocura tântrica III*, São Paulo, Gaia, p. 301.

mente para estados mentais positivos saberão melhor como aproveitar estas condições.

Mas, como assimilar a importância de nos prepararmos para nosso último estado mental se nem incluímos as questões da morte em nossos planos de vida?

A cultura ocidental capitalista nos incentiva a viver em função dos acontecimentos imediatos, sem nos darmos conta de nossa natureza cíclica. Simplesmente vivemos. Em geral, aqueles que dizem não temer a morte associam-na a mais um momento pontual e passageiro que irá ocorrer como *qualquer outro*. É evidente que dar esse tom de leveza à morte é tão excessivo quanto temê-la como algo terrível ou como uma punição.

Acredito que, para nós ocidentais, o grande desafio é adquirir a sabedoria de perceber a natureza cíclica de nossa mente, esteja ela presa ou não ao sofrimento.

A meta principal do Budismo consiste em levar o praticante a atingir o estado mental denominado iluminação, no qual sua mente é livre da cadeia sem escolhas de morte e renascimentos. Assim, o Ser Iluminado é capaz de escolher onde e como renascer para ajudar outros seres a romper os Doze Elos que formam esta corrente interdependente de sofrimento!

Só poderemos compreender este caminho em direção à Iluminação se assimilarmos profundamente nossa natureza cíclica.

Atualmente, o interesse pelos estados pós-morte tem sido crescente, tanto pelos espiritualistas quanto pelos cientistas da física quântica e da neurociência. O brasileiro Raul Marino Jr., profundo estudioso de teologia e neurociência, explica de forma simples e clara a teoria da continuidade da consciência:[2] "É interessante estabelecer uma comparação entre esses fenômenos quânticos e os meios corriqueiros de comunicação através dos campos eletromagnéticos dos aparelhos de rádio, TV, telefones celulares, *laptops* e outros equipamentos sem fio. Não tomamos consciência da vastíssima quantidade de campos eletromagnéticos que constantemente atravessam nosso corpo, paredes e edifícios. Somente

---

2. Raul Marino Jr., *A religião do cérebro*, São Paulo, Gente, p. 116.

Mania de sofrer

nos damos conta deles no momento em que ligamos um desses aparelhos e passamos a detectá-los sob a forma de imagem ou som, no
momento em que consequências de causas que nos são invisíveis se
tornam observáveis aos nossos sentidos e sua percepção atinge nossa
consciência. As imagens e os sons não estão dentro dos aparelhos, nem
a internet está dentro de computadores. Ao desligá-los, a recepção desaparece, mas a transmissão continua e a informação permanece nos campos eletromagnéticos. Segundo a teoria da continuidade da consciência
de Van Lommel, se a função do cérebro fosse perdida, como na morte
clínica ou cerebral, as memórias e a consciência continuariam a existir,
perdendo-se apenas a recepção pela interrupção da conexão. Ao tempo
da morte física, a consciência continuaria a existir e a ser experimentada
em outra dimensão, num mundo não visível e imaterial – o espaço-fase –
que contém o passado, o presente e o futuro".

Quando é o coração que compreende

A explicação acima descreve uma maneira racional de compreendermos a continuidade. Agora espero poder lhes transmitir uma experiência cuja força estava além das palavras: situava-se no entendimento que
ocorre *no coração*.

Em meu trabalho com pacientes terminais, procuro ajudá-los a superar o medo da separação que surge diante da morte criando situações
em que eles possam relaxar até sentirem-se tocados pela sensação de
que: *sim, algo continua*. Particularmente, não me envolvo com as possíveis versões que cada religião propõe para este momento. Acredito
que o importante *é a pessoa sentir-se confiante em seu estado de entrega*. Para tanto, procuro *entrar* no mundo da pessoa e me sintonizar com
uma imagem arquetípica que possa lhe ajudar. "As imagens arquetípicas
são os fundamentos da fantasia, são o modo pelo qual todo conhecimento, todas as experiências, se tornam possíveis."[3] Por isso, exercícios
de visualização, acompanhados da música certa, são ferramentas de
grande ajuda.

---

3. James Hillman, *Suicídio e alma*, Coleção Psicologia Analítica, Rio de Janeiro, Vozes,
   p. 228.

Acompanhar Dona Nora foi para mim uma experiência inesquecível. Já idosa e querida por todos, ela era uma católica realmente praticante, mas lhe faltava passar por uma compreensão que está além do plano racional. Um dia, Dona Nora me fez a clássica pergunta: "Bel, agora eu sei que vou mesmo morrer. O que você acha que acontece depois da morte?".

Então, respondi: "Tudo que eu lhe disser pouco vai lhe ajudar se você não estiver se sentindo confiante na sua capacidade de entrega. Vamos fazer uma coisa. Feche os olhos e imagine que você está num lindo jardim passeando de mãos dadas com Jesus. Este é o jardim das quatro estações. Primeiro vocês visitam a primavera. Há tanto o que ver! Você chama a atenção de Jesus para olhar as borboletas e Ele lhe mostra os botões das flores se abrindo...".

Assim, Dona Nora percorreu com Jesus o *Jardim das Quatro Estações* até chegarem ao jardim do inverno, quando sentaram-se para descansar, debaixo de um grande carvalho sem folhas. O chão estava frio. Em silêncio, eles fecharam os olhos. Dona Nora deitou-se no ombro de Jesus para descansar e então Ele lhe disse: "Nora, você sente quanta vida há debaixo da terra pronta para nascer?". Neste momento, ela abriu seus olhos e me olhou emocionada, e apenas me disse: "Entendi, Bel, entendi".

O perigo dos pequenos pensamentos negativos

Como é verdadeiro o fato de que basta seguirmos um ínfimo pensamento negativo para desencadearmos uma série de dúvidas e frustrações! Nossos *pequenos* pensamentos negativos são como um vírus, que rapidamente se multiplica e cresce, causando-nos febre e mal-estar.

É preciso constantemente observar nossa mente ao microscópio!

São inúmeros os pensamentos que fluem em nossa mente; por isso, na maioria das vezes, não nos damos conta do quanto somos invadidos por atitudes mentais destrutivas. Porém, se soubermos identificar seus menores sintomas, podemos reverter a mente negativa aprendendo a "diagnosticá-la" assim que ela surgir.

Lama Gangchen Rinpoche nos ensina a reconhecer os pequenos sinais de mudança de nossa mente nas diversas expressões do rosto:

elas refletem as nuanças de cada forma-pensamento. Para tanto, ele nos estimula a manter a atenção em nossas expressões como se estivéssemos diante de um espelho. Se víssemos nossa imagem refletida em um espelho 24 horas por dia, ficaríamos surpresos de observar quantas de nossas expressões faciais não são tão belas quanto aquelas que tentamos fazer quando rapidamente nos olhamos para nos arrumar.

"Se não queremos mais ter faces feias, temos que começar por admitir que costumamos fazê-las", alertou Lama Gangchen Rinpoche em seus ensinamentos.

Mas, por que fazemos faces feias? Rinpoche nos lembra que estas faces expressam nossa fome e sede interior que se agravam à medida que não fazemos nada para saciá-las! Costumamos perder mais tempo nos lamentando da fome do que gerando recursos para supri-la. Isso ocorre porque conhecemos pouco os alimentos da alma. O que torna nossa mente sutil satisfeita?

São atitudes que nutrem nosso corpo e mente sutil: orar, recitar mantras, fazer visualizações criativas, assim como mover o corpo com gestos pacíficos. Temos que admitir que nossas atitudes habituais não nos nutrem verdadeiramente, pois são o resultado de uma mente pequena que quer apenas se proteger, se defender. Mas possuímos também uma mente grande, que busca naturalmente por evolução.

Thomas Moore[4] comenta que por mais verdadeiros que sejam os problemas da vida prática, eles nunca são idênticos às preocupações da alma. Por isso, escreve: "Para nos devotarmos à alma, talvez seja preciso soltar outros vínculos, e para permitir que a alma expresse sua própria intencionalidade e propósitos, talvez tenhamos que abrir mão de antigos valores e expectativas".

Como a mente grande pode cuidar da mente pequena

De fato, as exigências da alma podem nos parecer paradoxais. Por exemplo, quem não conhece o desejo de querer se libertar das atitudes

---

4. Thomas Moore, *O que são almas gêmeas*, Rio de Janeiro, Ediouro, p. 16.

baseadas no apego, como o ciúme? Apesar da alma não querer viver sob a tensão do controle, nossa *mente pequena* encontra segurança apenas quando controla a tudo e a todos. Por isso, sentir a satisfação interior é uma tarefa difícil demais para uma mente pequena!

Lama Gangchen nos ensina a diferenciar as atitudes mentais próprias de uma mente pequena daquelas de uma mente grande. Quando estamos sob os ditames da mente pequena, dizemo-nos: "Eu não sei... eu não quero... eu não posso...". Mas quando atuamos com nossa mente grande, proclamamos sem dificuldade: "Sim! Eu posso lidar com esta situação, seja ela agradável ou não".

A *mente grande* não rejeita nenhuma experiência da vida. Afinal, ela não está contaminada por atitudes covardes ou indulgentes. Se passarmos a observar honestamente quantas situações podemos enfrentar se não seguirmos nossa *mente pequena,* ficaremos surpresos e felizes em notar que podemos fazer muito mais do que estamos habituados.

Temos que admitir que as atitudes mentais de uma mente pequena não nos nutrem verdadeiramente, pois são resultantes da insegurança. Uma mente pequena diz que não sabe, mesmo antes de se questionar; diz que não quer, sem ter consultado seus desejos mais profundos. É uma mente que, baseada na carência, busca se defender sem nem mesmo ter sido atacada. É tendencialmente competitiva, de modo que, apesar de sentir-se excluída e solitária, não busca por união. Já a mente grande, naturalmente busca evoluir, unir, comungar.

A mente pequena nutre o sofrimento, enquanto a mente grande sabe como absorvê-lo. O sofrimento perde sua força à medida que é reconhecido pela mente grande. Por isso, os mestres budistas nos incentivam a dialogar com o nosso sofrimento. Lama Gangchen nos fala: "Deixe a sua sabedoria conversar com a sua ignorância. Dê tempo e espaço para sua sabedoria se expressar. Ela não deve ficar oprimida pela ignorância".

A agitação interior é um reflexo do movimento de uma mente pequena. Se nos determinarmos a não segui-la e, cultivarmos uma atitude de calma e atenção, já estaremos manifestando naturalmente nossa mente grande!

Uma meditação para abrandar a agitação interior

De olhos fechados, com a mão direita sobre a palma da mão esquerda e os polegares unidos, concentre-se por alguns instantes no movimento interior que a mente agitada lhe causa. Então, inspire e expire algumas vezes com mais intensidade até sentir que, desta forma, você consegue trazer a atenção de volta para o seu corpo. Gradualmente, vá suavizando sua respiração até poder observá-la em seu movimento natural.

Agora, visualize uma reluzente gota dourada no centro de seu coração que irá tornar-se cada vez menor até desaparecer. Continue concentrando-se no mesmo local onde há pouco você visualizava a luz.

Observe, então, mais uma vez, o seu movimento interior. Repita esta visualização quantas vezes necessitar. Ela nos ajuda a encontrar em nós mesmos um eixo de descanso interior, pois à medida que a nossa mente passa a se ocupar com a respiração e a visualização voltada para o coração, nos tornamos mais calmos e concentrados.

XX

Décimo Primeiro Elo Interdependente: o renascimento

O Décimo Primeiro Elo, *o Renascimento,* refere-se a todas as vezes que algo toma uma nova aparência. Este Elo é simbolizado por uma mulher dando a luz, pois descreve o primeiro instante de qualquer evento: seja o instante do parto ou da nossa concepção.

Neste sentido, o Décimo Primeiro e o Quarto Elo (nome e forma) – quando se dá o momento da concepção – ocorrem simultaneamente. Para facilitar essa compreensão, visualize a Roda dos Doze Elos numa forma espiralada, com o Décimo Primeiro Elo se sobrepondo ao Quarto.

O nascimento é, em si mesmo, a causa para o Décimo Segundo Elo: a velhice e a morte e os sofrimentos que as acompanham.

Cabe lembrar, que assim como a causa principal de nossa morte não está na velhice, nem nas doenças ou acidentes, mas sim no fato de termos nascido, a causa principal de nosso nascimento encontra-se no fato de termos morrido!

É natural, em nossa cultura ocidental, surgir uma certa resistência sempre que a questão de outras vidas é levantada. Quero deixar claro que não é preciso acreditar em outras vidas para receber os benefícios destes ensinamentos.

Segundo a Psicologia Budista existem quatro tipos de concepção ou formas de nascimento:

1. No ventre (mamíferos).
2. No ovo (ovíparos).
3. No calor ou umidade (reinos inferiores).
4. E no lótus, considerado o renascimento miraculoso, pois independe da presença dos corpos paternos. Ele ocorre no Reino dos Deuses, Semideuses e na Terra Pura.

Para que haja uma concepção é necessário que a energia do *continuum* mental, que se encontra no *Bardo*, esteja de acordo com energia kármica do esperma do pai e do óvulo da mãe. Em outras palavras, é preciso que todas as partes envolvidas tenham um *quantum* de mérito comum para que a concepção ocorra.

O que determina nossas vivências são nossos méritos

Mérito quer dizer energia positiva acumulada. Dito de forma bem direta: "Cada um tem os pais que merece, assim como os pais têm os filhos de acordo com os seus méritos já acumulados". Aliás, certa vez, ouvi um médico tibetano dando o seguinte conselho para um casal que não conseguia ter filhos: "Façam ações positivas juntos, pois assim irão acumular a energia positiva necessária para atrair uma nova concepção".

É importante ressaltar que a palavra *méritos* não tem um sentido moral, isto é, o de sermos premiados ou punidos, mas, sim, refere-se ao *quantum* de energia que temos para amadurecer e sustentar uma determinada situação. Sob este ponto de vista, tanto a morte prematura de um feto, como o falecimento de uma pessoa aos cem anos, resultam do mesmo processo.

Uma informação que recebi oralmente dos Lamas, mas que não encontrei nos textos budistas, é que noventa por cento do que vivemos nesta vida é resultado das causas que criamos em outras. Neste sentido, *somos* praticamente o resultado de nossos méritos acumulados, isto é, das marcas mentais positivas e negativas já impressas em nosso *continuum* mental.

Em outras palavras, somos o resultado constante do amadurecimento de causas já criadas, que se manifestam em nossos hábitos e manias. *Hábito*, segundo o Dicionário Aurélio, refere-se à "disposição duradoura adquirida pela repetição frequente de um ato, uso ou costume", enquanto *mania* refere-se ao "mau costume, hábito prejudicial, vício, ideia fixa doentia, obsessão". Todas estas definições estão de acordo com a Psicologia Budista que reconhece que, tanto nossos hábitos como nossas manias, nada mais são do que uma sequência de causas e seus efeitos.

A neurociência coloca-se sob a mesma perspectiva: os hábitos emocionais são resultantes dos impulsos neurológicos armazenados na amígdala cerebral e nas suas extensões. Eles se fortificam à medida que são repetidos em sua rede de circuitos. Quanto mais fortes se tornam os hábitos, menos capazes nós somos de rompê-los. O cérebro toma o caminho fácil, seguindo repetidamente a mesma sequência, que vai da sensação ao sentimento e depois à ação, deixando-nos prisioneiros da nossa mente, incapazes de nos libertarmos.

Neste sentido, podemos compreender o ato da concepção e do nascimento como um hábito extremamente arraigado.

Quando o amor foi insuficiente

Como já vimos, somos um condensado de experiências acumuladas, de memórias agradáveis e desagradáveis que geram à nossa percepção da realidade. Portanto, o *novo* sempre surge do resultado de vivências anteriores.

Grande parte do profundo sentimento de inadequação que vivenciamos quando adultos tem sua origem no abandono vivido durante a gestação, o nascimento e a primeira infância. As feridas da falta de amor comprometem o desenvolvimento da psique. "A criança ferida que vive no adulto é a causa principal dos vícios e do comportamento viciado."[1]

---

1. John Bradshaw, *Volta ao lar – Como resgatar e defender sua criança interior*, Rio de Janeiro, Rocco, p. 43.

Mania de sofrer

Você sente que recebeu amor suficiente quando era criança? Cada um, a seu modo, tem uma história para contar... Basta escutar os enredos que surgem quando sonhamos dramas baseados no abandono e na carência afetiva. Há sonhos, ou melhor, pesadelos, que nos paralisam na sensação de uma intensa *dor sem saída*: resta-nos apenas a esperança de que um herói, que tenha coragem no coração, venha nos salvar! Apesar dessa força extra encontrar-se em nosso interior, nós a projetamos fora de nós.

Desta forma, desenvolvemos, ainda quando éramos crianças, o hábito de buscar forças nas condições exteriores. Quando adultos, iremos expressar esse modo de pensar em nossos relacionamentos. Quanto menos tivermos nos sentido seguros com as pessoas das quais éramos realmente dependentes na infância, menor será a capacidade de entrega nos relacionamentos adultos.

Todos nós temos, de algum modo, esta criança ferida em nosso interior. Tarthang Tulku ressalta: "À maioria de nós foi ensinado que o amor se acha fora de nós mesmos – é algo a ser obtido. Por isso, quando o encontramos, nós o agarramos firmemente, como se não houvesse o suficiente para todos. No entanto, na medida em que o amor se torna apego egoísta, nós nos isolamos da verdadeira intimidade. O amor mais gratificante que podemos vivenciar é o que já existe dentro de nós, no coração de nosso ser. Aí se encontra uma infinita fonte de calor, que podemos usar para transformar nossa solidão e infelicidade. Ao entrar em contato com essa energia nutriente, descobrimos os recursos interiores necessários para sermos verdadeiramente responsáveis pelo nosso próprio crescimento e bem-estar".[2]

Quando estamos comprometidos com o caminho da transformação interior, mensagens como essa são estímulos de coragem e libertação. Mas, temos que admitir que enquanto estivermos presos à dor da carência pela falta de amor, não será suficiente saber racionalmente que sofremos porque não sabemos amar verdadeiramente.

Será preciso reviver a dor do abandono sob um novo prisma, para superá-la.

---

2. Tarthang Tulku, *A mente oculta da liberdade*, São Paulo, Pensamento, p. 80.

Racionalizar a dor emocional faz parte do processo para curá-la, mas, em si, não é uma experiência capaz de gerar uma mudança autêntica e profunda.

Devemos partir do pressuposto de que não há nada de extraordinário em admitir que não recebemos amor suficiente quando éramos crianças. Como veremos a seguir, será justamente a aceitação deste fato que irá nos permitir encontrar as forças necessárias para resgatar nosso amor interior.

Eva Pierrakos e Judith Saly dedicaram todo um capítulo a esta questão em seu livro *Criando união*.[3] Elas escrevem: "Como as crianças muito raramente recebem suficiente amor maduro e bondade, elas continuam a ansiar por ele durante toda a vida, a menos que a falta e a mágoa sejam reconhecidas e devidamente manejadas. Caso contrário, os adultos seguirão pela vida chorando inconscientemente pelo que não tiveram na infância. Isso fará deles pessoas incapazes de amar com maturidade. Vocês podem ver como esta situação passa de geração a geração".

É importante nos conscientizarmos do forte elo que existe entre as nossas ansiedades de infância e as dificuldades afetivas que enfrentamos enquanto adultos.

O ponto de partida para romper esta linhagem de amor imaturo encontra-se tanto na aceitação de que nos faltaram experiências de afeto quanto na conscientização de que identificar-se demasiadamente com esta carência não nos levará a lugar nenhum. Isto é, a intenção de admitir a dor está vinculada à decisão de superá-la, e não de recriá-la!

Remoer a dor infantil sem a correspondente vontade de sair dela é como andar para trás, pois, assim, estaremos apenas repetindo os padrões emocionais já conhecidos em vez de refinar nossa alma.

A dinâmica do *querer ser amado* transforma-se no *desejo de amar* quando nos conscientizamos, de uma vez por todas, de que não adianta querermos que as coisas sejam diferentes ou que as pessoas *aprendam a amar com maturidade* para sermos mais bem servidos em matéria de amor.

Quando nos dispomos a amar verdadeiramente, damos inicio à jornada do amor maduro. Esta é uma bela frase; no entanto, só terá sen-

---

3. Eva Pierrakos e Judith Saly, *Criando união*, São Paulo, Cultrix, p. 107.

Mania de sofrer

tido quando nos propusermos a redirecionar nossas emoções de abandono e carência, isto é, quando não temermos mais senti-las.

É preciso voltar *ao local do crime* para desvendar o mistério. Eva Pierrakos e Judith Saly revelam um método de autoconhecimento para aplicarmos nos momentos em que reconhecermos, por trás de nossa raiva, frustração e ansiedade, a dor de não termos sido amados na infância: "Quando sentirem a dor de não serem amados no problema atual, ela servirá para despertar a dor da infância. Pensando na dor presente, voltem ao passado e tentem reconsiderar a situação com seus pais: o que eles lhe deram, o que vocês sentiam de fato por eles. Vocês perceberão que, sob muitos aspectos, sentiam falta de algumas coisas que nunca viram antes com clareza – porque não queriam ver. Vocês descobrirão que essa carência deve ter sido dolorosa na infância, mas a mágoa pode ter sido esquecida no nível consciente. No entanto, ela absolutamente não está esquecida. A dor causada pelo problema atual é exatamente a mesma dor do passado. Agora, reavaliem a dor atual, comparando-a com a da infância. Finalmente, será possível perceber que ambas são uma só. [...] Depois de sincronizar as duas dores e perceber que elas são uma só, o passo seguinte é muito mais fácil".[4]

A cura surge conforme reconhecemos que não somos mais tão indefesos diante da dor quanto pensávamos ser na infância. Como orientam as autoras: "Primeiro, vocês adquirem consciência de que é isso o que ainda desejam, e depois já não buscam esse tipo de amor. Como vocês não são mais crianças, buscarão o amor de forma diferente, dando em vez de esperar receber".

Quando filtramos a dor emocional por meio dos recursos já adquiridos na atualidade, vamos mesclando à dor passada à compreensão que nos faltava. Desta maneira, a necessidade de ser reconhecido pode ser substituída pela autovalidação. Do mesmo modo, a necessidade de expressar as emoções contidas poderá encontrar novos recursos de comunicação. Passamos a selecionar melhor as pessoas e as situações e, assim, poderemos finalmente nos tornar criativos e contribuir com nossa individualidade para o crescimento coletivo.

---

4. Eva Pierrakos e Judith Saly, *Criando união*, São Paulo, Cultrix, p. 113.

Décimo Primeiro Elo Interdependente

Em resumo, precisamos aprender a não temer nossas emoções fragilizadas pela falta de amor. Ao senti-las, poderemos simplesmente nos posicionar positivamente e dizer: "Ok, naquela época eu não tinha recursos para lidar com esta falta, por isso passei a pensar que não havia nada a fazer senão esperar passivamente por amor. Agora, posso agir, pois tenho minha consciência a meu favor, assim como a vontade de amar cada vez mais e melhor".

No entanto, quando a intensidade da dor torna-se demasiada, o distanciamento saudável é uma atitude pró-ativa. Neste sentido, quando nos distanciamos de um sentimento, de uma pessoa ou de uma situação, não queremos romper nossos vínculos, mas sim harmonizá-los.

Quando nos afastamos de algo para vê-lo melhor

O distanciamento saudável surge na medida em que sabemos apreciar as diferenças do outro: sejam elas de personalidade ou de forma vida. Para que os relacionamentos possam fluir verdadeiramente, é necessário que saibamos quando nos aproximar e quando nos distanciar, isto é, manter uma equidistância. Algo semelhante ao que Lama Gangchen costuma nos dizer sobre como manter um relacionamento saudável com um mestre: devemos agir como se estivéssemos diante de uma fogueira que nos aquece, se nos aproximarmos demais iremos nos queimar, mas se nos distanciarmos muito, iremos sentir frio e solidão.

Apesar de vivermos numa sociedade que incentiva a autonomia e a independência, somos cada vez mais dependentes uns dos outros. Perdemos a habilidade tanto de nos aproximarmos como de nos distanciarmos adequadamente. Quando sentimos *demais* as dores alheias, perdemos nosso eixo de equilíbrio e bom-senso. Sentir empatia por alguém não significa perder-se nele.

Não sufocar o outro com nosso amor, ideias e esperanças é um desafio que exige contínua vigilância. Acredito que um dos segredos para mantermos um distanciamento saudável, sem nos desligarmos afetivamente, consiste em sermos capazes de reconhecer quando estamos vivendo mais a vida do outro do que a nossa própria.

Cair no extremo oposto também gera conflitos: quando nosso distanciamento passa a gerar um ar de arrogância, é sinal que perdemos novamente a medida justa.

Infelizmente, quando nos sentimos pouco valorizados pelo outro (mesmo que indevidamente) assumimos uma postura de orgulho. Em geral, nestes momentos, temos dificuldade de perceber o quanto nos tornamos antipáticos! Devido à nossa fragilidade, nos tornamos artificiais: na tentativa de demonstrar segurança e autoconfiança, nos enrijecemos. O outro, por sua vez entende essa atitude como arrogância e se afasta. Não precisamos nos colocar acima nem abaixo dos outros para nos validarmos. O melhor é sempre sermos diretos e verdadeiros.

Quando abandonamos a necessidade de comandar todo o espetáculo, as lutas de poder nos relacionamentos cedem. Finalmente, aprendemos a reconhecer o distanciamento saudável e assim sentimos a presença do outro como estímulo para estarmos juntos!

Quando curamos nossas emoções, temos uma *nova* percepção da realidade e toda vez que isso ocorre estamos no Décimo Primeiro Elo Interdependente.

XXI

Décimo Segundo Elo Interdependente: o envelhecimento e a morte

O Décimo Segundo Elo, *o Envelhecimento e a Morte*, inicia-se no instante após o nascimento e continua até a morte, que ocorre no momento exato em que a consciência deixa o corpo físico. Assim como um fim de um incenso inicia-se no momento em que ele é aceso, morremos, porque nascemos. Morremos da maneira como vivemos. O modo como levamos a vida condiciona a maneira como iremos morrer.

Este Elo é simbolizado tanto por um homem velho caminhando com uma bengala, como por um cadáver. Segundo a Psicologia Budista, ele pode ser classificado como:

1. *Progressivo*: a partir da concepção e do período de gestação do feto até concluir a formação dos cinco órgãos dos sentidos.
2. *Degenerativo*: todo processo gradual de envelhecimento até a morte quando cessam todas as funções corporais.

Certa vez, Lama Gangchen Rinpoche nos disse: "Se usássemos a palavra *renascimento* no lugar de *morte*, grande parte de nossos problemas em relação ao processo de morrer já estariam resolvidos. Não diríamos fulano morreu hoje, mas fulano *acaba de renascer...*". Desta forma, na medida em que aprendemos a ver a morte como uma tran-

Mania de sofrer

sição da vida, podemos igualmente reconhecer a força da presença de vida surgindo após a morte.

Nunca me esqueço o dia em que, junto com o Pete, machadei pela primeira vez uma árvore: era um longo coqueiro que já estava morto há anos. Sentir a força do embalo do machado cortando o tronco, desperta foco e determinação: um ótimo exercício quando precisamos aumentar a nossa força de vontade... Mas o grande aprendizado surgiu depois que o coqueiro caiu no chão e o Pete o cortou ao meio. No interior do seu tronco morto havia uma grande quantidade de húmus: um adubo de excelente qualidade. Os olhos do Pete brilharam. Eu apenas pensei: "Há vida na morte!".

Lama Gangchen nos alerta:[1] "Precisamos analisar as condições de nossa vida e enxergar seus prazeres transitórios, sua falta de sentido e o nosso profundo sofrimento. Estamos cometendo suicídio de várias formas: alguns mais rapidamente, outros mais lentamente; alguns de formas mais dolorosas, outros de formas mais agradáveis. Precisamos desenvolver a renúncia, a causa e a condição do surgimento interdependente positivo da profunda repugnância e insatisfação em relação ao *samsara*. Como resultado, desenvolveremos um desejo intenso e incontrolável de imigrar para o *nirvana*, um lugar sagrado e cheio de paz, ou para uma Terra Pura, uma terra absoluta e verdadeira. Na Terra Pura, teremos um corpo e uma mente puros, vivenciaremos continuamente felicidade, paz interior e todas as alegrias absolutas, além de podermos completar rapidamente nossa evolução pessoal. Para realizar isso, precisamos reprogramar nosso disco do espaço interno [...]".

Aqui temos alguns pontos que necessitam de esclarecimentos. Inicialmente, quando Lama Gangchen escreve que *estamos cometendo suicídio*, ele refere-se ao fato de estarmos cultivando cada vez mais hábitos negativos que nos mantêm presos ao sofrimento. De fato, se analisarmos friamente o modo de vida descuidado e irresponsável ao qual nos submetemos cotidianamente, podemos reconhecer traços de suicidabilidade coletivos. Por exemplo, todos nós sabemos que viver em um ambiente poluído nos causa malefícios, no entanto, continuamos a fazê-lo. Sem falar daqueles que fumam mesmo tendo visto as

---

1. Lama Gangchen Rinpoche, *Ngelso – Autocura tântrica III*, São Paulo, Gaia, p. 305.

fotos impressas atualmente nos maços de cigarro. A displicência diante do aviso revela a pouca importância dada à vida.

Sem dúvida, o nível de sofrimento coletivo é crescente e assustador: guerras, catástrofes naturais, poluição ambiental. Isso, todos nós já sabemos. Mas, o ponto a ser ressaltado não é o fato do caos coletivo estar cada vez maior, mas, sim, a necessidade de renunciarmos ao sofrimento em qualquer nível de manifestação: seja ele alto ou baixo. Não é preciso atingir o limite de tolerância àquilo que nos faz sofrer, para decidirmos romper com ele.

Terra Pura: a esfera de renascimento mais elevada

Outro ponto a ser considerado no escrito de Rinpoche é o *desejo intenso e incontrolável de imigrar para o nirvana*. Este desejo não significa um chamado para deixar esta vida, mas sim e tão somente, o ato de comprometer-se profundamente com a paz absoluta. Aliás, a Terra Pura é a manifestação da energia pura de uma mente que atingiu esta paz absoluta: o Estado de Iluminação. No entanto, de fato, a Terra Pura é a esfera de renascimento mais elevada. Também conhecida por *Shambala*, ela é um mundo livre dos verdadeiros sofrimentos. Mas, enquanto renascemos num dos Seis Reinos do Samsara, estaremos sempre sujeitos ao sofrimento, pois o próprio ambiente samsárico age como condição para o experimentarmos.

Lama Gangchen esclarece: "Algumas pessoas acreditam, enganadamente, que o *Nirvana* (ou a Iluminação) é o fim de uma vida e personalidade individuais. Na verdade, o que acaba são os registros negativos da mente e a energia negativa. A mente não acaba. Quando atingimos esse estado, a mente pura se encontra parcial ou totalmente desenvolvida (Iluminada). Quando deixamos o *samsara*, nossa mente pura pode ir para uma Terra Pura ou escolher renascer no *samsara* para curar outros e ajudá-los a desenvolver a paz interior e a paz no mundo. Uma Terra Pura é como o nosso mundo. Lá existem os elementos, árvores, montanhas etc. Porém, tudo é feito de substâncias e energias completamente puras. Não há dúvidas, sons ruins ou energia negativa entre as pessoas. É como uma versão superpura de nosso mundo. Muitos seres de cristal puro e Curadores Supremos vivem em Terras Puras e, de lá, não podem ajudar diretamente os seres que sofrem no *samsara*. Por isso, eles mandam muitas emanações para os Seis Reinos samsáricos. Suas emanações são como agentes secretos que 'descem' para nosso mundo, nascendo de uma forma normal, de pais humanos. Eles tomam uma nova identidade e, assim, crescem e se desenvolvem. Parecem iguais a nós e, superficialmente, se comportam de uma forma normal. Entretanto, se examinamos secretamente com olhos de sabedoria, percebemos que eles possuem uma inacreditável energia interna dedicada a liderar, ajudar e curar os outros".[2]

Certa vez, perguntei a Lama Gangchen: "Mas, afinal qual deve ser nossa proposta? Ir para a Terra Pura ou voltar para este mundo?". Ele me respondeu: "Se quando você morrer estiver muito cansada, pode ir tirar umas férias na Terra Pura, mas depois volte para este mundo para continuar a ajudar os outros".

Na realidade, *optar* por renascer na Terra Pura, não é uma questão que dependa de uma simples escolha. A Terra Pura só pode ser atingida por meio da purificação mental profunda. "Seres comuns nascem no samsara sem escolha e são obrigados a sofrer contínua insatisfação e dor. No entanto, purificando nossa mente, purificaremos nossa experiência do mundo e, desse modo, atingiremos uma Terra Pura, livre de todo sofrimento".[3]

No entanto, o importante agora é reconhecer que se nossas ações permanecerem baseadas em hábitos de sofrimento, continuaremos *sempre* sofrendo, mas se nos dedicarmos ao processo de autocura profunda poderemos transformá-las em ações capazes de gerar benefício. Por isso, a existência humana é preciosa, pois temos algo real e profundo a fazer.

Os ensinamentos budistas são sempre a favor da vida

A fonte de sofrimento não é a existência em si, mas a existência condicionada: a principal causa de nossa contínua confusão.

---

2. Lama Gangchen Rinpoche, *Ngelso – Autocura tântrica III*, São Paulo, Gaia, p. 101.

3. Gueshe Kelsang Gyatso, *Guia à terra Dakini*, Tharpa Brasil, p. 32.

A natureza do desejo instintivo de querer viver não é a mesma do desejo condicionado, pois ele está contaminado pelo apego. Por exemplo, os Lamas desejam viver, mas não atribuem a esta vida a ideia de que não podem viver sem ela, mas sim que, por meio dela, eles podem realizar muito. A intenção pela qual queremos viver é que marca a diferença entre os dois tipos de desejo.

Viver simplesmente consumindo a vida, naturalmente, não irá nos ajudar a nos libertar da cadeia dos Doze Elos. Mas, se renunciarmos ao desejo contaminado em prol de uma vida significativa que possua um sentido maior para além da satisfação imediata, nos tornaremos pessoas melhores, assim como saberemos lidar com a nossa própria morte quando ela chegar.

No trabalho que realizo com pessoas que enfrentam o processo da morte, tenho a oportunidade de observar a diferença entre as que viveram ou não desta forma.

As primeiras têm o prazer de falar sobre suas vidas: tanto das dificuldades que enfrentaram quanto dos seus melhores momentos. Elas sabem lidar com sua morte, porque sentem-se satisfeitas com o que fizeram em vida. Já as segundas, costumam lamentar-se, pois sentem-se vazias: falta-lhes o prazer resultante do contato com o seu desenvolvimento interior.

No entanto, ambas podem tornar o processo de morte significativo, inclusive para aqueles que as acompanham. Suas experiências revelam desafios que raramente confrontamos. Neste sentido, elas tornam-se verdadeiros mestres que ensinam o que mais precisamos saber e fazer para acelerar nosso crescimento interior.

Aceitar a morte não significa desistir da vida

Certa vez, fui surpreendida com um comentário de uma paciente com câncer ao me dizer: "Você está me fazendo sentir vontade de viver, mas eu não devia sentir mais apego pela vida, devia aceitar a morte!". Seu desabafo nos levou a uma longa conversa sobre a importância de compreender que para aceitar a morte não precisamos desistir da vida.

Intelectualmente não resistimos à ideia de que para vivermos bem teremos que aceitar a morte. Mas, por que emocionalmente rejeitamos

Mania de sofrer

essa premissa? Porque não nos sentimos preparados para deixar algo se ainda nos sentimos carentes dele! Ou seja, exatamente porque sentimos *falta de vida* em nossa vida é que não nos sentimos preparados para deixá-la!

Neste sentido, aceitar a morte significa estar satisfeito com a vida!

Pode parecer um paradoxo, mas são justamente as pessoas que estão *cheias de vida* que demonstram paz quando estão enfrentando sua própria morte. Estar ao lado delas é uma experiência gratificante, pois, até mesmo quando elas não podem mais falar, nos transmitem confiança e serenidade. Aliás, elas falam através das pessoas à sua volta quando lembram de como elas souberam valorizar a vida!

No entanto, nos identificamos, tendencialmente, com a insatisfação. Normalmente, dedicamos mais tempo lamentando nossos fracassos do que nos regozijando de nossas conquistas.

Temos até mesmo dificuldade de manter um bom papo se estivermos falando só de coisas positivas. As conversas baseadas na indignação, no ressentimento, na fofoca ou na intriga duram *muito* mais tempo do que aquelas que estão sustentadas pela intenção positiva.

É comum evitarmos falar sobre a morte, assim como sobre as situações em que ela está presente. No entanto, quando assistimos a morte de uma pessoa querida, ou mesmo quando tomamos conhecimento de catástrofes naturais como a das ondas tsunamis no Oriente, somos mobilizados por um forte sentimento de urgência: precisamos compreender a morte para não perdemos a fé na vida. Intuitivamente, *sabemos* que enquanto *separarmos a vida da morte*, viveremos o medo de enfrentar ambas as experiências.

Passamos a vida negando a realidade de nossa própria morte. Não estamos habituados a pensar sobre ela. Consequentemente, quando a morte se aproxima, nos ressentimos com o fato de ter que aceitá-la.

O que significa aceitar a morte? Aceitar é estar totalmente aberto para uma ideia. A aceitação surge como resultado de um entendimento que nos torna inteiramente receptivos a alguém ou alguma coisa. Portanto, aceitar a morte é ser capaz de acolhê-la. Quando acolhemos algo, nos sentimos seguros, pois amadurece em nosso interior a confiança necessária para seguir em frente, *seja lá para onde for*.

Décimo Segundo Elo Interdependente

Como nos separar daqueles que amamos

Quando aqueles que estão morrendo são nossos entes mais queridos, a dor da separação é intensa.

Certa vez, escutei Sogyal Rinpoche dizer: "Só aceitamos nos desapegar de alguém, quando sentimos ter recebido tudo que gostaríamos por meio desta pessoa", ou seja, só nos desapegamos daquilo que estamos plenamente satisfeitos.

É mais fácil nos separarmos daqueles que sentimos amar e por quem nos sentimos ser amados, pois, desta forma, preenchidos de amor em nosso interior, não vivenciamos a separação como uma perda de nossa capacidade de amar. Desapego, neste sentido, significa estar satisfeitos, nutrido de amor espiritual.

No entanto, em geral, temos dificuldade de entrar em contato com esta forma de satisfação, porque nos concentramos mais no que *ainda* gostaríamos de receber, do que no reconhecimento do prazer já recebido. Por isso, apesar da satisfação não surgir através da análise racional de um fato, mas, sim, da experiência genuína de um sentimento, muitas vezes temos que recorrer à análise mental para despertarmos a força curativa do sentimento em nossa psique.

Quando somos tocados por essa forma elevada de amor, desejamos que a pessoa amada seja realmente feliz: com ou sem a nossa presença.

No entanto, em geral, nosso amor é mais emocional que espiritual: amamos na carência, isto é, nos alimentamos do sentimento de que amar é sentir necessidade do outro. É comum pensarmos que o outro irá reconhecer que nos ama somente se nos afastarmos e o fizermos sentir nossa falta, ou seja, que só seremos valorizados na ausência. Ao contrário do que se pensa, porém, amar é não sentir falta! Quanto mais soubermos reconhecer nossa capacidade de amar, menos dependentes estaremos da presença física da pessoa amada. A prova de que esta premissa é verdadeira está no fato de que continuamos a amar alguém mesmo após sua morte.

A dinâmica do amor continua em nosso interior: continuamos a nos dedicar à pessoa amada mesmo depois que ela já se foi. Rezamos por ela, e, muitas vezes, passamos a nos dedicar a finalizar seus projetos e realizar seus desejos.

Mania de sofrer

Enquanto escrevi parte deste capítulo, acompanhei os quatro últimos dias de vida de Adriana, amiga de muitos amigos, uma psicanalista prática e serena ao mesmo tempo. A sua aceitação diante da terminalidade foi exemplar. Nos deixou muitas vezes surpresos e ao mesmo tempo confiantes de que ela, apesar da forte dor física, estava com a mente preparada para falecer. O amor de todos por Adriana era evidente: cada um, a seu modo, demonstrou estar disposto a fazer *o que fosse* necessário para contribuir pra seu bem-estar.

Nos dias que sucederam sua morte, Márcia, sua grande amiga com quem compartilhava o apartamento, me disse: "A melhor experiência que tive depois da morte dela, foi quando arrumei o seu quarto, retirando todo o material do *home care*, fazendo a cama, colocando incenso, tocando os mantras no som.... ali eu tive pela primeira vez uma sensação de paz, por estar continuando a cuidar da Adriana. Cuidar da energia do quarto dela me deu o conforto necessário para poder acolher a sua morte".

Assim como explica Robert Sardello:[4] "No amor espiritual, o bem da outra pessoa vive dentro de cada pensamento que me vem, quer o pensamento tenha ou não a ver com ela. O termo espiritual para essa qualidade é *intento,* que carrega um significado muito mais sutil do que quando dizemos que temos a intenção de fazer algo. Intento carrega o sentido de que alguma coisa mantida no pensamento se tornou tão real como se estivesse literalmente presente – não presente à minha frente, mas em todos os lugares dentro de mim. No amor espiritual, aquilo que se torna tão absolutamente real é a qualidade espiritual da outra pessoa, sentida no intento de ser orientada unicamente para o bem da outra pessoa. Na vida diária, o aperfeiçoamento do amor espiritual se concentra nos pensamentos que temos em relação à outra pessoa. Esses pensamentos não são iguais àqueles que surgem da saudade de alguém, da lembrança de algo que fizeram juntos no passado ou de pensar sobre o que a pessoa possa estar fazendo no momento. No amor espiritual, não necessariamente pensamos na outra pessoa; ao contrário, a outra pessoa, como espírito, tornou-se completamente entrelaçada à minha existência de modo que, mesmo sem perceber, ela está comigo a cada

---

4. Robert Sardello, *Liberte sua alma do medo*, Rio de Janeiro, Fissus, p. 196.

momento, de uma maneira que acentua a minha própria liberdade individual em vez de impedi-la".

Devemos evitar a morte, mas não rejeitá-la!

Na maioria das vezes, falar sobre a morte nos remete a ideia de uma conversa de caráter pesado. No entanto, Lama Gangchen Rinpoche nos ensina que podemos não apenas morrer sem medo, mas ir além do medo: desfrutar da morte. Ele nos disse: "Podemos aprender a olhar a nossa própria morte como diretores de um filme. Em geral, parece que, pela dissolução de nosso físico, morreremos fracos, mas com a energia da autocura podemos morrer fortes".

A frase "Podemos morrer fortes" nos leva a muitas reflexões. Creio que ser forte significa ser capaz de fluir diante do processo da morte em vez de confrontá-la. Em geral, temos o hábito de ser *contra* a morte. Por isso, quando chega o momento de vivenciá-la nos vemos confusos, pois teremos que dar as mãos *para quem,* em vida, julgamos melhor manter sempre distância.

O Budismo Tibetano não é a favor da eutanásia. Não devemos acelerar a morte, mas também não podemos rejeitá-la. Evitá-la sim, rejeitá--la não. Quando a morte chega, deve seguir seu curso natural. Neste sentido, quando as causas e condições para o processo de morte amadurecem, ele não deve ser prolongado artificialmente.

Muitas vezes devido às intensas dores, o paciente pede para ser sedado. Outras vezes, ele será sedado sem mesmo saber que não voltará a ter momentos de consciência. É importante gerar, neste momento, um ambiente energeticamente elevado: rezas, mantras, música, incensos e óleos essenciais são realmente eficazes. Não é preciso rezar em voz alta. Algumas vezes, a intensidade com que são feitas as rezas ao redor daquele que está doente, lhe causa constrangimento devido à sua extrema sensibilidade. Afinal, quando estamos demasiadamente cansados, qualquer estímulo pode tornar-se uma sobrecarga. Neste sentido, o importante é manter-se sintonizado com as expressões do paciente.

À medida que nos conscientizamos de que a pessoa que está falecendo não poderá mais se comunicar verbalmente conosco, temos que ajustar as nossas necessidades de expressão com as dela. Para tanto, é

Mania de sofrer

necessário que entremos em sintonia com a onda de vibração energética, lenta e introspectiva, na qual ela se encontra. Em geral, devido à intensidade de nossa atividade mental, temos uma vibração alta e rápida, como notas musicais agudas. No entanto, aquele que está falecendo já perdeu a noção do tempo, assim como sua velocidade mental, e vibra como notas graves, oitavas abaixo de nossa agitação cotidiana. Por isso, para nos harmonizarmos com ele, teremos que ajustar nossas ondas vibratórias. Desta forma, a comunicação que está além das palavras pode, inclusive, ocorrer.

A meta principal diante do processo de morte está em gerar condições para que a pessoa que está falecendo possa manter-se num estado mental positivo, pois a última mente grosseira do momento da morte ativa o karma que nos projeta para a próxima vida. O desafio da morte é o mesmo que enfrentamos a todo o momento em vida: temos que nos desprender do passado para nos mover adiante.

A questão, portanto, não é quanto tempo podemos prolongar a vida de uma pessoa, mas se a sua mente encontra-se pacífica ou não. Já a medicina ocidental foca o seu bem-estar físico como prioritário: o importante é controlar a sua dor e mantê-la viva. O seu estado mental não é levado em conta. Afinal, como cuidar da mente se ainda a desconhecemos?

Por exemplo, os estados mentais daqueles que estão em coma não são considerados relevantes pela Ciência simplesmente porque ela não consegue ter acesso a eles. No entanto, ainda há muito por aprender. Aqueles que permaneceram ao lado de uma pessoa em coma sabem que sua presença física, assim como as qualidades de suas atitudes mentais são agentes de transformação.

Como já vimos no Capítulo XIII, temos um corpo e mente grosseiros e sutis. Quando as funções do corpo e da mente grosseiros diminuem, como no estado de coma, a força do corpo e da mente sutil torna-se mais ativa.

O corpo e a mente sutis têm as mesmas potencialidades do corpo humano: são capazes de escutar, sentir, transformar. Por isso, no momento em que o corpo físico, grosseiro, está perdendo suas forças, é hora de cuidarmos do corpo e da mente sutis. Em outras palavras, a força da mente pode elevar-se enquanto a vitalidade do corpo decai.

No entanto, estamos demasiadamente acostumados a associar os estados mentais às nossas condições físicas. Por exemplo, se o simples fato de estarmos com fome já nos causa mal humor, o que dizer dos estados contínuos de dor daqueles que enfrentam um doloroso processo de morte.

Lama Gangchen nos alerta: "Cada vez que temos uma emoção negativa estamos matando a nossa energia positiva". Por isso, precisamos desde já, aprender a reagir positivamente frente aos momentos em que comumente estamos fracos. No próximo desconforto físico, procure dar a si mesmo uma nova atitude mental. Ter paciência com nossa vulnerabilidade física é um ato de compaixão.

Precisamos, desde já, despertar nosso interesse pelas questões que envolvem a morte. Apesar de todas as dificuldades, podemos olhar este processo como uma oportunidade de crescimento e realização interior.

Quando a dor alheia pode nos ensinar a viver melhor

Este texto foi escrito especialmente para aqueles que estão vivenciando a experiência de estar ao lado de uma pessoa morrendo.

Estar perto daqueles que estão gravemente doentes nos deixa muito sensíveis. No entanto, é interessante perceber como podemos ser vulneráveis e fortes ao mesmo tempo!

Por exemplo, quando, devido à sensibilidade exaltada, nos sentimos frágeis, não suportamos certas atividades cotidianas. Cada um torna-se menos tolerante em algum setor de sua vida. Pessoalmente, quando estou tomada pelo ambiente de um paciente que está falecendo, tenho menos tolerância ao barulho e a estar entre muitas pessoas conversando ao mesmo tempo.

Testemunhar a dor física e emocional do processo de morte catalisa o desejo de lapidar nossa mente. Aquilo que *de fato* importa, torna-se, afinal, mais evidente. Neste sentido, a morte coloca a vida em perspectiva.

Quanto mais nos aproximamos da dor alheia, mais nos tornamos sensíveis à nossa própria dor. O estado silencioso e introspectivo daqueles que estão morrendo nos leva a escutar melhor nossa própria voz interior. Uma vez que estamos menos ativos fisicamente, nos tornamos mais receptivos às nossas próprias emoções.

Conforme mergulhamos em um processo introspectivo, surge em nós uma sensação nova de coragem: o desejo autêntico de nos abrirmos para um mundo interior que antes nos parecia distante ou ameaçador.

Assim como no processo da morte, à medida que a mente se desconecta do mundo externo, a consciência dos estados internos aumenta. Aliás, esta é a tarefa mais importante daqueles que estão falecendo: conectarem-se com eles próprios. Afinal, quando estamos morrendo não podemos mais contar nem mesmo com o apoio de nosso próprio corpo.

Enquanto estamos saudáveis e cheios de vida, ainda podemos explorar o mundo externo para conhecer o mundo interno, mas quando não podemos mais nos mover, temos que aprender a contar apenas com as habilidades de nosso mundo interno. Por isso, estar ao lado de uma pessoa nesta situação nos leva a valorizar nossas próprias condições físicas e mentais.

Os mestres budistas nos estimulam a compreender que aquilo que estamos procurando fora de nós já se encontra em nosso interior. Neste sentido, procurar a paz fora de nós, só pode nos levar para mais longe dela. É como se nos desesperássemos para chegar a algum lugar, quando não há lugar nenhum para ir.

A morte nos leva a reconhecer que atingimos nosso ponto de chegada. Mas, quanto menos formos treinados a reconhecer nossas conquistas, mais dificuldades teremos em aceitar que estamos quites com a vida, que cumprimos nossa missão.

Outras vezes, testemunhar a morte nos faz sentir tão cansados que não temos mais energia nem para refletir, sentir ou sequer rezar. Como um mecanismo de proteção à dor intensa, nos tornamos insensíveis e apáticos. A vida torna-se mecânica: agimos sem emoção, como robôs programados. Nesse ponto devemos nos cuidar, pois um mecanismo de defesa não deve se tornar crônico.

Temos, então, que descansar: afastar-nos por um período da situação que está nos estressando até recuperar a disponibilidade de permanecer ao lado da pessoa doente novamente. Um distanciamento saudável é necessário para mantermos um relacionamento positivo com quem está falecendo. Muitas vezes, só quando nos distanciamos por um certo período é que recuperamos a abertura e disponibilidade interna necessárias para encararmos a dor alheia. Aliás, quando estamos

Décimo Segundo Elo Interdependente

sobrecarregados emocionalmente, acabamos nos tornando mais uma carga para aqueles cujo peso da dor queremos aliviar.

Nesses momentos, precisamos nos lembrar que não há ninguém completamente pronto para dar todos os cuidados necessários àquele que está falecendo. Quando decidimos recuperar nossa energia é um sinal de que estamos dispostos a mudar. Agindo assim, nos desapegamos *de algo* que nos impedia de seguir em frente e despertamos esperança e bem-estar, tanto em nós mesmos quanto naqueles que estão perto de nós.

Abrir espaço para sentir emoções fortes

Quando acompanhamos de perto o processo de morte de uma pessoa querida, vivenciamos os sentimentos com uma intensidade muito particular. Afinal, quando escutamos a pessoa que está falecendo falar, sabemos que estas *podem* ser as suas últimas palavras... com isso, elas ganham um valor imensurável, assim como o último sorriso ou a troca de olhares conscientes.

A vivência da "última vez" gera grande intensidade emocional. No entanto, como não estamos acostumados a criar espaço interno para sentir emoções muito fortes, procuramos evitá-las, mesmo sem saber porquê. Parece paradoxal, mas a maioria das vezes que somos tomados por emoções intensas, sejam elas geradas por paixão, alegria ou tristeza, parte de nosso ser procura rejeitá-las. Tememos perder nosso costumeiro equilíbrio interior ao senti-las, isto é, tememos perder o autocontrole com o qual garantimos a sensação de segurança interior.

Não estou querendo dizer que para sentir *verdadeiramente* as emoções deveríamos "nos perder", nos descontrolar emocionalmente. Mas, sim, que para sentir o ciclo natural de uma emoção, precisamos nos deixar ser tocados por sua intensidade até que ela atinja o seu pico e volte naturalmente a ceder. Assim, recuperamos naturalmente a serenidade perdida durante a crise.

A autocrítica e o medo de sermos tomados por um descontrole emocional nos impedem de lidar diretamente com nossas emoções. Desta forma, geramos tensão e conflito entre nossas necessidades emocionais e racionais. Há emoções que precisam simplesmente ser vivenciadas,

Mania de sofrer

sem interpretações racionais. Outras, por sua vez, contam com a elaboração racional para um direcionamento positivo de sua carga energética.

Emoção é energia em movimento, que necessita tanto ser expressa quanto ter um direcionamento para fluir. Uma emoção não expressa permanece em nosso corpo como energia contida, pulsante e bloqueada.

Abrir espaço para sentir as emoções contidas há muito tempo assemelha-se à imagem de abrir as comportas de uma represa: a pressão da água é tão intensa quanto a necessidade de chorar uma dor retida. Portanto, não há como negar que teremos de abrir espaço dentro e fora de nós mesmos para extravasar a dor sem barreiras, de modo que ela possa fluir e completar o seu ciclo natural de início, meio e fim.

Digerir experiências emocionais requer tempo e condições livres de interrupções e críticas.

Podemos criar rituais personalizados que nos ajudem a sentir nossas emoções na sua inteireza. Para tanto, precisamos encontrar o lugar, o tempo e as pessoas apropriadas que nos encorajem à autoaceitação e à autoexpressão das dores emocionais contidas até então. *Apropriado* é tudo aquilo que nos ajuda a nos sentir ancorados, acolhidos, nutridos e, ao final do processo, conectados com uma ideia de futuro e renovação.

Algumas vezes, criamos estes rituais espontaneamente. Nossa sabedoria intuitiva conhece como atender às necessidades da alma. No entanto, outras vezes temos que primeiro nos conscientizar da necessidade de realizá-los.

Robert Sardello enfatiza a importância de homenagearmos nossas emoções para vivermos nosso próprio processo de morte positivamente: "Se vivemos sem sentir verdadeiramente a presença da beleza no mundo, que é uma experiência tanto de admiração quanto de dor, ficamos enfraquecidos em nossa capacidade de enfrentar a intensidade de sentimento que caracteriza o sofrimento. Em outras palavras, a dor do sofrimento parece tão grande porque o sentimento de admiração não foi cultivado. Em grande parte, o medo do sofrimento expressa um medo mais oculto: o de que, apesar de o termos rejeitado durante grande parte de nossa vida, finalmente iremos experimentar o verdadeiro sentimento. Talvez esse sentimento vá estar comprimido em um período muito curto, especialmente se foi negligenciado durante muito tempo. O preço dessa negligência, no entanto, é alto. Quando o senti-

Décimo Segundo Elo Interdependente

mento irrompe no final da vida, perde o contexto de beleza e, muitas vezes, pode ser experimentado apenas como angústia".[5]

Simplesmente chorar e *ser* este choro. Simplesmente comemorar, e ser, por meio de nossa própria energia, uma homenagem de reconhecimento e gratidão. Assim como subir uma montanha para ouvir a música preferida da pessoa falecida e dedicar a ela esta atitude de amor e saudade, ou, quem sabe, plantar em seu jardim, ou mesmo num simples vaso, suas flores preferidas. O importante é abrirmos espaço dentro e fora de nós para honrar este rico dom humano de sentir emoções!

Pactos: o poder das promessas secretas!

Como já vimos, nosso cérebro está preso aos condicionamentos do subconsciente: ordens, pactos e acordos que fizermos em nosso interior serão sempre levados a sério. Por isso, de tempos em tempos, temos que rever as cláusulas de nossos compromissos internos.

Pactos que fizemos quando ainda éramos crianças não têm prazo de validade. Eles atuam até nos proporamos um novo acordo! No entanto, para nos libertamos de promessas feitas em nosso interior, temos inicialmente que recordá-las e, então, dar-lhes um novo direcionamento.

Por exemplo, a civilização ocidental se choca com a cultura palestina que incentiva os fiéis a se tornarem homens-bomba: armas para matar outros seres humanos em prol de um objetivo maior. No entanto, um fato recente me fez refletir sobre como nós, ocidentais, podemos ter um comportamento semelhante quando decidimos *dar* a nossa vida em prol da vida de outra pessoa.

Recentemente soube que uma pessoa, da qual eu gostava muito, confessou, ao seu filho, que *sabia* que iria morrer jovem, pois havia feito um pacto com Deus, de que entregaria sua própria vida a Ele caso seu irmão sobrevivesse de um coma profundo causado por um grave acidente. Esta história é real. De fato, o seu irmão sobreviveu ao coma e esta pessoa faleceu prematuramente.

---

5. Robert Sardello, *Liberte sua alma do medo*, Rio de Janeiro, Fissus, p. 121.

Inicialmente, fiquei chocada ao ouvir este relato, mas depois comecei a me lembrar dos depoimentos de pacientes terminais que também haviam *entregado* suas vidas com a intenção de salvar outras: pais, filhos, amantes, irmãos.

Não pretendo julgá-los, nem como heróis ou ignorantes, mas me senti compelida a escrever este artigo com a intenção de refletir sobre o poder que temos de nos autoprogramar por meio de nossos pensamentos.

Bert Hellinger, elaborador do método de terapia sistêmica *Constelação Familiar,* notou em seu trabalho que certas pessoas se propõem inconscientemente a morrer no lugar de outras com a intenção de ajudá-las a superar uma grande dor. Nestes casos, Hellinger analisa a história da família de origem de seus pacientes até localizar a causa desencadeadora do fato.

Em uma entrevista, Hellinger esclarece: "Quando as pessoas sentem este desejo na alma, não quer dizer que o sigam sempre. Sentem-no. Às vezes porque o sentem, desenvolvem estranhos sintomas. Por exemplo, ficam gravemente doentes ou têm acidentes ou pensamentos suicidas. Muitas dificuldades e doenças progridem a partir de frases ditas silenciosamente no coração. Uma é: 'Sigo-te na morte'. A outra é: 'Faço-o no teu lugar'. Mas, por que é que as pessoas querem fazer isto? Porque se sentem ligadas de modo muito profundo aos membros da sua família. Às vezes, vemos pessoas que estão zangadas com a família, que parecem estar contra a família, e podem sentir-se envergonhadas de terem tais sentimentos. Mas, quando a pessoa fica diante de sua família durante as sessões de Constelação Familiar, de repente vem à luz que estão ligadas à sua família por um amor profundo muito especial".

Por meio da consciência e do potencial de nosso amor, podemos reescrever a nossa história. No entanto, precisamos nos conscientizar de nossos impulsos. Muitas vezes, mal pensamos em determinado assunto e já nos posicionamos com uma resposta imediata e sem reflexão. Afinal, tornou-se hábito responder algo como: "Tem que ser assim". Esta é uma frase que pode assimilar-se com uma sentença de autocondenação: algo que nos impomos de modo precoce e até mesmo destrutivo.

Sempre procuro prestar atenção ao que digo a mim mesma em voz baixa. Escutar a nós mesmos é de grande valia para o processo de autoconhecimento. Por meio da consciência podemos mudar nosso destino pré-formatado!

O poder das rezas: como uma pessoa que já faleceu pode se beneficiar com nossas rezas?

Nossa cultura é baseada em comprovações científicas: precisamos primeiro *entender* algo para depois *acreditar* nele. Esta premissa é válida nas situações grosseiras, isto é, situações possíveis de serem mensuradas. No entanto, quando se trata do mundo sutil, temos que ter métodos de investigação que sejam também sutis. Isto é, para compreender o poder das rezas, precisamos inicialmente reconhecer o poder da energia sutil que as palavras possuem, assim como a nossa capacidade sutil de sermos receptivos a elas.

Uma das razões porque resistimos em aceitar os níveis mais sutis de existência, encontra-se no fato de que, como dependemos do cérebro e dos sentidos para interpretarmos a realidade, concluímos que quando ele cessa tudo deixa de existir. No entanto, o Budismo nos alerta para uma importante informação: *a mente continua a existir nos níveis sutis e muito sutis independentemente de um corpo humano.* Isto é, ela só depende do cérebro para funcionar nos níveis grosseiros.

Uma vez que reconhecemos os níveis sutis de existência, não teremos mais dificuldade para compreender a continuidade de nossa consciência após a morte, assim como compreenderemos mais facilmente como uma pessoa que já faleceu pode se beneficiar com nossas rezas. Para tanto, precisamos, também, ter uma noção dos estados mentais sutis que ocorrem durante o Bardo: o estado intermediário entre a morte e o próximo renascimento.

A difícil passagem do Bardo

O termo tibetano *bardo* pertence ao vocabulário do tempo: indica um intervalo temporal marcado por um início e um fim definidos. Bardo significa "entre", como em "entre a vida e a morte", "entre dormir e acordar". Por isso, o termo não se aplica apenas à morte, mas a toda experiência ou a todo fenômeno cujos limites temporais são defináveis, de duração longa ou breve. O Budismo classifica seis tipos de bardo.

Os três primeiros bardos pertencem à vida presente:

1. O bardo do nascimento à morte.
2. O bardo do sonho.
3. O bardo da concentração: do início ao fim de uma meditação.

Os três últimos pertencem ao processo da morte:

4. O bardo do momento da morte: do início do processo da morte até a morte efetiva.
5. O bardo da natureza em si: do momento da morte até o aparecimento das divindades no estado *post-mortem*.
6. O bardo do *vir a ser*: do fim do estado precedente até o nascimento.

"Refinando ainda mais o entendimento da essência do bardo, ele pode então ser aplicado a qualquer momento da existência. O momento presente, o agora, é um bardo contínuo, sempre suspenso entre o passado e o futuro."[6]

Aprender a identificar os estados mentais que ocorrem durante o bardo da vida presente, nos ajuda a diminuir a sensação de estranheza e mistério que em geral temos a respeito do que ocorre quando morremos, pois, neste sentido, o estado pós-morte nada mais é do que uma intensificação do que passamos em vida.

Lama Gangchen certa vez colocou um farelo de um biscoito na ponta do seu dedo indicador e nos disse: "Quando morremos nossa mente fica tão leve quanto esta lasca de biscoito no meu dedo. Sem o corpo para nos sustentar, ficamos demasiadamente soltos no espaço aberto: não sabemos como nos direcionar. Por isso, desde já, precisamos aprender a comandar nossa mente nos estados de dúvida e incerteza".

Em geral, decidimos nossas escolhas a partir de referenciais como prioridades, gostos, vantagens e desvantagens. Mas, quando temos

---

6. Francesca Freemantle, *Vazio luminoso*, Rio de Janeiro, Nova Era, p. 86.

todas as possibilidades à nossa frente, ficamos confusos e desnorteados. Neste sentido, ficar sem referências nos leva a sentir *todas* as possibilidades como *nenhuma* possibilidade.

Algo semelhante ocorre durante o período pós-morte, como explica Francesca Freemantle: "É um cruzamento no qual alguém tem de decidir que caminho tomar, e é uma terra de ninguém que não pertence nem a um lado nem ao outro. É um ponto de luz ou o ponto culminante de uma experiência e, ao mesmo tempo, uma situação de extrema tensão capturada entre dois opostos. É um espaço aberto, pleno de uma atmosfera de suspensão e incerteza, nem isso, nem aquilo. Em tal estado, a pessoa pode se sentir confusa e assustada, ou pode se sentir surpreendentemente liberada e aberta a novas possibilidades, em que tudo pode acontecer".[7]

Para melhor compreendermos a natureza da mente sutil no estado do Bardo, temos que lembrar de um importante ponto citado no Capítulo XIII: os níveis mais sutis e fundamentais de nossa consciência são muito mais poderosos que os níveis grosseiros superficiais. Por isso, a mente sutil no estado do Bardo torna-se *nove vezes mais lúcida* do que em vida, isto é, ela fica absolutamente clara. Passamos a ter poderes paranormais, como a clarividência. Por exemplo, se a pessoa em vida foi surda, cega ou incapacitada mentalmente, agora ouvirá, verá e pensará com a sua máxima potência.

Além disso, no Bardo nosso corpo sutil é imaterial, pode atravessar objetos sólidos e estar instantaneamente aonde quer que seu pensamento o leve. Existem apenas dois lugares aonde o ser no Bardo não consegue penetrar: nos lugares sagrados, como os relicários (Stupas) e no útero materno. É interessante saber que, justamente por esta razão, dá-se a concepção, pois, o útero é o único lugar no qual quando ela penetra, não consegue mais sair.

Os Lamas nos alertam que nos dias sucessivos após a morte de uma pessoa, devemos buscar ter um comportamento calmo e enviar energia positiva para ela, assim como devemos evitar ter discussões que poderiam perturbá-la.

---

7. Francesca Freemantle, *Vazio luminoso*, Rio de Janeiro, Nova Era, p. 86.

Quando a pessoa falece, inicialmente, irá permanecer em um estado de inconsciência, como num desmaio profundo. Ao despertar deste estado, ela não se dá conta de que está morta e tenta se comunicar para retornar a situação antiga. À medida que percebe que seus esforços são inúteis, passa a compreender que está morta. Tudo isso lhe causa muita frustração e desespero. Embora a mente no Bardo tenha poderes paranormais, ela é incapaz de sossegar, pois necessita encontrar um refúgio para descansar.

Apesar da mente sutil daqueles que faleceram não poder se comunicar com os vivos, através do seu poder de clarividência eles podem ver e ouvir tudo que está ocorrendo à sua volta, isto é, são capazes de ler os pensamentos, as emoções e as intenções da mente dos vivos.

Por isso, mantras, bênçãos dos Lamas, lugares abençoados por eles, como altares e estátuas, assim como toda intenção sincera daqueles que lhe desejarem amor e luz são métodos eficazes, por atuarem no nível sutil.

O Bardo é intensamente escuro. A única luz que temos é nossa própria luz interior, o reflexo de nosso karma positivo. Ao rezarmos para uma pessoa que morreu, estamos enviando essencialmente luz: energia mental sutil criada pela intenção de nossas visualizações, aromas e sons com a finalidade de ativar o karma positivo do falecido.

Para os seres do Bardo, não importa se rezamos em tibetano, em grego ou em português, pois na esfera sutil não existem os obstáculos criados pela mente conceitual. O mais importante é que nossas rezas sejam sinceras, isto é, que não sejam feitas mecanicamente.

"Mesmo se tivermos causado muito mal durante nossas vidas e estivermos nos dirigindo para reinos inferiores, se virmos que nossos mestres e amigos espirituais estão desempenhando rituais para nós com fé e devoção genuínas, a alegria e gratidão que sentirmos fará com que nos dirijamos para Reinos mais elevados."[8]

Na *Sede Vida de Clara Luz,* em São Paulo, realizamos com regularidade meditações com rezas dedicadas àqueles que estão doentes, perto da morte ou que já faleceram. Ao final da cerimônia, os participantes escrevem o nome daqueles para quem estão dedicando esta reza em um papel que ficará no altar até a cerimônia seguinte, quando então serão

---

8. Francesca Freemantle, *Vazio luminoso,* Rio de Janeiro, Nova Era, p. 435.

queimados com mantras e incensos. Lama Gangchen e Lama Michel dão grande importância a esta cerimônia. Apesar de não podermos ter a dimensão do poder de nossas meditações, estamos certos de que elas são benéficas, pois a sensação de rezar é sempre profunda e positiva.

Duas meditações para dedicar luz aos falecidos

Se puder, prepare um altar no local em que irá realizar esta meditação. Um altar budista é a representação do corpo, da palavra e da mente iluminada. Coloque oito tipos de oferendas, com o propósito de acumular méritos:

1. Água para beber.
2. Água para lavar os pés.
3. Flores.
4. Incenso.
5. Luz (vela).
6. Água perfumada.
7. Alimento.
8. Música.

Podemos, também, colocar enfileirados sete potes com água para representar as sete primeiras oferendas e, ao final, um pequeno instrumento musical. Ao final do dia, esvazie os potes e deixe-os emborcados uns sobre os outros.

Se quiser coloque, também, uma foto da pessoa à sua frente.

Primeira meditação

Dedique os primeiros instantes desta meditação para firmar a sua intenção de gerar energia de calma e luz para aqueles que faleceram ou estão perto da morte.

Evoque, então, à sua frente, a fonte de energia curativa que irá sustentar durante toda esta meditação: Deus, Jesus, uma divindade sagrada ou seu mestre espiritual. Caso você não tenha este referencial, visualize uma forte luz dourada.

Em seguida, visualize que esta fonte de energia curativa começa a emitir raios de luzes que penetram no topo de sua cabeça (ou de seu coração) preenchendo seu corpo de luz. Uma vez que todo o seu corpo estiver preenchido de luz, ela começa a transbordar por todos os seus poros e orifícios do corpo até criar um campo de luz brilhante à sua volta.

Agora, visualize à sua frente, dentro deste campo de luz, a pessoa que está doente ou já faleceu. Então, visualize que do seu coração saem raios de luz dourada que penetram no coração desta pessoa. Desta forma, você estará compartilhando pura energia positiva com a pessoa visualizada. Pense nela sorrindo, agradecida por sua meditação.

Você pode então fazer suas orações ou recitar o seguinte mantra:

OM MANI PEME HUNG

Ao final, visualize que a imagem desta pessoa, assim como todas as luzes diminuem até se dissolverem no centro de seu coração.

Para finalizar, dedique esta meditação com a seguinte frase:

∾   ∾   ∾

Se começam aparecer sinais de uma morte prematura, possa eu com a clara visão de Mikyo Dordje, o vajra inabalável, derrotar o senhor da morte e rapidamente obter o siddhi da imortalidade.

∾   ∾   ∾

Segunda meditação

Dedique os primeiros instantes desta meditação para firmar a sua intenção de gerar energia de calma e luz para aqueles que faleceram ou estão perto da morte.

Recite, então, inúmeras vezes, a reza que liberta o falecido dos medos do Bardo:

OM MANI PEME HUM HRI
OM MANI PEME HUM
TCHOM DEN GUIALWA SHIDRO LA TSO KIEN
BARDO DGIPE TRANG LE DREL DU SOL

Décimo Segundo Elo Interdependente

ɷ   ɷ   ɷ

Ó assembleias de divindades pacíficas e iradas, por favor, ouçam: libertem .... (diga o nome da pessoa falecida) da assustadora e estreita passagem do Bardo.

ɷ   ɷ   ɷ

Agora, visualize a pessoa que já faleceu, ou que está para morrer, envolvida por um casulo dourado de energia de cristal puro. Este casulo está ligado por um amplo cordão de luz, como um túnel, à uma imensa luz dourada: seu próximo renascimento. Enquanto você reza ou recita o mantra OM MANI PEME HUNG, visualize a pessoa percorrendo este túnel feliz, sorrindo, confiante de estar dirigindo-se para um lugar seguro e extremamente positivo.

Simplesmente lembre-se dessa pessoa de forma positiva e pacífica. Sinta que a vibração pura do mantra a está curando. Ao final, após ter recitado o mantra inúmeras vezes, assopre a foto. Confie que ela recebeu os benefícios de sua meditação. Assim como diz Lama Gangchen Rinpoche: "O poder do amor torna possível o impossível".

Para finalizar, dedique toda a energia acumulada por meio de sua intenção e concentração durante e, se quiser, faça a Reza da Imortalidade:

> DU MIN TCHIWE TSENMA TONWA NA
> DE YI MÖ LA MIKYO DORDJE KU
> SEL WAR TONGNE TCHI DAG PEL TCHOM TE
> TCHIME RIGZIN NYURDÜ TOBPAR SHOG

ɷ   ɷ   ɷ

Se começam aparecer sinais de uma morte prematura, possa eu com a clara visão de Mikyo Dordje, o vajra inabalável, derrotar o senhor da morte e rapidamente obter o siddhi da imortalidade.

ɷ   ɷ   ɷ

XXII

É sempre bom lembrar que é possível mudar e seguir em frente

Buddha disse: "Não há um começo para o Samsara, mas há um final para ele".[1]

Até o momento, vimos a sequência dos Doze Elos da Existência Interdependente a partir da ignorância contaminada pelo apego a si mesmo; no entanto, uma vez que esta for purificada, toda cadeia se purificará automaticamente, cessando o encadeamento de sofrimentos interdependentes.

Purificar a ignorância inata do Primeiro Elo é a meta principal de todo praticante budista. Para tanto é necessário manter uma inabalável determinação. O esforço para não desanimar terá de ser constante, pois, em geral, desistimos de nos empenhar quando algo se mostra além de nossas possibilidades imediatas.

Em 1999, durante o fórum *Empreendimentos e Desenvolvimento no Século XXI: Compaixão ou Competição*, em Amsterdã, Sua Santidade, o Dalai Lama nos falou desta força perseverante e da necessidade de manter nosso olhar voltado *sempre* para frente: "Pela minha experiên-

---

1. Denma Locho Rinpoche, *The wheel of life*, Jewel Heart, p. 33.

Mania de sofrer

cia, não importa quão numerosas sejam as dificuldades. Não é relevante o tamanho dos obstáculos. Se a sua crença ou ideal é verdadeiramente bom e benéfico, você deve manter a determinação e um esforço constante. Penso também que se algo é certo e bom para a comunidade maior, então não importa se essa meta se materializa enquanto estou vivo ou não. Mesmo se isso não se materializar enquanto vivemos, temos que continuar trabalhando. A próxima geração nos seguirá e, com o tempo, as coisas podem mudar".[2]

O Budismo é uma fonte inesgotável de incentivo ao otimismo diante dos desafios e dores emocionais. Como vimos nos capítulos anteriores, somos, em essência, algo mais do que uma somatória de neuroses. A visão budista considera que nossa natureza básica é pura como um pano branco, e, portanto, as manchas que surgirem *podem* ser removidas. Assim, sempre que nos sentirmos atolados em nossas emoções negativas, devemos nos lembrar que é possível nos separarmos delas.

Neste capítulo conclusivo, vamos refletir sobre como mobilizar as forças internas para seguir em frente mesmo quando estamos intensamente sobrecarregados por um determinado sofrimento que parece infindável e intransponível. Precisamos aprender a transformar nossa "mania de sofrer" diante das adversidades para não corrermos o risco de cronificar o processo de luto nos momentos de choques e perdas.

O Budismo nos inspira a praticar a *autocura profunda*, isto é, a levar uma vida lúcida, baseada numa ética de não violência. Através do estudo e da prática meditativa, poderemos realizar este propósito e evoluir internamente. No entanto, devido à urgência de nos libertar do sofrimento, muitas vezes, acabamos por reduzir o *modo de vida budista* a simples técnicas de autoajuda, que visam um alívio imediato, mas não atuam de modo mais profundo. Portanto, não se trata de seguir uma espécie de roteiro de "Como ser feliz em 10 passos", mas sim de assumir um compromisso profundo de dar continuamente passos na direção do crescimento interno. Em outras palavras, o crescimento interno é a meta, e o alívio do sofrimento é a sua consequência.

---

2. Sua Santidade, o Dalai Lama, *Compaixão ou competição*, São Paulo, Palas Athena, p. 97.

É sempre bom lembrar que é possível mudar e seguir em frente

O Budismo nos encoraja a seguir em frente, isto é, a não nos identificarmos com a aparência imediata dos conflitos e ameaças que nos cercam e nos paralisam. Saber *seguir em frente* nos ajuda tanto a viver, como a morrer positivamente.

Digo isto, creia, com total sinceridade. Há dois dias, enquanto refletia sobre como concluir este último capítulo, confrontei uma situação tensa o suficiente para testar, mais uma vez, estas reflexões. Portanto, espero transmitir ao leitor uma mensagem real de como é possível aplicar em nossa vida cotidiana a preciosa filosofia budista.

A solução dos conflitos começa no ato de aceitá-los

Quando o negativo externo encontra com o negativo interno, temos, então, a dor de estarmos presos a um problema.

O primeiro desafio diante de um choque é recuperar o ritmo regular de nossa respiração e nos reconectarmos com nosso eixo interior. Só então, conseguiremos relaxar após o susto. Nestes momentos, costumo dizer a mim mesma: "Ok, ocorreu isto, então, vou ter que lidar com isso. Está doendo, tenho medo, me sinto frágil, mas ok, vou lidar com isso também." A segurança interna surge à medida em que nos posicionamos diante de nossa própria dor. Não adianta fingir para nós mesmos que não estamos sofrendo. Aceitar o impacto da dor nos ajuda a acessar nossa sabedoria intuitiva.

Na realidade, se não estivermos disponíveis para cultivar uma relação direta com nossos sentimentos desagradáveis, pouco poderemos fazer para mudar nosso desconforto interno. Por isso, é imprescindível manter a intenção bem clara: iremos nos aproximar de nossa dor para transformá-la. Do contrário, seremos simplesmente masoquistas!

"O que causa a maior parte de nossa dor é a resistência a um sentimento, e não o próprio sentimento, mesmo um sentimento 'negativo'. Os sentimentos negativos podem ter uma certa quantidade de dor inerente a eles, mas nós ampliamos, exageramos e prolongamos essa dor com a resistência. Aprender como aceitar a experiência é um meio de minimizar a dor", esclarece John Ruskan.[3]

---

3. John Ruskan, *Purificação emocional*, Rio de Janeiro, Rocco, p. 33.

Mania de sofrer

Desde crianças somos condicionados a esconder nossas emoções e a nos envergonhar de nossos sentimentos negativos. Consequentemente, perdemos a coragem de expressá-los.

Quem não escutou frases como: "Que coisa feia ficar chorando desse jeito..." ou ainda: "Não fica assim não, vai tomar um copo d'água com açúcar que passa!" Como pouco havia a fazer com nossos sentimentos, o melhor era tentar esquecê-los, voltar a *brincar*. Aliás, até hoje, buscamos aplicar o mesmo método na tentativa de nos distrair da dor... Desta maneira, continuamente nos afastamos de nós mesmos.

Se não tivermos a familiaridade para validar nossas emoções, não saberemos o que fazer com elas!

Deepak Chopra escreveu um pequeno livro muito útil para ajudar aqueles que querem educar os seus filhos a se conscientizarem de suas potencialidades: *As sete leis espirituais para os pais*.[4] Ele escreve: "Precisamos ensinar desde cedo aos filhos que expressar o que eles sentem com relação às questões familiares é adequado. O mesmo se aplica ao fato de eles dizerem sinceramente se seus desejos pessoais não estiverem se tornando realidade. Muitos desejos não se tornam realidade, pelo menos de imediato; o desapontamento, o desânimo e a frustração são realidades espirituais das quais as crianças não precisam se esconder. Nenhum caminho é desprovido de obstáculos, e embora um obstáculo possa parecer negativo no nível emocional, a Lei do Dharma nos diz que há algum bem oculto em cada bloqueio. O Dharma é a lei universal; ele nos sustenta onde precisamos estar. Assim, a suprema resposta para a pergunta 'Em que ponto você está neste momento' é 'Exatamente onde devo estar'. Dar essa resposta pressupõe uma grande segurança, e é essa segurança que você quer reforçar nos seus filhos".

Choques e sustos agem como catalisadores que assinalam os pontos em que estávamos distraídos ou distantes de nós mesmos. Uma vez que tornam as prioridades mais evidentes, passamos a reconhecer *ao que* estávamos dando a importância indevida. Enquanto isso, nos ajuda muito seguir um conselho de Lama Michel: "Não coloque sobre si mesmo um peso maior do que aquele que *já* existe".

---

4. Deepak Chopra, *As sete leis espirituais para os pais*, Rio de Janeiro, Rocco, p. 136.

É sempre bom lembrar que é possível mudar e seguir em frente

Considerando que nunca é tarde demais para o autoconhecimento, podemos começar por reconhecer quando estamos, de fato, nos intoxicando com emoções negativas, tais como autopiedade, indignação, ressentimento, autocrítica em demasia, falta de confiança e assim por diante...

Em geral, resistimos em nos aproximar de nossos padrões autointoxicantes, pois, parece que quanto mais dermos atenção a eles, mais irão crescer e nos dominar. Por exemplo, quanto mais reconhecermos que estamos com ciúmes, mais ciúmes sentiremos. Por isso, quando nos aproximamos de uma experiência emocional dolorosa, temos de manter nossos olhos bem abertos para não ficarmos presos a ela. Isto é, enquanto a sentimos, temos que manter um olhar observador, capaz de continuar a vê-la com clareza.

Em geral, resistimos a nos aproximar de nossos padrões autointoxicantes. Tememos que eles cresçam e nos dominem, se dermos atenção a eles. Por exemplo, costumamos pensar que quanto mais reconhecermos que estamos com ciúmes, mais ciúmes sentiremos. De fato, quando nos aproximarmos de uma experiência emocional dolorosa, devemos manter nossos olhos bem abertos para não nos atolarmos no meio do caminho. Para isso é preciso manter uma distância saudável da dor, que permita continuar a vê-la com clareza enquanto a sentimos.

Nos momentos em que nos sentimos paralisados por uma dor, vale a pena lembrarmos como saímos de outras situações em que estivemos igualmente imobilizados. Desta forma, estaremos ativando a percepção da natureza impermanente de todos os fenômenos. Nossos problemas são reais, mas são impermanentes!

Na realidade, estamos a todo momento lidando com a pressão de algum sofrimento, pois, quando a força de um problema começa a atenuar, logo surge outro. Esta é a Roda da Vida.

A coragem surge a cada novo passo. Ao acolher a dor, ela, gradualmente, se dissolve. É como sermos abraçados em um momento de angústia: inicialmente resistimos e ficamos tensos, pois, estamos demasiadamente identificados com nossa própria dor, mas se permanecermos um pouco mais entre os braços alheios, gradualmente, passamos a nos soltar e a confiar no acolhimento que eles nos proporcionam.

Intuitivamente, sabemos que temos algo a aprender com cada dor emocional que emerge em nosso interior. No entanto, uma vez que

Mania de sofrer

tivermos o *insight* sobre ela, isto é, a compreensão interna do seu propósito, será preciso saber nos desconectar do seu foco de tensão.

Quando temos diante de nós um problema que nos parece um muro intransponível, podemos ao menos nos visualizar do outro lado dele! Afinal, uma vez que *sabemos* que de alguma maneira o problema será superado, podemos nos sintonizar com a vibração de sua solução.

Renunciar ao sofrimento é um modo direto de encará-lo

É muito interessante: no mesmo instante em que aceitamos uma dor emocional, estamos prontos para renunciar a ela! Ou seja, à medida que reconhecemos que temos "mania de sofrer", estamos automaticamente decidindo nos livrar dela!

Este processo torna-se efetivo uma vez que, por meio da autopercepção, testemunhamos nossa transformação interior. Desta forma, ativamos nossa sabedoria discriminativa, isto é, a habilidade de saber com clareza *o que fazer* e *o que não fazer*, e assim diferenciamos as atitudes autocurativas das autodestrutivas.

Ao percorrermos os Doze Elos, vimos como nossa mente está sustentada por uma cadeia interdependente de hábitos negativos. Para que a mudança interna seja possível, é crucial mudar o foco de nós mesmos, isto é, transformar nossa autoimagem negativa em uma autoimagem positiva.

O segredo está em retirar o foco de atenção de sobre nossas fraquezas e voltá-lo para nossa habilidade diante das adversidades, reconhecendo que somos, sim, capazes de lidar com elas. Por exemplo, se nos fizermos à pergunta: "Quem me sustenta diante da dor?", podemos responder para nós mesmos: "Minha capacidade de autoacolhimento". Ou então: "Quem me ajuda a superar a irritação?", "O meu potencial de paciência".

Renunciar ao sofrimento não quer dizer ter aversão a ele, mas, sim, compreender que ele, em si mesmo, é apenas uma projeção mental inadequada.

Segundo Lama Gangchen, a renúncia é o desejo de se libertar do sofrimento. "A renúncia significa que se quisermos ter paz interior, precisamos parar de ferir os outros e, ao contrário, praticar a não violência."[5]

Todos os ensinamentos budistas nos levam a compreender que, para superar a mania de sofrer, teremos que renunciar à atitude mental de projetar sobre o mundo exterior nosso sentido de felicidade.

Lama Michel nos lembra muitas vezes: "Nossa identidade não pode estar baseada em nosso corpo, mas, sim, em nossa estabilidade interior". Caso contrário, iremos sempre sofrer crises de identidade cada vez que passamos por um período de fragilidade física, de perda material ou afetiva. "Estabilidade interior significa estar bem consigo mesmo, apesar das imperfeições da vida", acrescenta ele.

Saber *de onde* nós viemos explica, conforta e justifica. Saber *onde* estamos nos dá a oportunidade de transformação. Mas é ao saber *para onde* vamos que geramos o sentido de nossas vidas.

O Budismo nos inspira a encontrar o propósito de vida na coletividade: contribuir para que a interdependência positiva possa crescer e se expandir. Quando sentimos que nossa atitude é útil tanto para os outros quanto para nosso próprio desenvolvimento interior, podemos relaxar, pois há coerência entre nosso interior e o exterior.

Uma vez que adquirimos confiança em nossa capacidade de assumir a responsabilidade pelo desenvolvimento interior, podemos nos dedicar aos outros e participar da dança energética do mundo.

Mudar e seguir em frente é possível. Por isso, concluo este livro com um conselho de Lama Gangchen Rinpoche: "Não se deixe pressionar pelo futuro. Siga apenas a positividade".

---

5. Lama Gangchen Rinpoche, *Fazendo as pazes com o meio ambiente*, São Paulo, Centro de Dharma da Paz Shi De Choe Tsog, p. 245.

Índice remissivo

A

Abandono 65, 71, 73, 113, 206, 245, 246, 248
Abertura 23, 30, 38, 46, 67, 70, 72, 92, 142, 201, 216, 223, 262
Abraço 73, 197
Abundância 55, 58, 132
Ação mental não virtuosa 133
Ação mental virtuosa 133
Aceitação de si mesmo 72
Aceitar a morte 255, 256
Ações 25, 35, 48, 50, 63, 77, 84, 112, 125, 126, 132, 133, 146, 151, 152, 153, 157, 158, 178, 193, 217, 220, 244
  negativas 25
  positivas 25
  que criam os renascimentos 26, 122, 151
Adrenalina 78, 161
Afeto 58, 69, 96, 160, 162, 230, 247
Afrodite 221, 222, 223, 224, 226
Agitação
  interior 241, 242
  mental 119
Agradável 130, 131, 143, 197, 198, 205, 208, 210, 216, 223, 241
Agressão 58, 72, 94
Agressividade 64, 86, 92, 94, 95, 96, 97, 224

Água 30, 78, 105, 128, 135, 171, 176, 178, 179, 188, 201, 212, 224, 226, 264, 271, 278
Albagnano Healing Meditation Centre 184
Alegria 57, 109, 146, 147, 152, 185, 252, 263, 270
Alma 77, 109, 111, 130, 168, 186, 188, 222, 240, 241, 247, 264, 266
Altar 270, 271
Amígdala cerebral 206, 245
Amizade 76, 80, 192, 236
Amor 54, 65, 67, 69, 70, 71, 76, 79, 82, 97, 152, 160, 169, 172, 191, 215, 220, 221, 222, 223, 225, 226, 232, 245, 246, 247, 248, 249, 257, 265, 266, 270, 273
  espiritual 257, 258
  imaturo 247
Angústia 55, 189, 265, 279
Animais 26, 75, 76, 77, 79, 85
Anseio 75, 79, 131, 211, 212, 213, 214
Ansiedade 50, 51, 64, 79, 88, 97, 106, 147, 161, 162, 163, 164, 180, 181, 207, 208, 216, 247, 248
Apego 46, 53, 75, 100, 112, 113, 122, 125, 127, 131, 132, 133, 143, 151, 184, 198, 205, 212, 215, 216, 217, 219, 220, 221, 224, 225, 226, 227, 235, 241, 246, 255

Mania de sofrer

Apego a si mesmo 122, 141
Apego/Aversão 131
Ar 30, 124, 128, 158, 171, 177
Arrogância 44, 58, 105, 249, 250
Asura 26, 61, 62, 63, 68
Atenção 36, 64, 68, 73, 91, 98, 100,
    111, 116, 117, 118, 126, 159, 164,
    168, 187, 202, 210, 213, 226, 229,
    230, 239, 240, 241, 242, 266, 279,
    280
Atitude
    altruísta 232
    de entrega 180
    saudável 115
    covarde 241
Atração 131
Audição 129, 130, 176, 188, 198
Autoagressão 225
Autoanulação 69, 231
Autocompaixão 97
Autocondenação 266
Autoconhecimento 35, 44, 64, 67, 81,
    89, 94, 98, 99, 100, 145, 152, 216,
    266, 279
Autocontrole 44, 88, 89, 94, 96, 119,
    263
    excessivo 89
    saudável 89
Autocrítica 117, 144, 187, 263, 279
Autocura
    profunda 254, 276
    Tântrica NgelSo 192
Autocurativos 41
Autodefesa 95
Autodestruição 90, 151, 184, 198,
    205, 212
Autodestrutivos 41
Autoestima 64, 67, 82, 104
Autoimagem 43, 56, 80, 81, 90, 111,
    143, 144, 154, 225, 280

Autoindulgentes 41
Autojulgamento 50
Auto-observação 46, 116
Autopreservação 82
Autorresponsabilidade 93
Autovalidação 248
Aversão 25, 32, 33, 45, 70, 71, 90,
    106, 109, 121, 122, 125, 127, 131,
    152, 175, 198, 280

B

Bardo 175, 244, 267, 268, 269, 270,
    272, 273
Barriga 105, 116, 118, 132, 180
Beleza 98, 151, 160, 221, 223, 264
Belo 62, 123, 173, 208, 209, 211, 219
Bem-aventurança 146, 175
Bem-estar 57, 67, 71, 82, 101, 145,
    147, 155, 161, 173, 179, 186, 189,
    223, 225, 246, 258, 260, 263
Bênção 223, 270
Bert Hellinger 65, 93, 110, 266
Bodhichitta 174
Brincar 147, 148, 278
Buda 77, 133
Buddha 23, 45, 75, 122, 123, 141,
    151, 173, 192, 193, 200, 275
Buddha Shakyamuni 23, 45, 191,
    192, 193, 195
BuddhaDharma 45
Budismo 33, 35, 36, 41, 42, 44, 45,
    49, 53, 99, 106, 112, 124, 130,
    133, 168, 178, 199, 201, 209, 214,
    226, 227, 231, 233, 237, 267, 268,
    276, 277, 281
    Tibetano 29, 38, 45, 88, 89, 112,
    123, 129, 175, 259
Budista 44, 45, 57, 122, 124, 123,
    143, 167, 191, 192, 201, 221, 254,
    271, 276, 281

C

Calma 94, 116, 119, 147, 161, 181, 186, 201, 241, 271, 272
Calor interno 71
Campo
  áurico 172
  energético sutil 173
Canais 169, 173, 174
Canal central 174
Carência 25, 104, 111, 225, 230, 241, 246, 247, 248, 257
Carmem Renée Berry 117
Carne 175
Causa e efeito 77, 135, 137, 144, 199
Centro de Dharma da Paz Shi De Choe Tsog 123
Ceramista 151
Cérebro 77, 116, 117, 153, 159, 161, 164, 174, 185, 187, 199, 206, 207, 223, 238, 245, 265, 267
  direito 148
  esquerdo 148
Chagdud Rinpoche 39
Chakra 169, 173, 174
Chögyam Trungpa 203
Chorar 39, 47, 54, 170, 264, 265
Címbalos 184
Cinco Dhyani Buddhas 161
Cinco fatores mentais
  onipresentes 213
  que determinam o objeto 213, 214
Ciúme 39, 61, 63, 64, 65, 66, 67, 73, 241, 279
Clareza 73, 87, 88, 94, 108, 119, 126, 144, 145, 149, 155, 158, 160, 164, 177, 189, 190, 193, 204, 226, 248, 279, 280
Clarividência 269, 270
Cobra 25, 33, 34

Codependente 135, 136, 228, 229
Coerência 48
  interna 47
Compaixão 39, 40, 58, 59, 152, 169, 190, 191, 261, 275
Competição 62, 63, 67, 72, 73, 105, 111, 204, 225, 275
Concentração 55, 159, 160, 165, 170, 181, 187, 193, 194, 214, 268, 273
Concepção 134, 136, 167, 175, 176, 243, 244, 245, 251, 269
Condicionamento 100, 122, 151, 153, 157, 158, 209, 265
Conexão kármica 144, 173
Confiança 55, 68, 73, 214, 230, 231, 256, 279, 281
Conflito 25, 32, 38, 39, 65, 66, 67, 69, 71, 72, 86, 209, 249, 263, 277
Confusão 77, 124, 127, 142, 149, 153, 254
Consciência 24, 32, 33, 34, 35, 37, 53, 54, 58, 66, 71, 73, 81, 95, 124, 125, 126, 127, 128, 129, 130, 132, 134, 137, 139, 144, 145, 157, 158, 162, 163, 167, 168, 169, 170, 172, 175, 176, 178, 183, 184, 197, 198, 199, 201, 220, 232, 237, 238, 248, 249, 251, 259, 262, 266, 267, 269
  primordial 32, 143
  relativa 26, 122, 126, 127, 128, 157, 158, 167, 175, 176
Constelação Familiar 65, 66, 266
Contato
  dos sentidos com os objetos 122, 130
  interno 47
Continuum mental 128, 168, 173, 176, 206, 244
  sutil 168
Controle 41, 43, 63, 67, 89, 90, 93, 94, 96, 101, 163, 229, 230, 231, 241
Cooperação 67, 68

Mania de sofrer

Coração 40, 63, 70, 77, 119, 146, 159, 160, 162, 173, 190, 193, 194, 197, 198, 212, 238, 242, 246, 266, 272

Coragem 72, 91, 95, 147, 200, 201, 246, 262, 278, 279

Corpo 31, 35, 75, 77, 78, 79, 85, 91, 92, 116, 117, 118, 119, 125, 129, 131, 132, 134, 142, 146, 151, 152, 158, 161, 162, 164, 167, 168, 169, 171, 172, 173, 174, 175, 177, 178, 179, 180, 183, 186, 191, 192, 193, 201, 211, 212, 233, 237, 240, 242, 244, 251, 252, 260, 262, 264, 267, 268, 271, 272, 281
áurico 174
da Forma de Buddha 173
muito sutil 169
sutil 169, 173, 269

Corpo/Mente 26, 122, 127

Corpo-Vajra 173, 174
Verdadeiro 173

Cortisol 78, 161, 185

Criança 69, 110, 132, 148, 163
divina 147, 148
ferida 148, 149, 245, 246
interior 148

Cristal 35, 146, 192, 193, 226, 236, 253, 273

Cronos 51, 52

Culpa 86, 93, 96, 97

Cultura ocidental 172, 237, 243

D

Dalai Lama 36, 44

Dança-vajra 146

Décimo Elo 132, 133, 136, 138, 235

Décimo Primeiro Elo 133, 136, 138, 243, 250

Décimo Segundo Elo 134, 138, 243, 251

Deepak Chopra 118, 278

Dependência 131, 134, 135, 204, 205, 228, 230
doentia 231
saudável 231

Depressão 64, 79, 90, 142, 203

Desafios 71, 75, 98, 116, 172, 201, 204, 216, 276

Desagradável 94, 130, 131, 197, 198, 205, 208, 209, 277

Desapego 113, 227, 257

Desconfiança 62, 63, 64, 68, 230

Desconforto 97, 108, 118, 119, 207, 216, 217, 261, 277

Descontrole emocional 263

Desejo 25, 26, 32, 33, 38, 42, 43, 47, 48, 61, 62, 63, 64, 66, 68, 70, 93, 94, 96, 99, 103, 105, 106, 107, 109, 110, 111, 112, 113, 121, 122, 131, 132, 152, 175, 179, 198, 211, 212, 213, 214, 216, 219, 220, 223, 224, 225, 227, 228, 229, 232, 235, 236, 240, 241, 247, 252, 253, 255, 257, 261, 262, 266, 278, 281

Desenvolvimento espiritual 89, 190, 221
interior 41, 71, 194, 216, 255, 281

Desespero 90, 270

Desvio espiritual 44

Deus 51, 61, 62, 91, 192, 224, 265, 271

Deuses 26, 30, 31, 38, 39, 41, 53, 54, 55, 56, 57, 61, 104, 244

Deva 61

Devas 54, 61

DHEA 185

Dificuldades 42, 44, 58

Dinheiro 43

Disco do espaço interno 236, 252

Distanciamento saudável 99, 100, 101, 249, 250, 262

Divindade 191, 268, 271, 273

Índice Remissivo

Doenças 78, 243, 266
Dona Nora 239
Dopamina 159, 185, 223
Dor 32, 35, 41, 42, 43, 47, 53, 54, 58, 76, 78, 79, 85, 87, 90, 91, 93, 94, 95, 103, 144, 145, 160, 187, 199, 214, 220, 225, 229, 246, 247, 248, 249, 258, 261, 262, 263, 264, 266, 277, 278, 279, 280
    da separação 257
    emocional 44, 200, 247, 248, 276, 279, 280
Doze Elos da Existência
    Interdependente 25, 26, 32, 121, 122, 123, 275
    de Originação Dependente 26
    do Surgimento Dependente 26
    do Surgir Interdependente 26
Dugpa Rinpoche 116

E

Ecopsicologia 98
Efeito 199
Ego 43, 203, 227
Egocentrados 160
Egocentrismo 55, 225
Egoísmo 63
Egoísta 63, 143, 232, 246
Elemento espaço-luz 32
Embrião 176
EMDR – Dessensibilização e Reprocessamento através de Movimentos Oculares 207
Emoção 64, 96, 118, 164, 188, 262, 263, 264
    negativa 25, 36, 39, 216, 261
Empatia 58, 63, 108, 109, 177, 249
Endorfinas 185
Energia 25, 31, 35, 50, 70, 73, 94, 125, 127, 128, 142, 143, 145, 146, 147, 148, 152, 153, 157, 158, 160,
161, 164, 169, 172, 173, 174, 175, 176, 179, 186, 187, 188, 189, 190, 191, 192, 193, 194, 195, 204, 213, 215, 224, 225, 227, 228, 236, 244, 246, 253, 254, 258, 261, 262, 263, 264, 265, 267, 269, 270, 271, 272, 273
    espiritual 172, 188, 189
    muito sutil 152
    positiva 55
    sogdzin 169
    sutil 170, 172, 173, 174
    vital 47, 49, 50, 82, 162, 189, 232
Entusiasmo 148, 177, 202
Envelhecimento 27, 122, 134, 138, 251
    codependente 134
Eros 221, 222
Escapismo 44
Escola Budista Mahayana 144
Esforço 31, 43, 45, 55, 57, 70, 80, 82, 88, 95, 104, 114, 115, 116, 159, 180, 200, 216, 217, 222, 225, 231, 270, 275, 276
Espaço 30, 32, 46, 51, 73, 80, 81, 84, 89, 92, 100, 124, 138, 143, 155, 165, 169, 170, 172, 176, 179, 188, 202, 203, 210, 216, 220, 227, 236, 238, 241, 263, 264, 265, 268, 269
    absoluto 29, 175
    absoluto da vacuidade 141
Espermatozoide 136, 174
Espinha dorsal 175
Espírito competitivo 61, 63, 68, 225
Espiritualidade 30, 43, 58, 63
Espontaneidade 47, 58, 160, 161
Estabilidade interior 281
Estado intermediário 167, 175, 176, 267
Estados mentais radicais 58
Estados negativos subliminares 169

Mania de sofrer

Estados pós-morte 237
Estagnação 47
Estrutura óssea 175
Eu 30, 34, 36, 37, 41, 43, 45, 52, 54,
55, 56, 57, 70, 71, 72, 76, 91, 96,
97, 100, 108, 113, 114, 118, 126,
143, 144, 167, 170, 180, 184, 201,
207, 209, 211, 219, 230, 239, 252
Eutanásia 259
Eva Pierrakos 247, 248
Evolução interior 98, 101, 115, 144
Exageradas 114
Existência 23, 25, 27, 38, 41, 47, 85,
86, 121, 122, 124, 132, 133, 134,
135, 136, 137, 138, 154, 167, 168,
175, 176, 178, 212, 219, 220, 235,
236, 254, 258, 267, 268
cíclica 23, 235
codependente 133
condicionada 26, 254
Expectativas exageradas 47
Experiências sensoriais 45

F

Falta de amor 246, 249
Fantasmas famintos 38, 39, 41, 61,
103, 104, 105, 106, 112, 113
Feio 114, 208
Felicidade 109, 112, 113, 138, 163,
214, 215, 227, 229, 233, 252, 279
Feliz 39, 57, 69, 70, 86, 142, 143,
148, 159, 173, 185, 202, 211, 227,
233, 236, 241, 257, 273, 276
Feromônios 185
Feto 130, 175, 176, 180, 197, 244,
251
Flexibilidade 46
Flexível 99
Fogo 64, 67, 84, 85, 91, 105, 128,
176, 177, 201

Força destrutiva 73, 97
interior 88, 89, 103, 154, 155, 204
Formas-pensamento 176
Francesca Freemantle 77, 86, 90, 269
Francine Shapiro 207
Franqueza 72
Frustração 96, 103, 106, 110, 111,
202, 203, 204, 214, 216, 221, 248,
270, 278
Futuro 129, 147, 151, 152, 157, 158,
161, 162, 163, 175, 208, 218, 225,
238, 264, 268, 281

G

Galo 25, 33, 34
Ganância 61, 95, 105, 132
Gandhi 72
Generosidade 152, 227, 228, 231
Gentileza 201
Glândulas suprarrenais 78, 161, 185
Golden Retriever 115
Gotas 169, 173, 174, 175
Gratidão 57, 111, 265, 270
Grosseiro 134, 135, 136, 137, 142,
168, 169, 170, 172, 173, 187, 260,
269
Guelek Rinpoche 82, 217
Gueshe Kelsang Gyatso 212
Gueshe Langri Thangpa 67
Gueshe Michel Roach 35
Gueshe Sherab 75
Gueshe Sopa 53, 85
Guru 192, 193, 236

H

Hábito 23, 36, 43, 98, 107, 111, 112,
113, 115, 117, 126, 136, 141, 143,
152, 155, 160, 168, 189, 204, 213,

Índice Remissivo

228, 245, 246, 252, 254, 259, 266, 280
de sofrer 121
mental 32, 38, 58, 101, 121, 144
Harmonia 49, 159, 179
Heloisa C. K. Gioia 63, 122, 123, 158
Hemisfério cerebral
direito 186
esquerdo 186
Hipotálamo 77
Homem 26, 27, 31, 32, 48, 51, 65, 66, 69, 73, 124, 125, 131, 132, 133, 134, 175, 187, 205, 211, 221, 227, 251
Homens-bomba 85, 265
Hostilidade 87, 91, 94, 95, 96, 97
Humildade 154

I

Ignorância 25, 26, 32, 33, 56, 77, 88, 123, 124, 125, 127, 134, 137, 141, 142, 143, 145, 152, 153, 189, 220, 236, 241, 275
da verdade absoluta 145, 146
do apego a si mesmo 141, 142, 144
do karma 145
Iluminação 24, 115, 124, 145, 175, 190, 200, 214, 231, 237, 253
Ilusão 81, 96, 100, 106, 154, 199, 213, 235
Imagem arquetípica 238
Imaginação 65, 66, 68, 77, 128, 148
Impaciência 88, 119
Impacto 34, 100, 275
Impermanência 27, 57, 201
Impotência 64, 79, 83, 86, 110
Impressões kármicas 152, 157, 158

Impulso 26, 95, 122, 125, 128, 133, 152, 151, 165, 179, 186, 203, 219, 233, 245, 266
Independência interior 47
Indignação 47, 71, 83, 96, 256, 279
Indulgentes 241
Infância 54, 148, 230, 245, 246, 247, 248
Infelicidade 65, 246
Inflexível 50
Insatisfação 39, 63, 103, 106, 107, 109, 112, 153, 220, 233, 252, 254, 256
Insensibilidade 73
Insight 147, 177
Intenção 35, 43, 44, 67, 68, 70, 72, 86, 89, 97, 98, 107, 133, 143, 152, 179, 193, 204, 213, 217, 221, 227, 231, 235, 247, 255, 256, 258, 266, 270, 271, 272, 273, 277
Interdependência 23, 56, 93, 123, 143, 144, 146, 158, 159, 281
Intimidade 75, 231, 246
Intuição 40, 118, 148, 172, 208, 209, 210
Inveja 39, 61, 62, 67, 105, 107, 108, 109, 110, 111, 112
Irritação 94, 216, 225, 280
Izabel Telles 68

J

Jesus 239, 271
John Bradshaw 230
John Ruskan 275
Joseph Campbell 185, 221
Joseph LeDoux 116
Judith Saly 247, 248
Jurubeba 98, 99

K

Kairos 51
Karma 25, 34, 35, 38, 55, 77, 84, 87, 105, 106, 113, 125, 132, 135, 137, 152, 235, 260, 270
  negativo 25, 55, 84, 105, 106
  positivo 25, 270

L

Lama 39
Lama Chagdug Rinpoche 96
Lama Curador 236
Lama Gangchen Rinpoche 30, 32, 43, 52, 72, 84, 100, 104, 123, 142, 143, 145, 146, 151, 152, 155, 157, 158, 160, 168, 167, 169, 170, 174, 178, 179, 181, 183, 184, 189, 190, 191, 192, 194, 198, 200, 201, 202, 205, 211, 219, 227, 233, 236, 239, 241, 249, 252, 253, 254, 259, 261, 268, 271, 273, 281
Lama Michel Rinpoche 29, 37, 49, 53, 69, 123, 153, 154, 161, 169, 228, 271, 278, 281
Lama Yeshe 112, 113, 208, 210, 213
Lama Zopa Rinpoche 87, 199, 200
Lamas tibetanos 76, 217
Lealdade 76
Libertação 144, 146, 246
Ligação kármica 135
Limite 37, 43, 50, 58, 80, 81, 87, 89, 90, 95, 96, 97, 105, 114, 115, 118, 181, 188, 193, 229, 268
Língua 34, 45, 183
Lutar 62, 63, 77, 78, 85, 90, 92, 149, 162

M

Macrocosmos 168
Mãe 29, 37, 95, 129, 137, 170, 175, 176, 183, 222, 244
Magda Pearson 207
Mahayana 23
Mal-entendidos 37, 108
Mal-estar 116, 117, 161, 185, 198, 226, 239
Manchas 33, 34, 143, 152, 168, 276
  positivas 152
Mania 23, 40, 41, 121, 141, 144, 145, 153, 154, 165, 170, 227, 231, 245, 276, 280, 281
Mantra 44, 45, 188, 189, 191, 192, 193, 194, 195, 201, 240, 258, 259, 270, 271, 272, 273
  de Buddha Shakyamuni 191, 192
  secreto 174
Marcas mentais 34, 35, 36, 37, 206, 235
  negativas 35, 244
  positivas 35, 244
Márcia Mattos 87, 180
Martin Lowenthal 46, 80, 82
Mau humor 41, 199
Mau-olhado 108
Meditação 29, 31, 44, 161, 165, 169, 170, 184, 189, 193, 194, 209, 210, 214, 242, 268, 271, 272, 273
  budista 44
  tântrica 172, 173
Meditar 30, 32, 99, 127, 158, 181
Medo 39, 46, 51, 56, 58, 62, 65, 69, 71, 75, 77, 78, 79, 80, 81, 82, 84, 85, 95, 96, 98, 106, 113, 115, 117, 118, 142, 145, 148, 154, 162, 204, 207, 210, 211, 217, 227, 238, 256, 259, 263, 264, 272, 277
  da escassez 58
Melancolia 34, 59, 181
Melodia interior 186
Melody Beattie 228
Mente 23, 25, 26, 32, 33, 35, 36, 45,

Índice Remissivo

55, 58, 67, 70, 73, 75, 76, 78, 80, 83, 86, 88, 90, 99, 100, 104, 106, 109, 112, 113, 117, 121, 125, 129, 130, 131, 132, 136, 141, 142, 143, 146, 147, 151, 152, 153, 155, 157, 158, 159, 160, 161, 162, 163, 164, 165, 167, 168, 169, 170, 171, 172, 173, 175, 176, 177, 178, 179, 180, 181, 183, 184, 185, 186, 187, 188, 189, 190, 191, 192, 193, 195, 198, 199, 200, 201, 205, 208, 209, 210, 213, 214, 219, 224, 233, 235, 236, 237, 239, 240, 241, 242, 245, 252, 253, 254, 258, 260, 261, 262, 267, 268, 269, 270, 271, 280

consciente 170

de cristal puro 175

de paz 158

desequilibrada 163

grande 191, 240, 241

inquieta 158, 188

muito sutil 35, 169, 170, 172

negativa 239

pequena 240, 241

sutil 169, 172, 173, 240, 269

tensa 158

Mente-coração 159, 160, 161

Mente/Corpo 128, 129, 130, 132, 134

Mente-Vajra 173

Mérito 54, 55, 136, 244

Mestres budistas 94, 142, 160, 208, 262

Microcosmos 168

Momento presente 58, 147, 161, 163, 168, 208, 268

Morte 26, 27, 42, 43, 48, 51, 56, 78, 98, 115, 121, 122, 131, 134, 137, 167, 179, 211, 212, 217, 222, 235, 236, 237, 238, 239, 243, 251, 252, 255, 256, 257, 258, 259, 260, 261, 262, 266, 267, 268, 269, 270, 271, 272, 273

Morte prematura 244

Motivação 125, 126, 127, 137, 152, 158, 190, 194

consciente 158

inconsciente 26, 122, 125, 151

Muito sutil 134, 135, 168, 169

Mulher grávida 27, 132, 235

Mundo

externo 48, 87, 112, 114, 170, 171, 172, 180, 200, 262

interior 44, 82, 101, 181, 186, 187, 210, 225, 262

interno 48, 87, 170, 171

Música 34, 83, 86, 180, 185, 186, 187, 188, 210, 238, 259, 265, 271

N

Não virtude 25

Narak 26, 84

Nascimento 42, 122, 127, 133, 134, 136, 137, 138, 197, 200, 235, 243, 244, 245, 251, 268

grosseiro 122, 136

relativo 26, 122, 126, 136, 137

Natureza

cíclica 237

do sofrimento 27, 32

sutil da realidade 32

última 29, 124, 170

Necessidades

emocionais 263

internas 89, 148

psicológicas 232

Negativo 25, 37, 39, 45, 55, 65, 72, 73, 96, 98, 99, 142, 159, 172, 173, 191, 194, 199, 206, 227, 276

N

Neurociência 199, 206, 237, 245

Neurotransmissor 78, 79, 159, 161, 223

NgalSo 146

Mania de sofrer

Nidana 123, 129, 134
Nirvana 252, 253
Nome e Forma 26, 122, 127, 167
Nono Elo 131, 132, 138, 219
Noradrenalina 161
Norepinefrina 223

O

Ocidente 29, 36, 192
Ocitocina 185
Ódio 84, 90, 94, 132, 175
Odir Cunha 76
Oitavo Elo 131, 132, 138, 211, 212, 213, 216, 218
Oleiro 26, 125
Óleo de rosas 236
Olfato 129, 130, 176, 197, 198
Olho 26, 35, 68, 131, 174, 183, 205, 206, 239, 252
Olho gordo 108
OM MANI PEME HUNG 45, 272, 273
OM MUNI MUNI MAHA MUNI SHAKYA MUNI SOHA 191, 193
Orar 240
Orgulho 38, 39, 53, 55, 56, 58, 82, 85, 91, 200, 250
Oshiná 45
Ouvido 35, 83, 104, 183, 187, 203, 206
Óvulo 128, 136, 137, 138, 174, 175, 244

P

Paciência 52, 69, 87, 88, 89, 90, 144, 261, 280
Pactos 265
Padrão
  autointoxicante 279
  mental 26, 37, 85, 87, 98, 106, 170, 210
Padrões mentais grosseiros 172
Pai 175, 176, 217, 244
Paixão 177, 198, 221, 223, 263
Paladar 31, 129, 130, 176, 197, 198
Palavra 35, 50, 51, 61, 64, 89, 124, 125, 126, 136, 137, 146, 152, 158, 190, 191, 192, 230, 244, 251, 271
Pano branco 32, 33, 143, 152, 168, 276
Papel de vítima 91, 93
Paranoia 77
Passado 78, 85, 95, 118, 147, 151, 157, 177, 206, 208, 238, 248, 260, 268
Pássaro 76, 77, 100, 188
Paule Salomon 148
Paz 73, 80, 159, 160, 172, 184, 186, 188, 189, 199, 236, 252, 253, 256, 258, 262
  interior 57, 83, 215, 252, 253, 281
  interna 52
Pecado 32, 112
Pele 54, 175
Pema Chödrön 58, 148, 216, 217
Pensamento 25, 36, 39, 46, 55, 99, 100, 126, 130, 148, 163, 164, 165, 169, 177, 180, 185, 186, 188, 189, 207, 209, 236, 239, 258, 266, 270
  negativo 155, 158, 165, 177, 186, 239
  positivo 155
Percepção 46, 106
  da natureza ilimitada e absoluta do universo 169
  dual da realidade 168
  extrassensorial 79
  grosseira 170
  particular da realidade 39
  sutil 117, 170
Perdão 93, 94

292

Índice Remissivo

Perséfone 227
Perseverança 63, 76
Perspicácia 177
Peso extra 189
Pessoa cega 142
Pete Webb 83, 98, 252
Planta 31, 32, 48, 98
Pobreza 61
Poder das rezas 267
Porco 25, 33, 34
Positivo 25, 35, 41, 63, 66, 68, 73, 82,
    123, 149, 152, 159, 160, 172, 173,
    189, 191, 194, 200, 235, 244, 256
Posse 39, 41, 42, 43, 46, 48, 55, 61,
    63, 79, 105
Potala 39
Prazer 54, 55, 57, 79, 106, 112, 113,
    132, 145, 147, 162, 185, 199, 204,
    212, 214, 222, 232, 255, 257
Preces 45
Preguiça 39, 57, 58, 75, 80, 82
Preocupação 38, 56, 62, 189
Presente 35, 51, 91, 92, 132, 148,
    151, 157, 176, 212, 220, 225, 238,
    248, 256, 258, 268
Pressão interna 49, 50
Preta 26
Primeiro Elo 123, 134, 136, 137, 138,
    141, 142, 143, 146, 153, 275
Primeiro nascimento 26, 122, 136
Problema 31, 36, 39, 43, 44, 45, 47,
    56, 57, 67, 71, 75, 76, 83, 88, 91,
    92, 93, 105, 106, 111, 112, 127,
    132, 142, 145, 153, 154, 155, 160,
    162, 163, 171, 178, 189, 193, 200,
    203, 208, 209, 231, 233, 240, 248,
    251, 277, 279, 280
Processo
    de morte 217, 236, 259, 260, 261,
    263, 264, 268
    mental 121
Projeções

mentais 36, 38, 45, 100, 141, 212
    negativas 108
Proteção áurica 193
Psicologia Budista 34, 35, 38, 88,
    123, 133, 209, 211, 213, 219, 235,
    244, 245, 251
Psicoterapia 65, 97, 207
Psiquê 104, 221, 222, 223, 224, 226,
    227
Punição 59, 237
Puro 193
Quarto Elo 127, 128, 129, 137, 138,
    167, 175, 176, 177, 178, 243
Quinto Elo 127, 129, 132, 138, 183

R

Rabino Nilton Bonder 108
Raiva 39, 44, 62, 64, 83, 84, 85, 86,
    87, 88, 89, 90, 92, 95, 96, 97, 110,
    143, 151, 169, 175, 184, 198, 199,
    205, 212, 236, 248
Raul Marino Jr. 237
Realização interior 261
Reclamar 83, 103, 153, 154, 155
Reconhecimento 202, 222, 257, 265
Reencarnação 136, 167
Reflexão 36, 75, 87, 91, 212, 266
Regozijo 112
Relaxar 46, 47, 86, 92, 100, 141, 146,
    148, 149, 155, 165, 181, 184, 189,
    192, 209, 218, 238, 277, 281
Renascimento 25, 26, 27, 35, 38, 55,
    76, 121, 128, 132, 133, 134, 137,
    138, 145, 167, 175, 183, 220, 235,
    236, 237, 243, 244, 251, 253, 267,
    273
Renúncia 112, 113, 252, 281
Renunciar ao sofrimento·41, 280
Reprogramação 68
Repulsão 131
Respiração 117, 162, 164, 176, 187,

Mania de sofrer

236, 242, 277

Ressentimento 44, 70, 90, 92, 95, 202, 256, 279

Resultados 47, 73, 190, 207, 216, 217

Reza 173, 194, 217, 259, 267, 270

Rigidez 47, 189

Robert Sardello 188, 258, 264

Roda da Vida 23, 25, 26, 27, 33, 54, 56, 61, 75, 84, 103, 104, 121, 125, 132, 134, 137, 183, 197

Rüdiger Dahlke 92

S

Sabedoria 128, 176
  discriminativa 46, 209, 224, 278
  intuitiva 57, 98, 169, 264

Samsara 27, 32, 53, 124, 128, 135, 137, 157, 178, 183, 236, 252, 253, 254, 275

Sangue 174, 175

Saudade 34, 258, 265

Sawang Osel Mukpo Rinpoche 217

Secreto 190, 191, 254
  desejo 96
  reconhecimento 66

Sede Vida de Clara Luz 270

Segundo Elo 124, 125, 133, 137, 138, 151, 152, 157

Segurança interna 275

Seis sentidos 26, 122, 129, 132, 183, 184

Semente 134, 169, 223

Semideuses 26, 30, 31, 38, 39, 41, 61, 62, 63, 104, 105, 244

Senhor da Morte 24, 27, 272

Sensação 30, 38, 41, 42, 48, 50, 64, 69, 71, 80, 83, 86, 97, 106, 108, 109, 110, 112, 117, 119, 122, 131, 132, 159, 162, 163, 197, 205, 206,

211, 213, 223, 232, 238, 245, 246, 258, 262, 263, 268, 271
  de inadequação 97, 104
  de vazio 69
  natural de inteireza 101

Sentimento 26, 39, 61, 64, 67, 68, 72, 73, 88, 95, 96, 103, 107, 109, 110, 111, 113, 117, 118, 122, 131, 147, 148, 153, 159, 160, 167, 169, 175, 197, 199, 205, 206, 207, 211, 220, 229, 230, 245, 249, 256, 257, 263, 264, 277, 278
  de inadequação 110, 245

Ser humano 26, 31, 38, 42, 48, 67, 77, 84, 91, 135, 136, 177, 265

Ser iluminado 237

Serenidade 144, 256, 263

Seres do inferno 38

Seres Sagrados 236

Sergio Klepacz 78, 79

Serotonina 161

Sétimo Elo 131, 132, 138, 197, 205

Sexto Elo 130, 132, 138, 197

Shambala 253

Siddhartha Gautama 136

Sistema imunológico 64, 78

Sistema nervoso autônomo 77

Sistema Nervoso Central 162

Sítio Vida de Clara Luz 161

Sobonfu Somé 52, 104

Sobrevivência 32, 77, 78, 186, 232

Sofrer 23, 41, 43, 53, 121, 141, 144, 145, 179, 208, 209, 226, 253, 254, 276, 280, 281

Sofrimento 23, 24, 25, 27, 29, 31, 32, 33, 34, 38, 39, 41, 42, 43, 46, 49, 50, 53, 54, 55, 56, 57, 62, 66, 68, 75, 76, 83, 84, 85, 86, 88, 89, 92, 93, 106, 112, 124, 138, 141, 143, 144, 145, 152, 170, 178, 203, 205,

Índice Remissivo

211, 212, 220, 222, 235, 237, 241, 243, 252, 253, 254, 264, 276, 279, 281
da perda 55
Sogdzin 184
Sogyal Rinpoche 257
Solidão 39, 53, 56, 58, 59, 79, 82, 232, 246, 249
Solidariedade 76
Solidez 33, 128
Sólidos 269
Solução 39, 66, 92, 146, 153, 154, 202, 277
Sombra 151, 177, 178
Sonho 58, 109, 114, 169, 170, 203, 246, 268
Stefan Klein 159, 199
Sua Santidade, o Dalai Lama 76, 275
Suavidade 161
Subconsciente 265
Suicídio 42, 252
Suprarrenais 78, 161, 185
Sutil 134, 135, 139, 167, 168, 169, 172, 173, 174, 189, 190, 191, 192, 258, 260, 267, 269, 270

T

Tálamo 206
Tara Bennett-Goleman 206
Tarthang Tulku 246
Tato 129, 130, 176, 183, 198
Tempo 32, 34, 37, 43, 45, 46, 47, 48, 49, 50, 51, 52, 58, 64, 68, 71, 73, 75, 80, 88, 89, 91, 96, 97, 99, 113, 117, 127, 128, 137, 138, 145, 146, 147, 152, 153, 160, 162, 163, 170, 171, 177, 180, 192, 193, 194, 198, 201, 202, 203, 204, 209, 213, 216, 225, 226, 229, 238, 240, 241, 256,

258, 260, 261, 264, 267, 269, 276
Tendência Kármica 132, 133
Tepperwein 81
Terceiro Elo 126, 127, 136, 137, 138, 157, 158
Terra 30, 31, 52, 80, 86, 128, 134, 176, 177, 203, 212, 239, 252, 269
Pura 244, 252, 253, 254
Theresa Crenshaw 185
Thinley Norbu 113
Thomas Moore 111, 240
Thrangu Rinpoche 57
Tibete 29, 39
Tiryak 26
Tolerância 84, 253, 261
TPM (Tensão Pré-Menstrual) 171
Transmissão oral 190, 191
Três reinos superiores 25, 38
Três venenos-raiz 25, 32
Tristeza 263

U

Útero 130, 137, 175, 183, 269

V

Vacuidade 29, 30, 113, 146, 170, 175, 176, 190
Vaidade 58
Valor 58, 63, 67, 109, 110, 113, 148, 160, 226, 232, 263
Varanasi 201
Vasopressina 185
Vasos seminais 175
Velhice 42, 243
Ventos
de energia 169, 173, 174, 183, 184
muito sutis 35
Viciado 32, 187, 229, 245
Vida 31, 35, 37, 38, 41, 42, 43, 44,

Mania de sofrer

45, 46, 47, 48, 49, 50, 51, 52, 54,
56, 57, 66, 73, 79, 80, 93, 98, 121,
124, 126, 127, 128, 129, 132, 136,
138, 139, 145, 148
Vingança 64, 93, 96
Violência 78, 84, 104, 281
Vir a ser 27, 122, 132, 136, 138, 235,
236, 268
Virtude 25, 88, 94
Visão 29, 32, 37, 38, 43, 62, 65, 76,
92, 114, 117, 123, 129, 130, 133,
143, 144, 153, 154, 168, 171, 175,
176, 191, 198, 200, 209, 212, 226,
272, 273

budista 32, 77, 143, 276
kármica 37, 38, 77
original 32
Visualizações criativas 240
Vítima 62, 79, 88, 91, 96, 111, 154,
179
Voz interior 83, 261
Vulnerabilidade 70, 71, 72, 117, 148,
154, 261

Z

Zambulin 31
Zeus 222, 226

Contatos

Bel Cesar
belcesar@ajato.com.br
www.somostodosum.com (Espiritualidade – Morte e Luz)

Com a Sede Vida de Clara Luz

As atividades do Sítio e da Sede Vida de Clara Luz visam atender àqueles que buscam o autoconhecimento com a intenção de cultivar o desenvolvimento interior e dar significado às quatro grandes transformações: o nascimento, o envelhecimento, a doença e a morte.

Rua Aimberê, 2008 – Altura do metrô Vila Madalena
CEP 01258-020 – Sumarezinho – São Paulo – SP
Tel.: (11) 3872-6858 (das 15h às 20h)
vidadeclaraluz@ajato.com.br
www.vidadeclaraluz.com.br

Com o Centro de Centro de Dharma da Paz Shi De Choe Tsog

Rua Herculano, 53 – Sumaré – São Paulo – SP – CEP 01257-030
Telfax: (11) 3871-4827
www.centrodedharma.com.br
info@centrodedharma.com.br

Com Lama Gangchen Rinpoche e Lama Michel Rinpoche

Kunpen Lama Gangchen
Via Marco Polo, 13
20123 – Milano – Itália
Tel.: 00xx39-02-29010263
Fax: 00xx39-02-29000684
info@kunpengangchen.it
www.lgpt.net
www.kunpen.it

Mania de sofrer

Albagnano Healing Meditation Centre

Via Campo dell'Eva, 1 – Albagnano di Bèe

28813 Verbania – Itália

Tel.: 00xx39-0323-569601

Fax: 00xx39-0323-569921

infoalba@lgpt.net

Com Peter Webb

Ministra cursos e desenvolve projetos de Agroflorestas, Agricultura Sustentável, Consultoria Ambiental, Paisagismo, Cirurgia em árvores e Reflorestamento em Taludes e Pedreiras. Coordena Ecopsicologia no Sítio Vida de Clara Luz.

peterwebb@ajato.com.br

Tel.: (11) 3872-6858 (das 15h às 20h)

Com Heloisa C. K. Gioia

Psicoterapeuta há mais de 30 anos, ministra cursos e *workshops* sobre o ensinamento a Roda da Vida, no Centro de Dharma da Paz em São Paulo. Autora do livro *Um caminho iluminado – Ensinamentos da psicologia budista tibetana sobre o funcionamento das nossas emoções* (Ed. Cone Sul).

helo.gioia@hotmail.com

Tel.: (11) 3672-6603

Com Izabel Telles

Pesquisadora da mente humana e autora do *best-seller Feche os olhos e veja* (Ed. Ágora). Formada pelo The American Institute for Mental Imagery, trabalha com as imagens que capta no inconsciente humano.

izabeltelles@terra.com.br

Com Magda Pearson

Psicóloga, faz atendimentos de psicoterapia, *Constelação Familiar*, EMDR e hipnoterapia no tratamento de distúrbios psicossomáticos e de estresses pós-traumático. Diretora da Sociedade Brasileira de Hipnose.

Coordenadora do curso de formação em EMDR nível I e II e de Hipnoterapia Ericksoniana. Autora do livro *Pau-pau – Pedra pedra, as palavras não me ferirão e como ferem!* (Ed. Livro Pleno).

www.emdrsp.com.br

magda@emdrsp.com.br

Tel.: (11) 5096-5466

Com Márcia Mattos

Astróloga desde 1984. Conferencista, professora, consultora na área de Desenvolvimento Humano, Astrologia e Negócios e Astrologia Vocacional. Autora do *Livro da Lua* com edição anual desde 2000 e do *Livro da atitudes astrologicamente corretas* (Ed. Campus).

marciamattos@globo.com

www.marciamattos.com.br

Tel.: (21) 2274-8156

Com Sergio Klepacz

Médico psiquiatra, fundou a Clínica Totalbalance. Ministra palestras sobre estresse no processo de envelhecimento, nutrição e equilíbrio psicológico e sobre balanceamento hormonal como forma de manutenção da saúde. Autor do livro *Uma questão de equilíbrio* (MG Editores).

www.totalbalance.com.br

O livro das emoções
Reflexões inspiradas na Psicologia do Budismo Tibetano

    Neste livro, a autora nos convida a questionar as convicções profundas que temos a respeito de nós mesmos e a aceitar o desafio de acolher igualmente todas as nossas emoções sem as rotular como boas ou ruins – vergonha, frustração, autossabotagem e autoestima, irritação, medo, morte e luto são temas visitados. Com indicações de meditações, e tendo como base para a sua reflexão o Budismo Tibetano, Bel Cesar nos inspira a recuperar a confiança básica na essência pura da mente pela constante abertura, confiança e coragem para olhar com entendimento e compaixão tudo que venha surgir em nossa vida.

Morrer não se improvisa

Relatos que ajudam a compreender as necessidades emocionais e espirituais daqueles que enfrentam a morte

Ao compartilhar sua vivência clínica como psicóloga, Bel ensina que a morte pode se tornar mais tranquila se houver a preparação psicológica e um acompanhamento espiritual anterior. O que ela propõe neste livro pode ser aplicado por qualquer pessoa, de qualquer religião. Discípula do mestre espiritual Lama Gangchen Rinpoche, Bel aplica a perspectiva budista no seu trabalho ao mesmo tempo que atende às necessidades espirituais de cada paciente.

A convite de Bel Cesar, dezessete representantes espirituais, médicos e terapeutas, do Brasil e do exterior, complementam o livro e nos mostram diversas maneiras de se fazer esse acompanhamento a pessoas que enfrentam a morte.

Viagem interior ao Tibete

Acompanhando os Mestres do Budismo Tibetano
Lama Gangchen Rinpoche e Lama Michel Rinpoche

Viagem interior ao Tibete narra uma viagem de 25 dias que se inicia em São Paulo rumo ao Tibete, passando por Katmandu, Lhasa, Shigatse e Gangchen.

Bel Cesar viajou com um grupo acompanhando seu filho, Lama Michel Rinpoche, e seu mestre, Lama Gangchen Rinpoche, e narrou na forma de um diário sua estada no Tibete, a inauguração do Monastério de Lama Gangchen Rinpoche e o dia a dia local, visitando as inúmeras relíquias de conhecimento espiritual que o Tibete e o Budismo oferecem.

Oráculo I – Lung Ten

108 predições de Lama Gangchen Rinpoche e outros mestres do Budismo Tibetano

O *Oráculo I – Lung Ten* reúne frases que a psicóloga Bel Cesar, ao longo dos anos, foi anotando em cadernos de viagens, folhas soltas ou mesmo que permaneceram gravadas em sua memória durante seus encontros com o Lama Gangchen Rinpoche e alguns grandes mestres do Budismo Tibetano: S. S. o Dalai Lama, Zopa Rinpoche, Gueshe Sopa, Gueshe Lobsang Tempa e outros.

Segundo Bel Cesar, a intenção em dispor as frases página após página é exatamente para que elas sejam usadas como um sistema de adivinhação: daí o nome oráculo: "Sempre procuramos soluções para nossos problemas; este oráculo será o primeiro de uma série e nos ajudará a encontrar soluções apropriadas para despertar nosso autodesenvolvimento", diz seu mestre Lama Gangchen.